QUE MANGERONS-NOUS DEMAIN ?

Christian Rémésy

QUE MANGERONS-NOUS DEMAIN ?

Odile
Jacob

À la santé de Mina
et de tous les enfants du monde.

© ODILE JACOB, JANVIER 2005
15, RUE SOUFFLOT, 75005 PARIS

www.odilejacob.fr

ISBN 2-7381-1577-2

Avant-propos

La lumière de l'été planait dans le matin. L'enfant tout émerveillé découvrit la rondeur de la nouvelle gerbière. Les gestes des hommes paraissaient vifs et légers. Le froment allait mûrir lentement avant la dernière étape de battage. Le père aperçut son fils et vint l'embrasser. Pour l'enfant, il n'y avait pas de plus beau métier que celui de son père, un travail pour nourrir, pour partager, pour vivre ; un travail pour tous les jours, pour toutes les saisons, un travail pour tous les âges, pour tous les goûts, un travail par amour.

Je garde un souvenir profond de ce moment de partage, le sentiment d'un écoulement du temps paisible comme une brise rafraîchissante d'une durée infinie, une impression de paix profonde à l'abri de tout désordre, un désir de vivre, de perpétuer le travail du père, la force tranquille d'une vérité naturelle, l'amour d'une vie authentique, la perspective d'un long chemin à parcourir, autant d'impressions qui se sont définitivement gravées dans ma mémoire.

Pourtant qu'il fut difficile le chemin : un environnement humain trop limité dans un petit village de campagne, une formation scolaire éloignée de la vie, des études universitaires beaucoup trop théoriques. À défaut de ferme familiale disponible, ce fut la recherche agronomique que je choisis dans le but d'aider le monde rural. Pauvre monde rural ! Que de transformations mal assimilées, que de disparitions, de contraintes, d'atteintes à la nature, et pourtant un monde toujours porteur d'avenir et de vie.

J'ai participé, comme tant d'autres, aux bouleversements de l'agriculture, à ses progrès, à l'amélioration de ses performances, aux dérives d'une agriculture productiviste, trop éloignée de la nature pour être durable et génératrice de bien-être. Désireux de quitter le terrain d'une approche agronomique souvent peu respectueuse de l'environnement et d'une chaîne alimentaire peu équilibrée, je me suis orienté avec conviction vers des recherches destinées à évaluer le rôle clé de l'alimentation dans le maintien de la santé.

Cinquante ans après, je me ressource dans ce souvenir pour éclairer le chemin parcouru à travers la forêt des données scientifiques accumulées. Quelle distance entre la passion paternelle à cultiver avec acharnement une diversité de produits alimentaires, à recueillir avec amour tous les fruits de la terre et le froid langage scientifique des calories, des nutriments et des micronutriments. Dans les premières années du progrès scientifique galopant, nous n'avions plus besoin d'aliments, mais de glucides, de protéines, de lipides, de minéraux et de vitamines. Les fruits et les légumes, des aliments aqueux dépourvus d'énergie, juste une source réduite de quelques vitamines ! Quel contraste avec les odeurs de l'enfance, le parfum du cellier de pommes, le soin infini à mener à bien la culture des arbres fruitiers ou celle des légumes, à élever une basse-cour bruyante, à nourrir les bovins de l'étable. Quel sens avaient donc ces activités rurales si finalement nous avions seulement besoin d'une quantité limitée de nutriments que quelques denrées bien choisies pouvaient suffire à nous apporter ?

Les paysans durs à la tâche n'auraient donc trimé que pour satisfaire quelques goûts subtils (somme toute inutiles) à travers cette large gamme d'aliments produits dans une ferme de polyculture du Sud-Ouest ? N'allait-on pas pouvoir nourrir les futurs cosmonautes ou l'homme de demain avec une poudre énergétique équilibrée accompagnée de quelques minéraux et vitamines ? Décidément il y avait une grande distance entre le sentiment enfantin qui m'avait imprégné d'une richesse infinie des relations de l'homme avec la nature à travers les activités rurales, les fruits du labeur millénaire des paysans d'une part et les nouvelles connaissances scientifiques triomphantes et réductrices d'autre part. La complexité des aliments réduite à un assemblage de nutriments ou micronutriments indispensables ; la campagne, un espace à aménager pour augmenter la production agricole ; le pain, un produit secondaire par rapport aux aliments riches en protéines ; le vin, une vulgaire source d'alcool. Qu'elles étaient peu imaginatives ces années glorieuses entièrement tournées vers la maîtrise de la production agricole et génératrices d'un discours scientifique totalement éloigné de la vie !

Ensuite, on aurait pu penser que les nombreux progrès scientifiques dans le domaine de l'alimentation et de la santé, qui ont permis d'enrichir notre vision sur la nutrition humaine, serviraient de guide pour concevoir une chaîne alimentaire de grande qualité au service de l'homme. On est bien obligé de constater l'existence d'un autre scénario, qualifié pudiquement de « transition nutritionnelle », alors qu'il s'agit d'un véritable bouleversement de nos modes de consommation. En effet, en l'espace de trente ans, un ensemble de produits transformés a envahi nos cuisines en remplacement des aliments naturels qui servaient à préparer nos repas. Cela aurait pu être un réel progrès si la composition de ces nouveaux aliments avait été parfaitement adaptée à la physiologie humaine, or la proportion de matières grasses, de sucre, d'ingrédients divers de faible qualité nutritionnelle en fut considérablement augmentée.

Il est maintenant nécessaire de prendre du recul par rapport à la situation actuelle, d'essayer de concevoir un autre type de chaîne alimentaire plus adapté à l'homme en lien avec la préservation de la santé et de la nature.

CHAPITRE PREMIER

Affronter les bouleversements alimentaires actuels

Sortir d'un environnement calorique artificiel

En l'espace de cinquante ans, notre environnement nutritionnel a été profondément bouleversé. Il est temps de faire le point sur notre système alimentaire pour maîtriser son évolution à venir !

C'EST DU PASSÉ, N'EN PARLONS PLUS

Lorsque la France était en majorité rurale, dans les années 1950, la population n'était pas nécessairement très bien nourrie. Les graisses saturées des produits animaux bouchaient lentement mais sûrement les artères des personnes pas toujours très âgées. La disponibilité en huiles végétales, principalement de l'arachide, ne permettait pas d'équilibrer l'apport en acides gras essentiels. Certaines populations abusaient du beurre, d'autres des charcuteries ou des graisses animales ; les légumes ou les fruits n'étaient pas disponibles à toutes les saisons, les procédés de conservation souvent rudimentaires, les équilibres diététiques largement ignorés, les excès de nourriture fréquents, les privations aussi. Par contre, le repas familial représentait un moment fort de partage, et les menus de fête alignaient une liste impressionnante de plats plus énergétiques et plus riches en protéines les uns que les autres. Dans ce monde rural d'après-guerre, les circuits alimentaires étaient relativement simples. L'autoconsommation, les petits marchés, les artisans bouchers et boulangers, les marchands de primeurs et les crémeries assuraient l'essentiel de l'approvisionnement. Les épiciers distribuaient des denrées plus lointaines et plus transformées. Chaque région possédait des traditions culinaires propres, un vrai patrimoine culturel dans lequel chacun reconnaissait ses racines.

Les repas ou les aliments partagés servaient souvent de ciment familial, voire de langage affectif. Les relations entre alimentation et santé occupaient peu les esprits ; chacun ayant ses convictions sur les vertus de la viande, du lait, de la soupe, du pain et du vin en fonction de ses goûts personnels.

LA NOUVELLE DONNE ALIMENTAIRE

Avec l'exode du monde rural, le développement des métropoles bouleversa la distribution alimentaire. On entra ainsi progressivement dans l'ère des grandes surfaces distributrices des produits transformés et standardisés. Les modes alimentaires furent de moins en moins influencés par les habitudes régionales, l'agriculture devint une source de matières premières largement transformées en de multiples produits alimentaires.

Sans autres considérations que celles du marché, et sans recommandations nutritionnelles claires sur la nécessité de préserver la complexité des aliments, se déroula l'ère des transformations alimentaires intensives, celle du fractionnement des aliments, de la fabrication de produits riches en ingrédients purifiés et appauvris en micronutriments, des produits standardisés, sucrés, salés, aromatisés, colorés, des huiles désodorisées, du pain blanchi.

Les bouleversements socioéconomiques des quarante dernières années modifièrent donc profondément le paysage de l'agroalimentaire. Dans un premier temps, le public se posa peu de questions, tout occupé à participer à la fête de la consommation, à découvrir de nouvelles présentations alimentaires, voire de nouveaux aliments. Face à une offre considérable, caractérisée par la multiplicité des produits transformés, et sans l'aide d'un discours nutritionnel cohérent (parfois contradictoire), les consommateurs finirent par perdre leurs derniers repères. Cela fut à l'origine de l'apparition d'un nouveau questionnement sur le « que doit-on manger? ». Durant les années 1980, les réponses données ne furent pas très encourageantes, l'accent étant mis sur divers facteurs de risque (graisses saturées-cholestérol-sucre-pain) sans faire apparaître le caractère protecteur de nombreux aliments. En l'absence d'informations compréhensibles concernant les nouveaux produits alimentaires, il était difficile pour le consommateur de s'appuyer sur des valeurs sûres pour guider son comportement alimentaire.

Les réponses sont aujourd'hui beaucoup plus claires ; l'intérêt nutritionnel des fruits et légumes, des céréales complètes et de bien d'autres aliments est reconnu, de même que la nécessité de respecter des équilibres nutritionnels. Cela n'a suffi ni à influencer fondamentalement les choix alimentaires, ni à modifier l'offre alimentaire, ni à dissiper le malaise du consommateur. Il est difficile de mesurer aujourd'hui les conséquences à long terme du déracinement culturel et nutritionnel qu'auront entraîné les années glorieuses du développement agroalimentaire.

LE DROIT D'INVENTAIRE

Que de connaissances accumulées et pourtant quel environnement nutritionnel étrange, quelle cacophonie dans le discours nutritionnel, quels messages réducteurs, voire trompeurs, quelles pratiques alimentaires aberrantes ! Mais aussi, parfois, de réels progrès, une reconnaissance du bienfait des aliments, celui des fruits et légumes en particulier, la réhabilitation du pain, la valorisation des huiles, des poissons, la découverte du rôle des micronutriments et des autres facteurs de protection alimentaire.

Cependant, quel malaise d'être confronté à cette foire d'empoigne alimentaire. Des agriculteurs à la peine, des consommateurs nostalgiques d'une alimentation perdue, des interrogations et des doutes dans la majorité des esprits ; des angoisses parfois, des troubles alimentaires fréquents, des technocrates et des économistes fiers des milliards dégagés !

Et pourtant, comment ne pas être émerveillé par les potentialités de notre chaîne alimentaire, la diversité des productions végétales et animales, la complexité des aliments, le potentiel de bien-être et de santé d'une alimentation saine et équilibrée ? On n'a jamais aussi bien compris qu'aujourd'hui la nature des relations entre alimentation et santé. Ces relations peuvent être extrêmement positives, comment pourrait-on les taire et rester inactif ? Ce serait étonnant, incompréhensible. Pourtant, que de messages brouillés, à la différence d'autres secteurs de la biologie et de la médecine, où la moindre découverte d'une expression génétique nouvelle est toujours annoncée comme majeure, essentielle, porteuse d'espoirs de traitements, le plus souvent sans lendemain.

C'est peut-être parce que les bienfaits (ou les méfaits) de l'alimentation ont été pressentis depuis longtemps que notre société a de la peine à s'émerveiller devant un état de fait aussi positif. Sans doute aussi les relations entre alimentation et santé ne semblent-elles pas immédiates, à la différence de médicaments. Pourtant, il y a matière à s'enthousiasmer ! Une bonne nutrition à l'échelle d'une vie permet tout simplement la prévention de la majorité des pathologies ou une forte réduction de leur prévalence. Une bonne alimentation, la première condition pour un bon développement fœtal, un bon départ à la naissance, une garantie pour un développement harmonieux, l'expression d'un beau phénotype, un atout pour un bon fonctionnement intellectuel et physique, un bien-être durable, un antidote à la dépression, une source infinie de convivialité, un accompagnement essentiel pour bien vieillir. Dommage que cela ne suffise pas à prévenir tous les maux de l'âme !

En pratique, que d'erreurs, que de négligences, d'ignorances, de mauvaises pratiques, de piètre gestion du plaisir, de gâchis de surcharge pondérale, de statuts nutritionnels* peu satisfaisants, de repas sans relief, de mets insipides, standardisés, de nourriture vide, de troubles digestifs et métaboliques. L'affaire est donc des plus sérieuses : pourquoi ne réduirait-on pas les dépenses de santé par une nutrition préventive puisque c'est possible ? Pourquoi les secteurs agricoles et agroalimentaires ne seraient-ils pas organisés pour nous offrir la meilleure alimentation possible ? Pourquoi le consommateur ne serait-il pas correctement informé des meilleurs choix à faire ? Non seulement les dépenses de santé

---

* Voir également le glossaire.

pourraient être enfin maîtrisées, mais l'agriculture pratiquée pourrait devenir durable, respectueuse de l'environnement et adaptée à l'homme et par l'homme pour un bienfait général. Bien sûr, sans prise de conscience collective et sans bons choix politiques, tout cela peut paraître utopique. Certes, les solutions à venir sont loin d'être tracées, mais le défi à relever est tellement intéressant qu'il pourrait mobiliser de nombreux chercheurs, professionnels et surtout l'opinion publique.

DÉRIVES DE LA CHAÎNE ALIMENTAIRE
ET DÉRIVES DE L'HOMME

Il est clair que notre chaîne alimentaire n'a jamais réellement été conçue à des fins d'équilibre nutritionnel ; elle est le résultat des efforts de survie des agriculteurs et d'une concurrence très forte du secteur agroalimentaire. Des agriculteurs ont cherché à s'organiser pour produire davantage, suscitant une spirale de dévaluation de leurs productions ; le secteur agroalimentaire a pu trouver ainsi une source de matières premières presque inépuisable et la grande distribution une source de profits durable.

Est-il indispensable de faire évoluer cette situation ? Le schéma actuel peut-il se poursuivre au risque d'engendrer des déviations extrêmes ? : des consommateurs conditionnés, complètement dépendants de l'offre agroalimentaire et de la parapharmacie ; des industries alimentaires dominées par des multinationales toujours plus agressives, imposant au monde entier la consommation de breuvages artificiels, de hamburgers simplistes, de gadgets alimentaires ; une grande distribution toujours triomphante ; une agriculture toujours plus productiviste avec des cultures industrialisées et leur accompagnement de pesticides ou d'OGM, et des élevages concentrationnaires !

Certes, des situations aussi caricaturales seront toujours contournées par l'imagination d'un très grand nombre d'acteurs, beaucoup trop imprégnés de nature, de culture, de bon sens, de courage, d'imagination vitale pour rester passifs. En fait, il est grand temps d'ouvrir un débat citoyen sur ce sujet de civilisation et aussi de survie pour l'homme. Il est important que le consommateur puisse se prononcer pour influencer le cours des choses, encore faut-il qu'il comprenne les enjeux de son comportement, qu'il mesure à long terme les conséquences de l'environnement nutritionnel artificiel dans lequel il s'est laissé enfermer. Nos enfants et nos arrière-petits-enfants seront-ils tous obèses ? Seront-ils encore capables d'avaler des nourritures typées, après un long conditionnement à des aliments standardisés, onctueux, sucrés et aromatisés ? Leur comportement alimentaire sera-t-il complètement différent du nôtre ? Seront-ils en bonne santé, quelle sera leur fertilité, leur longévité, leur goût de vivre ? Pourquoi nos chercheurs se penchent-ils tant sur la question du vieillissement et si peu sur l'influence des conditions environnementales au niveau de l'évolution des espèces et de l'homme en particulier ? L'alimentation, comme d'autres facteurs environnementaux, a été profondément modifiée par l'homme, et en retour ces modifications environnementales auront une influence sur son devenir.

Les paradoxes de l'abondance alimentaire

Les consommateurs sont maintenant dans une situation paradoxale : en théorie maîtres de leurs choix face à une offre très diversifiée mais en fait fortement manipulés par des incitations multiples à consommer des produits toujours plus avantageux. C'est pourquoi la préoccupation majeure des industriels de l'agroalimentaire est de comprendre, d'anticiper ou de conditionner le choix du consommateur roi, finalement victime de l'attention qui lui est portée et bourreau de lui-même lorsqu'il est atteint de troubles du comportement alimentaire ou de déviations métaboliques. Paradoxalement, cette possibilité de choix, au moins pour une frange importante de la population, crée un malaise, suscite un questionnement souvent confus sur les achats à effectuer. Cet état de pseudo-liberté est d'autant plus difficile à supporter que les repères concernant « les bons choix » sont souvent peu fiables et parfois très changeants.

Cependant, même si une politique nutritionnelle de santé publique (qui n'a jamais réellement existé en France sur le long terme) influençait durablement notre consommateur, cela ne suffirait pas à rétablir les équilibres nutritionnels. Tant que les entrées d'aliments et de boissons dans nos super- et autres hypermarchés ne correspondront pas à une offre équilibrée, il y a peu d'espoir de nourrir correctement l'ensemble de la population. Il existe en effet une grande proportion de consommateurs passifs qui ne feront jamais l'effort de refuser des aliments et des boissons sans intérêt nutritionnel et nuisibles à long terme pour leur équilibre et leur santé, sans compter ceux qui n'ont pas les moyens de s'acheter des aliments bénéfiques. Il y a donc une nécessité de faire un travail de fond pour concevoir et organiser une chaîne alimentaire bien adaptée aux besoins de l'homme. On aboutirait ainsi à une production alimentaire équilibrée. Cette démarche serait prolongée par l'organisation des divers marchés, dans une optique de promotion de la qualité nutritionnelle et la mise en place de bonnes pratiques de vente. Puisque l'alimentation a une influence sur la vie de l'homme, pourquoi fait-on preuve de si peu de rigueur dans la distribution de tant de produits que les Américains, grands spécialistes de la chose, qualifient de *junk food* ? Notre société est plus rigoureuse pour codifier la qualité des carburants pour nos voitures que les apports énergétiques pour l'homme. À l'instar de l'essence qui doit contenir des additifs pour assurer une bonne performance et un fonctionnement durable du moteur, l'énergie des aliments doit être accompagnée d'une diversité extraordinaire et subtile de minéraux et micronutriments pour entretenir la vie cellulaire et les équilibres physiologiques de notre corps. Une vérité connue de tous les nutritionnistes et si peu mise en pratique, si on en juge par l'abondance des ingrédients purifiés, sources de « calories vides*». On désigne maintenant sous ce terme les aliments ou les ingrédients qui n'apportent que de l'énergie sans un accompagnement suffisant en composés non énergétiques (minéraux, vitamines, micronutriments divers) que l'on trouve normalement dans les aliments naturels. À l'inverse, le concept de densité nutritionnelle* fait référence à la teneur en éléments essentiels ou protecteurs d'un aliment (pour un apport énergétique donné).

La production et la consommation des aliments de faible densité nutritionnelle ont maintenant pris une extension considérable. Une fois les mauvaises habitudes prises, les initiatives pour

---

* Voir également le glossaire.

lutter contre les dérives de consommation, qu'il s'agisse de tabac, d'alcool, de calories vides, sont très laborieuses à mettre en place et peuvent même être ressenties comme abusives par ceux qui en sont les premières victimes. Quel paradoxe d'avoir à lutter contre une certaine mauvaise alimentation, créée artificiellement, alors qu'il y a tant à faire pour gérer ou bonifier une très grande diversité de produits de bonne qualité nutritionnelle. Puisqu'on a toutes les connaissances et les moyens d'organiser une chaîne alimentaire dans un esprit de développement durable, de gestion harmonieuse des relations entre agriculture et nutrition préventive, est-ce une utopie sociale de mettre à la disposition des consommateurs toutes les facilités pour bien se nourrir ? Évidemment cet objectif peut être atteint, cela nécessite toutefois d'attribuer une valeur économique suffisante à l'alimentation humaine, de lutter contre le développement d'une alimentation à deux vitesses et donc de disposer de formules alimentaires de qualité même pour un budget limité.

LES ARTIFICES DE LA QUALITÉ ALIMENTAIRE

L'optimisation de l'offre nécessite de repenser en amont les modes d'agriculture et de transformation pour atteindre une qualité nutritionnelle suffisante. Qualités organoleptiques (goût) et nutritionnelles semblent souvent opposées dans l'esprit du public, une confusion savamment entretenue s'est installée. Un des buts de la cuisine est de donner du goût à des plats confectionnés à partir d'aliments bruts parfois peu goûteux. On sait à quel point l'art culinaire et la gastronomie sont affaire de mélanges de saveurs, d'équilibres subtils d'arômes. Cependant, pour faire de la bonne nourriture, il faut de bons produits ; le sel, le gras, le sucre, les épices, les aromates naturels ne peuvent palier les insuffisances éventuelles de qualité des ingrédients de base. C'est pourtant le rôle qui est souvent dévolu au trio infernal sucre-sel-gras si abondamment utilisé. Que d'encouragements démagogiques de la part des gastronomes médiatiques à donner du goût avec du gras, combien de recettes sans imagination préconisant des quantités excessives de beurre, de crème ou de sucre ! En plus de ces travers fort répandus, le secteur agroalimentaire a découvert l'avantage des arômes purifiés pour maîtriser le goût des aliments, si bien qu'un tiers des aliments consommés en Europe est aromatisé (et plus de la moitié aux États-Unis). Pour faire plus vrai, les arômes sont parfois accompagnés de colorants dans les préparations lactées, les glaces et les biscuits. Le consommateur est ainsi largement trompé, allant même (surtout les enfants) à trouver bien fades des préparations ou des fruits naturels. Nous voici parvenus dans le meilleur des mondes alimentaires, un monde où la saveur d'un produit est sans rapport avec son contenu et sa valeur nutritive réels. Ce monde, c'est celui des pizzas surgelées, des soupes instantanées, des plats préparés, des desserts lactés, des petits pots pour bébé, des aliments allégés, des boissons aromatisées. C'est celui des aliments industriels dont le goût doit plus à l'habileté des chimistes qu'à l'art des cuisiniers.

Quels sont les effets directs ou indirects sur la santé de ces produits à la saveur truquée ? Comment l'organisme réagit-il lorsqu'il est trompé par des aliments virtuels ? Avec ce type de pratiques, n'y a-t-il pas une relation entre le développement de l'obésité, des allergies ou le piètre statut nutritionnel d'une partie de la population (avec des apports insuffisants d'acides aminés ou d'acides gras essentiels et de micronutriments) ? Au-delà de notre santé, ce sont nos choix et nos habitudes alimentaires que l'industrie manipule. Grâce aux arômes et à la publicité, elle nous fait avaler les préparations les plus quelconques et s'assure notre fidélité à ces produits ; pis, les plus audacieux de ces marchands déguisent leurs produits en vecteurs d'équilibre et de santé.

Évidemment, qualité nutritionnelle et qualité organoleptique peuvent être parfaitement accordées dans les produits de base (viande, lait, fruits, légumes, œufs), mais aussi dans la cuisine préparée avec une très grande diversité d'aliments ou d'ingrédients de qualité. Il n'est pas nécessaire de cuisiner gras ni de disposer d'arômes artificiels pour être un cordon-bleu ; la gamme des épices, des herbes aromatiques, des associations alimentaires réussies est considérable et suffit largement à combler les palais les plus délicats. Même les viandes peuvent être savoureuses sans excès de gras, les confitures et les marmelades sans excès de sucre, le pain sans excès de sel. L'apparent antagonisme entre qualité nutritionnelle et qualité organoleptique est souvent mis en avant pour objecter que l'on ne peut offrir du nutritionnellement bon sans altérer le plaisir. On doit même souligner que plus les produits sont de faible valeur nutritionnelle, plus leurs qualités organoleptiques reposent sur un relèvement artificiel du goût. Comparez donc le goût d'une glace aux fruits naturels à celui d'une glace aux arômes et aux colorants artificiels, et vous classerez qualité nutritionnelle et qualité organoleptique du même côté. Évidemment, le goût peut évoluer en fonction de diverses influences et divers conditionnements. On peut aimer le pain blanc parce qu'on y a été habitué, mais il n'en demeure pas moins nécessaire de découvrir et d'apprendre à aimer d'autres types de pains ou d'aliments plus adaptés à nos besoins nutritionnels. Finalement il est risqué sur le plan de la santé publique de forcer le goût des aliments sans relation avec leur valeur nutritionnelle intrinsèque, c'est pourtant une pratique courante !

En fin de compte, il n'y a aucun obstacle, si ce n'est nos pesanteurs socioéconomiques et une mauvaise organisation d'ensemble, à favoriser l'émergence d'une nouvelle chaîne alimentaire. Nous avons les connaissances scientifiques, la majorité du savoir-faire technologique, il nous manque tout à la fois une prise de conscience collective suffisante et la volonté politique de faire évoluer notre environnement alimentaire. C'est l'ensemble de la société qui doit redéfinir son approche de la nutrition en améliorant toutes les étapes qui la conditionnent en amont. Pour promouvoir cette évolution, les consommateurs ne pourront modifier leur comportement sans l'aide des acteurs de la chaîne alimentaire, et ces derniers ne pourront modifier leurs pratiques sans un changement profond du consommateur.

Un environnement calorique inadapté

Grâce à son emprise sur la nature, ses connaissances scientifiques et son savoir-faire technologique, l'homme a profondément modifié la nature de la chaîne alimentaire, sans mesurer les conséquences de son pouvoir de domination des éléments naturels sur l'environnement, mais aussi sur son propre avenir. Néanmoins, les problèmes alimentaires sont loin d'être résolus ; d'un côté une grande partie de l'humanité souffre de la faim, d'un autre côté le développement d'une épidémie mondiale d'obésité, et de divers syndromes métaboliques qui s'y rattachent, est particulièrement inquiétant. De plus, les populations qui ont subi un état de dénutrition sont paradoxalement plus exposées à la surcharge pondérale lorsqu'elles disposent d'une offre alimentaire riche en produits transformés.

Pendant qu'une agriculture et une industrie agroalimentaire modernes gênèrent, dans de nombreux pays, des surplus d'aliments riches en énergie, il est navrant d'observer qu'une partie de l'humanité continue à souffrir de la faim, ce qui prouve que la chaîne alimentaire actuelle n'est pas un modèle de développement durable, dans la mesure où les modèles de production alimentaire développés dans les pays riches sont difficilement transposables aux pays pauvres. Certes, les problèmes d'insuffisances alimentaires ont une origine très complexe, mais les modes d'alimentation des pays occidentaux ne gagnent pas à être adoptés par les populations du tiers-monde pour résoudre les problèmes de la faim et pour prévenir l'épidémie mondiale d'obésité qui se dessine. Il est particulièrement difficile et complexe d'analyser toutes les retombées du développement agricole, de décrire les conséquences écologiques ou socioéconomiques induites par une agriculture et une industrie de transformation performantes. Même bien faite, une telle analyse fournirait un éclairage insuffisant puisqu'il faut aussi intégrer les conséquences probables des nouveaux modes alimentaires sur la possible évolution de l'homme.

Il est important d'analyser la nature des bouleversements alimentaires qui ont déjà entraîné des conséquences bien visibles sur la physiologie humaine, par exemple en matière de surpoids. Il ne s'agit pas seulement de la fin des pénuries alimentaires, de l'augmentation des proportions de lipides ou de sucre, mais du changement de la nature des aliments. Le développement intensif d'aliments et de boissons reconstitués à partir d'ingrédients de base et l'abandon progressif d'aliments complexes ont fortement modifié l'environnement des apports caloriques. Dans les pays occidentalisés, en l'espace de cinquante ans, l'essentiel de l'énergie n'est plus inclus dans la matrice des aliments naturels qui sont transformés avant leur consommation. Lorsque l'alimentation était riche en produits végétaux non transformés, l'énergie, principalement sous forme de glucides et de protéines, n'était pas toujours bien disponible dans sa matrice alimentaire ; finalement avec une alimentation riche en féculents, en légumes, il fallait consommer beaucoup de fibres, ce qui limitait leur consommation et les apports caloriques. Dans la chaîne actuelle, les calories alimentaires sont devenues d'une accessibilité quasi illimitée à travers une offre très diversifiée d'aliments transformés. L'énergie apportée par les matières grasses, les sucres, les céréales raffinées, est largement débarrassée de son environnement naturel ; elle est devenue très assimilable au niveau digestif, souvent peu satiétogène, de goût rehaussé par des arômes, et avec une texture et une coloration adaptées aux goûts du consommateur. Bref, on est largement passé à l'ère de l'énergie facile toujours disponible et bien assimilable. Curieusement, les nutritionnistes débattent toujours de la proportion idéale des glucides ou des lipides alors que c'est la nature même des aliments consommés qu'il convient de remettre en question.

Pour des millions d'hommes habitués à des privations, souffrant d'épuisement physique, qu'il s'agisse de nos grands-parents ou de populations en développement, le fait de disposer en permanence d'un soûl calorique peut paraître une situation paradisiaque. Là réside une partie du problème et le caractère insidieux de la chaîne alimentaire actuelle. Les populations si bien repues seraient vraiment ingrates de se plaindre : « Ne voyez-vous pas que la longévité humaine n'a jamais été aussi élevée ! Finalement, ces plaintes sociétales, ces questionnements sur la malbouffe semblent bien déplacés par rapport aux avantages d'une offre alimentaire économiquement très performante, bien sécurisée et surtout si abondante. »

Le problème essentiel provient du fait que l'homme n'a jamais été adapté à ce type d'environnement énergétique, largement artificiel, et il ne semble pas raisonnable de l'y contraindre. Il est évidemment plus logique et plus sûr d'adapter la nature des aliments produits aux nécessités de la physiologie humaine plutôt que de favoriser l'essor d'une production alimentaire rentable mais dont l'impact à long terme sur le devenir de l'homme est très incertain. Une des difficultés majeures provient en effet de la longueur du temps de latence (une à deux générations) nécessaire pour mettre en évidence des modifications phénotypiques claires. Il ne s'agit pas de remettre en question les progrès de la nutrition, mais d'aller vers une exigence beaucoup plus grande en matière de relation entre alimentation et santé. Nous n'avons aucune assurance sur les conséquences à long terme d'une alimentation devenue artificielle concernant le comportement alimentaire des générations à venir, les capacités de résistance de l'homme aux stress, aux maladies infectieuses ou aux cancers ; nous savons déjà que cela augmente un ensemble de pathologies dégénératives, et tous ces éléments devraient nous inciter à une grande prudence. La réalité alimentaire actuelle est basée sur une certaine logique économique de production-commercialisation-consommation de produits prêts à l'emploi qui ne satisfait pas nécessairement les besoins de l'homme. Les améliorations possibles se situent à tous les niveaux de la chaîne alimentaire, celui de la production agricole, du traitement des denrées, des modes de préparation culinaire ou de la pertinence des associations alimentaires. Il s'agit de lutter contre un enchaînement alimentaire dont certaines conséquences défavorables semblent avérées tout en mettant à profit l'extrême richesse des progrès scientifiques et technologiques acquis dans ce domaine.

L'idéal serait que l'offre alimentaire facilite le respect des équilibres nutritionnels, or les flux d'aliments et de boissons qui entrent dans un supermarché (et qui ressortiront dans les Caddie) ne facilitent pas, à l'évidence, l'adoption de comportements équilibrés pour une large partie de la population. Ces déséquilibres dans la surabondance de boissons ou de produits sucrés, de produits laitiers, de charcuteries, de plats préparés sont fortement induits par l'efficacité commerciale des lobbies alimentaires. De plus, il serait souhaitable que la majorité des produits aient une bonne densité nutritionnelle. Ce type de règles de bonnes conduites nutritionnelles qui viseraient à assurer l'équilibre et la qualité de l'offre n'a pas encore été adopté par les professionnels du secteur agroalimentaire.

La nutrition humaine ne peut donc être gérée correctement par la multiplication quasi infinie de produits alimentaires de qualité standard, avec un nombre toujours plus important de yaourts, de fromages blancs, de biscuits, de glaces, de poissons panés, de sodas, de chocolats, de céréales de petit déjeuner chargées en sel, de biscottes, de sauces, de jus de fruits sucrés, etc. Il est urgent de repenser le système de production-distribution et de lutter contre la prolifération des produits alimentaires qui ne participent pas réellement à une diversification alimentaire effective, réclamée par les nutritionnistes.

Certes, nous ne consommons pas les pilules que certains futuristes avaient prévues pour l'homme du XXIe siècle, mais les gadgets alimentaires des stations-service, les chips, les pains de mie, les viennoiseries aromatisées, les barres chocolatées, les boissons sucrées et une très grande diversité de biscuits, de glaces ou de desserts industriels peuvent bien être assimilés aux pilules futuristes, d'autant que chacun de ces pseudo-aliments parvient à se parer d'une image nutritionnelle fonctionnelle par quelques ajustements de composition.

L'émergence de cet environnement calorique artificiel est finalement extrêmement récente. Le contraste avec la situation alimentaire de l'homme préhistorique ou même de celui du début du XXe siècle est saisissant. Nos ancêtres chasseurs-cueilleurs devaient dépenser beaucoup d'énergie pour capturer leurs proies souvent peu tendres et peu grasses. Quant aux plantes qu'il fallait bien avaler pour vivre, elles étaient souvent pourvues d'un excès d'amertume, parfois de substances toxiques, et étaient bien peu nourrissantes. Souvent la nourriture était tellement rare dans les périodes hivernales et de sécheresse que seuls les individus les plus résistants aux privations parvenaient à résister grâce à leurs capacités à accumuler l'énergie dans les périodes fastes. Ainsi ont été sélectionnés les individus les mieux pourvus de gènes d'épargne. Ces gènes ont sans doute été largement transmis et se sont révélés utiles pour beaucoup de générations. En revanche, une trop forte propension à l'épargne est aujourd'hui inadaptée au nouvel environnement énergétique.

Sans remonter très loin, ouvriers et paysans accomplissaient leurs tâches grâce à un travail manuel intensif si bien que leurs dépenses journalières étaient pour la plupart une fois et demie à trois fois plus élevées que celles d'un sédentaire actuel. Comme l'aliment principal était le pain, les viandes et les matières grasses énergétiques étant très peu disponibles, il n'est pas étonnant que la situation nutritionnelle des travailleurs manuels ait été insuffisante. Les bienfaits de la diversification alimentaire ne sont pas à remettre en cause, l'assurance d'avoir à manger est un acquis élémentaire. Il est dommage d'avoir résolu ce type de problèmes en en créant d'autres sans doute graves à long terme.

UNE COMPTABILITÉ CALORIQUE BIEN PEU EFFICACE

À la suite des découvertes scientifiques et du changement de mode de vie, le concept des calories est devenu omniprésent dans la réflexion diététique, marginalisant les effets spécifiques des aliments. L'origine de cette déviation provient d'une analyse scientifique réductrice centrée sur la composition énergétique des aliments et bien trop éloignée de la complexité des problèmes nutritionnels. En découvrant les principales classes de substrats énergétiques et leur accompagnement en minéraux et vitamines, les scientifiques ont paradoxalement induit des biais alimentaires et nutritionnels de plusieurs ordres. Cette analyse a contribué, en particulier aux États-Unis, à marginaliser les fruits et légumes dont on ne voyait pas le réel intérêt énergétique. Surtout l'extraction de la fraction énergétique des aliments, par la production de sucres, d'huiles, de farines, est devenue le fil directeur des industries de première transformation alimentaire générant une activité économique florissante. La voie était ouverte non seulement au Coca-Cola, aux fast-foods, aux gadgets alimentaires mais aussi à une large industrie de fractionnement et de recomposition alimentaire.

L'analyse des calories ingérées est aussi devenue une approche trop prégnante en diététique. Combien de promotions de diététiciens ont équilibré les régimes en calories en utilisant les aliments qui simplifiaient leur comptabilité. Beaucoup d'approches diététiques sont trop centrées sur le calcul des divers apports de nutriments ou micronutriments et ne mettent pas suffisamment en relief l'équilibre nutritionnel résultant de l'assemblage et de la diversification alimentaire.

Même s'il est averti de leur valeur énergétique, il est bien difficile pour le sédentaire de contrôler sa prise calorique lorsqu'il dispose d'aliments de densité énergétique[*] plutôt élevée qui ne

---

[*] Voir également le glossaire.

facilitent pas la perception de la satiété. C'est l'offre d'une grande diversité de produits énergétiques assimilables (aliments ou boissons de petit déjeuner et de goûter, pizzas industrielles, jus de fruits, sandwichs divers, desserts lactés, glaces, etc.) qui entraîne progressivement les consommateurs les plus passifs et surtout les plus jeunes dans une spirale d'inflation calorique susceptible de générer à la longue des problèmes métaboliques.

Le développement actuel du diabète, de l'obésité et des maladies métaboliques est une preuve évidente de l'inadaptation de l'offre alimentaire. Cela provient en particulier du fait que l'on a largement dissocié dans l'élaboration des aliments la fraction énergétique de son environnement naturel. Il est évidemment possible de rectifier le tir en maîtrisant l'ensemble des étapes de l'élaboration de la qualité des aliments. Finalement, cette évolution vers une pléthore d'aliments énergétiques, sans doute mal adaptés à la physiologie humaine, a été provoquée par une logique économique pesante à laquelle ont été contraints les secteurs de l'agriculture et de l'agroalimentaire et elle a également été favorisée, soutenue par une peur viscérale de l'homme de ne pas avoir assez à manger. Cela a favorisé un productivisme agricole, l'essor des industries de transformations et le gigantisme de la grande distribution. Sans politique nationale ou internationale pour concevoir et coordonner une chaîne alimentaire adaptée à l'homme, sans discours nutritionnel suffisamment clair, sans la prégnance de repères culturels trop évolutifs, il n'est pas étonnant que le système de production-distribution alimentaire ait dérivé vers des voies surprenantes et souvent peu sûres.

Une offre alimentaire avec une logique de production industrielle

LE PRODUCTIVISME AGRICOLE

Les agriculteurs sont le premier maillon de la chaîne alimentaire et longtemps ils ont été les fournisseurs directs d'aliments aux habitants des villes ou des campagnes, ce qui leur permettait d'en retirer un maximum de revenus. Le consommateur était ainsi directement informé de l'origine et de la qualité des produits délivrés. Aujourd'hui, la perception du rôle des agriculteurs dans l'élaboration de la qualité est brouillée dans la diversité de l'univers alimentaire ambiant. Réciproquement, à quelques exceptions près, l'agriculteur ignore la nature des transformations subies par ses productions agricoles et leur devenir. De plus, le secteur agroalimentaire apparaît à travers ses divers acteurs, ses diverses marques, ses influences publicitaires comme le principal responsable de la qualité des aliments délivrés. Ainsi l'agriculture a-t-elle été largement dépossédée de la plus-value correspondant à l'image nutritionnelle et à la valeur-santé des produits alimentaires.

Comment se sont opérés cette coupure et cet éloignement du monde agricole vis-à-vis de l'alimentation de nos concitoyens ? Le monde rural a longtemps pratiqué une autoconsommation et développé une cuisine de terroir adaptée aux disponibilités régionales. Les connaissances et les préoccupations diététiques étaient quasiment absentes des foyers ruraux, ce qui ne les empêchait pas d'attribuer beaucoup d'importance au contenu des repas. Avant la Seconde Guerre mondiale, la France était majoritairement rurale, la démographie très faible, et la population mangeait à sa faim. La guerre de 1939-1945 vint rompre cet équilibre, si bien que les ressources alimentaires devinrent insuffisantes. La pénurie alimentaire perdura à la sortie de la guerre d'autant qu'un boom démographique augmenta le nombre de bouches à nourrir. Il fallait moderniser l'agriculture, augmenter la taille des exploitations, développer la mécanisation et l'usage des engrais, améliorer les races et les variétés, bref, augmenter les rendements de l'agriculture et de l'élevage.

La recherche agronomique fut mise à contribution pour résoudre définitivement les problèmes d'approvisionnement alimentaire. En France, une politique volontariste de modernisation agricole relayée par la Politique agricole commune européenne aboutit très rapidement à l'essor de la production agricole jusqu'à l'accumulation d'excédents extraordinaires, bien difficiles à résorber. Évidemment, le passage de l'insuffisance à la surproduction alimentaire fit chuter les prix des principales productions (céréales, viandes...). L'activité agroalimentaire et le budget du consommateur tirèrent un bénéfice appréciable de l'effondrement des prix agricoles.

Le monde paysan, avec une constance remarquable, mit une énergie considérable à survivre en augmentant sans cesse le volume de ses productions. Ce fut d'une certaine façon « la fin des paysans », et personne ne sait ni où s'arrêtera cette mutation, ni quels seront les scénarios des futurs types d'agriculture. Il est important de souligner que les agriculteurs ont cherché à assurer leur avenir en se mettant à produire tout ce qui pouvait bien pousser, s'élever et se vendre, sans s'assurer que cela correspondait à un intérêt ou à un équilibre nutritionnel pour la population, sans suivre le devenir de leurs aliments, sans exiger une juste rémunération de leur travail. Cultiver les champs, exploiter les prairies, voire les défricher, assurer une rentabilité par l'augmentation des productions a donc été le fil directeur d'une grande majorité d'agriculteurs.

Cette large priorité donnée à la production agricole brute a eu non seulement des conséquences négatives sur la fertilité des sols et la préservation de l'environnement, mais a aussi contribué à éloigner l'agriculture des réalités alimentaires. En déléguant, sans aucun pouvoir de contrôle, le soin à d'autres professionnels d'assurer les approvisionnements alimentaires, l'agriculture a perdu une partie de sa finalité, et cette délégation a contribué à marginaliser son revenu et son influence sur la chaîne alimentaire. Paradoxalement, les acteurs du monde agricole ont entièrement soutenu le développement de l'industrie agroalimentaire pensant en avoir des retombées significatives. Or, par le jeu de la concurrence et de l'excès de l'offre sur la demande, la majorité des prix agricoles ont sans cesse été tirés par le bas. La diminution de la rentabilité agricole a rendu la condition de paysan bien difficile, et les conséquences des problèmes économiques ont été aggravées par la perte du sens du métier d'agriculteur. Pour justifier, auprès de la société, les subventions agricoles (pourtant rendues indispensables dans le contexte de concurrence internationale), l'État a mis l'accent sur le rôle de l'agriculteur comme jardinier ou gardien de l'espace rural. Le discours public ou sociétal n'a pas mis en valeur son rôle nourricier, sa mission de gestion de la santé par des produits d'excellente qualité nutritionnelle et exempts de substances toxiques. Aucun cahier des charges rigoureux n'a jamais été mis en place dans ce sens, même dans les circuits d'agriculture biologique.

Par contre dans les dernières décennies, les paysans ont dû progressivement intégrer leur activité à des filières industrielles en concurrence dans le marché mondial. De la chimie à la distribution, les firmes manœuvrent sur les marchés pour contraindre, sinon contrôler, les modes de production agricole et la consommation alimentaire. La course au productivisme exige de chaque producteur qu'il livre toujours plus de produits toujours plus standardisés, avec des marges laminées par le coût des intrants et la pression de la grande distribution. Le paysan est assujetti de toutes parts : emploi de matériels spécifiques et coûteux, achat de reproducteurs et de semences améliorés, coût et dangers massifs de l'usage des pesticides. Chacun peut en prendre conscience : l'agriculture est toujours plus spécialisée, elle est suspectée de dégrader les écosystèmes, de polluer l'eau et l'environnement, d'être le premier maillon de la « malbouffe », et de nombreux citoyens deviennent inquiets pour la survie de leur planète.

L'ÈRE DES TRANSFORMATIONS ALIMENTAIRES ET DE LA GRANDE DISTRIBUTION

Pendant que les agriculteurs s'enfermaient dans une fuite en avant de productions végétales ou animales toujours plus intensives, une industrie agroalimentaire florissante se développa pour offrir aux consommateurs de nouveaux produits et satisfaire de nouveaux services tout en conditionnant ou orientant les actes d'achat. La nature des transformations des produits végétaux et animaux est extrêmement diverse. Il n'est pas étonnant que les progrès technologiques aient permis des innovations de tous ordres, aboutissant à un meilleur traitement des matières premières, à une excellente conservation des produits et à une garantie sanitaire toujours plus élevée.

L'extension des transformations alimentaires a été telle qu'elle peut répondre à la quasi-totalité des demandes du consommateur si bien que celui-ci a progressivement diminué ses achats de produits de base au profit des produits transformés. Ce changement dans les habitudes alimentaires, le recours à des spécialistes pour traiter les aliments ont contribué à résoudre beaucoup de problèmes nutritionnels et de carences liées à une alimentation trop monotone et peu diversifiée. Cependant, l'offre agroalimentaire moderne a introduit d'autres problèmes nutritionnels largement liés à la disponibilité d'une énergie assimilable et mal environnée.

En effet, un des défauts majeurs que le public non averti ne peut percevoir concerne l'abondance des calories vides contenues dans beaucoup d'aliments et de boissons. Le concept de calories vides, pas assez vulgarisé, signifie que les produits contiennent de l'énergie sans l'accompagnement nécessaire en nutriments et en micronutriments essentiels. Ces calories vides sont principalement apportées sous forme de sucres, de matières grasses ajoutées, de farines raffinées, d'amidon, de fibres purifiées. À l'inverse, le terme de densité nutritionnelle fait référence à la richesse d'un aliment en nutriments et en micronutriments essentiels, en relation avec son contenu énergétique. On peut comprendre ainsi que des aliments peu énergétiques tels que les fruits et légumes ont une densité nutritionnelle élevée alors que celle des biscuits constitués de sucres, de matières grasses et de farines purifiés est très faible. Le public perçoit souvent beaucoup plus difficilement les différences de densité nutritionnelles des divers types de pain ou ne se rend pas compte de la très mauvaise densité d'un yaourt sucré.

Les risques d'utilisation de certains ingrédients (sucres, matières grasses, alcool) sont facilement perçus pour leurs effets métaboliques, leur impact sur le contrôle du poids. Par contre, le public non averti a peu conscience que ces ingrédients privent l'organisme des éléments indispensables à son bon fonctionnement, en fournissant de l'énergie à la place d'aliments complexes beaucoup plus riches en micronutriments. Or la contribution énergétique des produits gras et sucrés, principales sources de calories vides, est devenue plus importante que celle des céréales (elles-mêmes appauvries en micronutriments) et des autres féculents.

Il est étonnant que la législation qui régit les pratiques alimentaires n'ait pas fait preuve d'une plus grande vigilance sur cette question fondamentale, directement liée au statut nutritionnel de la population. Ainsi aucune limite n'a été fixée dans l'utilisation des ingrédients purifiés, et aucune exigence de densité nutritionnelle minimale n'est requise. Si un minimum de densité était exigé, la composition de la plupart des biscuits en serait modifiée (avec moins de sucre, plus de farine bise ou d'autres ingrédients de qualité), de même que celle des produits laitiers ou des jus de fruits sucrés, des glaces ou des hors-d'œuvre industriels, de divers plats préparés et du pain lui-même. Certains produits seraient même amenés à disparaître ou à évoluer fortement (finalement pour le bien de tous), n'en déplaise aux marchands de sodas et de bien des gadgets alimentaires.

Il est vrai que le sucre a été longtemps une denrée très rare en provenance de la canne à sucre produite dans les contrées du Sud. Le blocus continental, imposé par les Anglais pour contrer l'Empire napoléonien, favorisa l'essor du sucre de betterave. L'hydrolyse de l'amidon des céréales en glucose puis la transformation du glucose en fructose sont venues enrichir les sources possibles de matières sucrées dont l'humanité fait maintenant un usage immodéré. La disponibilité en matières grasses était très rare avant l'extension des cultures de tournesol, de maïs, de soja et de colza et maintenant de l'olivier. Il n'y avait donc aucune raison pour le législateur de porter une attention particulière à l'utilisation de ces ingrédients longtemps peu disponibles. Pourtant, la généralisation d'ingrédients purifiés auxquels se sont ajoutés d'autres éléments provenant du fractionnement alimentaire a fortement modifié la nature des aliments proposés et affecté leur densité nutritionnelle. Cela se traduit par une forte abondance de matières grasses dans la plupart des préparations alimentaires industrielles souvent aggravée par l'addition d'amidon, de sel, d'agents de texture, de conservateurs, d'arômes, de colorants et maintenant d'une nouvelle gamme de sucres simples (glucose, fructose en provenance de l'amidon).

Les nouvelles technologies ont permis le fractionnement des matières premières et ont contribué ainsi à la modification de beaucoup d'aliments. En effet, les denrées brutes peuvent être divisées en une multitude de fractions grâce à des technologies appropriées. Cette possibilité de fractionnement a été particulièrement prisée par les industries agroalimentaires pour générer une très grande diversité de produits en matière de préparations lactées, de céréales de petit déjeuner, de boissons sucrées, de barres énergétiques, etc. Parfois, certains ingrédients sont tellement avantageux (lécithine de soja, lactosérum, amidon) qu'on les retrouve dans un très grand nombre de produits (biscuits, chocolats, glaces, sauces, desserts lactés). Néanmoins, dans la plupart des cas, l'assemblage des diverses fractions dans des aliments reconstitués ou des boissons ne reproduit pas l'équilibre des aliments naturels, ni leur complexité, ni leurs effets physiologiques.

La prolifération de produits de faible densité nutritionnelle dans les rayons des supermarchés est surprenante. Ce qui peut sembler normal au début du XXIe siècle apparaîtra comme une particularité de l'évolution alimentaire pour les générations futures qui, certainement, sauront rectifier ces mauvaises pratiques. Il paraît peu opportun de purifier trop fortement les matières grasses au risque de les appauvrir fortement en antioxydants, de raffiner les produits céréaliers jusqu'à leur épuisement en minéraux et vitamines, de clarifier trop systématiquement les jus de fruits avec des pertes excessives de fibres et micronutriments ou de purifier le sucre jusqu'à la blancheur en lui ôtant toute trace de minéraux.

Les nutritionnistes, sans doute trop peu nombreux et pas assez écoutés, ont déjà analysé les conséquences de ces pratiques sur le statut nutritionnel des populations et sur les risques courus pour la santé. Dès maintenant, il est clair que le développement d'un certain type d'activités agroalimentaires contribue à diminuer la qualité nutritionnelle de l'offre alimentaire, surtout si la consommation de fruits et de légumes, de viandes, de produits céréaliers peu raffinés, de divers féculents est trop systématiquement remplacée par un certain type de produits transformés : des aliments et des boissons sucrés, du pain blanc, des céréales de petit déjeuner devenues bien artificielles, des goûters riches en calories vides, des plats préparés fort gras, des charcuteries très salées, une trop grande panoplie de produits laitiers.

En fait, les défauts actuels de l'offre en provenance du secteur agroalimentaire peuvent être corrigés pourvu que le consommateur l'exige par ses choix, ce qui nécessite un travail d'information considérable. Par ailleurs, conscients des inconvénients des technologies actuelles, les pouvoirs publics *via* une politique réglementaire ou incitative peuvent fortement influencer la nature des produits proposés en imposant par exemple des règles simples sur le maintien d'une densité nutritionnelle optimale, en demandant aux professionnels de justifier le fractionnement et les assemblages opérés. Jusqu'à présent, il n'existe aucune attitude restrictive réglementaire vis-à-vis de la purification des aliments, ni de l'usage souvent immodéré de calories vides. Au contraire une confiture doit garantir une teneur minimale de sucre de plus de 50 %, une compote de plus de 20 %, si bien que les autres préparations de fruits n'ont pas droit à ces appellations. De même, la législation concernant les farines, heureusement désuète, exigeait une garantie de faible teneur en minéraux comme critère de pureté. Tous ces exemples montrent que le concept de densité nutritionnelle n'a pas été pris en considération par les pouvoirs publics, sans doute parce que les nutritionnistes l'ont mis en avant trop tardivement.

Le législateur a, par contre, toujours fait preuve d'une plus grande vigilance pour surveiller l'addition de minéraux, de vitamines ou d'éléments divers dans les aliments (le sel a bénéficié d'un traitement de faveur). Ainsi, les risques liés aux supplémentations ont été correctement perçus alors que ceux entraînés par les purifications passent inaperçus. Il est vrai que les produits riches en calories vides ou les excès de sel n'exercent leurs effets négatifs que sur le long terme à l'échelle de quelques mois ou de quelques années.

L'impact santé de la chaîne alimentaire est certes très difficile à analyser ou à maîtriser compte tenu de la diversité des produits distribués, de leurs influences métaboliques, de leurs interactions et de leurs impacts sur le comportement nutritionnel. Actuellement, le contrôle de la qualité est surtout limité à la valeur sanitaire ou au respect des affichages de compositions ou d'allégations, ce qui se révèle insuffisant. De plus, le fait de proposer à des prix très bas des produits sous emballage contribue à modifier les comportements alimentaires et à exercer une concurrence trop forte vis-à-vis de produits nettement plus onéreux tels que les fruits et les légumes, et les viandes de qualité.

En fait, il est indispensable de faire collaborer le plus étroitement possible les secteurs de l'agriculture, de l'agroalimentaire et de la distribution pour faciliter l'adoption de modes alimentaires équilibrés et aboutir aux enjeux sociétaux recherchés sur la qualité de la chaîne alimentaire et la réduction des dépenses de santé. La tâche est d'autant plus difficile que la gestion de cette chaîne est très complexe, très lourde d'enjeux socioéconomiques et fortement dépendante du consommateur lui-même. Il faut bien reconnaître que le développement d'un certain type d'agroalimentaire, sous la férule des multinationales, est fort éloigné des enjeux sociétaux consensuels concernant la préservation du tissu rural et le maintien d'une identité culinaire culturelle. Il serait souhaitable d'aboutir à un consensus citoyen sur la manière de gérer les espaces ruraux et sur la nature de l'offre alimentaire recherchée. Cela nécessitera à l'avenir d'harmoniser les politiques nutritionnelles de santé publique, de gestion de l'alimentation et de l'agriculture.

Une alimentation souvent dévalorisée

Les progrès de l'agronomie et la modernisation de l'agriculture ont permis de résoudre les problèmes de disponibilité alimentaire dans beaucoup de régions du monde. Que cette nouvelle donne ait contribué à diminuer fortement le coût de l'alimentation n'est pas surprenant. Cette évolution a semblé même être un progrès social élémentaire libérant l'homme de la peur d'avoir faim, le délestant d'une charge budgétaire lourde, dégageant son pouvoir d'achat pour d'autres biens et services, voire pour ses loisirs ou sa culture. Le budget alimentaire des ménages a ainsi diminué de moitié en quarante ans, passant de 30 % dans les années 1960 à 15 % actuellement. Cependant, dans cette estimation, il faut tenir compte de l'augmentation du pouvoir d'achat. Ainsi, le budget consacré à l'alimentation peut paraître encore assez conséquent. Globalement, seulement environ un quart de ces dépenses sert à rémunérer le secteur agricole qui gagnerait donc à ne plus miser autant sur la production de matières premières pour se développer. La chaîne alimentaire actuelle occasionne de nombreux coûts induits (subventions diverses, impacts écologiques, sanitaires, pertes du tissu rural) difficiles à chiffrer. Finalement, la question récurrente concerne la qualité de l'alimentation obtenue dans ces conditions.

Pour les économistes, la diminution du budget alimentaire est même une des conséquences les plus prévisibles et reproductibles du développement socioéconomique d'un pays. En fait, ce type d'évolution, selon une logique économique, masque bien des problèmes et entraîne une série de bouleversements dans la gestion de la chaîne alimentaire, dans la qualité de l'offre alimentaire, dans le comportement du consommateur. Par ailleurs, au-delà des chiffres, il faut connaître les conséquences nutritionnelles, métaboliques et sanitaires induites par les nouveaux modes alimentaires, l'impact en amont sur l'environnement et le tissu rural d'une agriculture productiviste, et l'impact en aval de l'alimentation actuelle sur le bien-être et la santé de la population.

À ce sujet, il est curieux de noter que, dans nos sociétés occidentalisées, la progression des dépenses de santé suit une évolution opposée à celle du budget alimentaire. Certes, l'évolution du coût de la santé ne peut être ni entièrement imputée aux problèmes alimentaires, ni totalement maîtrisée par une meilleure gestion de la nutrition humaine. Cependant, le simple fait de stabiliser les dépenses de santé (au-dessous d'un seuil de 10 %) par une revalorisation de l'alimentation aurait des répercussions sociales extrêmement bénéfiques. Ce réajustement permettrait de développer une agriculture durable*, porteuse d'une mission nourricière et de santé publique, respectueuse de l'environnement, et assurée de son avenir. Un tel positionnement devrait contribuer à diminuer la pression sur l'abaissement des prix qui est souvent préjudiciable à l'obtention d'une bonne qualité nutritionnelle. Pour la gestion publique, pour l'emploi salarial, la diminution des charges sociales liées à la santé aurait des répercussions très favorables. Ce rééquilibrage si bénéfique entre le secteur de l'alimentation si malmené et celui de la santé plutôt hypertrophié n'est pas seulement dépendant d'un redéploiement budgétaire. Il nécessite pour être réussi de s'appuyer sur une

---

* Voir également le glossaire.

offre alimentaire fortement améliorée et sur l'adoption par le consommateur de comportements alimentaires beaucoup plus éclairés.

L'avènement d'un nouvel âge alimentaire à la hauteur des progrès fulgurants de la biologie ou de l'informatique paraît indispensable. L'homme peut certainement assurer une des bases de son avenir en gérant efficacement les facteurs nutritionnels indispensables à son équilibre biologique ou psychique ; dans le cas contraire, il se mettrait dans une situation difficile qui pourrait avoir de nombreuses conséquences sur sa faculté à s'adapter à un environnement changeant.

Or l'amélioration de l'alimentation humaine semble moins avancée que d'autres domaines qui ont bénéficié de progrès scientifiques et technologiques considérables. Avec la chaîne alimentaire actuelle, l'évolution nutritionnelle est très inégale et parfois même négative, comme nous l'avons déjà évoqué à propos de l'abondance des calories vides.

L'avènement de la grande distribution a joué un rôle important dans la baisse du prix des produits alimentaires et finalement dans une certaine standardisation vers une qualité nutritionnelle moyenne ou faible. Au départ, la création de ce mode de distribution avait pour but de baisser les prix en supprimant le maximum d'intermédiaires entre producteurs et consommateurs, ce qui devait bénéficier aux deux parties. En fait, beaucoup de ces intermédiaires (expéditeurs, mandataires, semi-grossistes, détaillants) ont disparu sans que cela améliore les prix agricoles. Au contraire, la grande distribution a joué un rôle clé dans la baisse des prix des matières premières agricoles alors que le consommateur ne bénéficie pas obligatoirement de cette diminution. Par ailleurs, la grande distribution s'est trop souvent approvisionnée en viandes, fruits et légumes aux prix les plus bas, en abusant du transport des denrées alimentaires, au risque de mettre en difficulté l'économie régionale et le pouvoir d'achat de la population environnante. Toutes ces pratiques ont été souvent dénoncées, sans changement. La croissance des supermarchés et la diminution du nombre de paysans ont finalement suivi une évolution parallèle.

Ce système de commercialisation trop concentré exerce également une pression sur le secteur agroalimentaire lui-même, en exigeant des prix de revient très bas et des primes très élevées pour le référencement des produits. Beaucoup d'autres pratiques commerciales ont abouti à créer un environnement et une offre alimentaire finalement peu adaptés à la satisfaction des besoins nutritionnels de l'homme même si la clientèle la plus éclairée des supermarchés peut trouver son compte dans la diversité de l'offre.

En fait, c'est à la suite d'un jeu multiple de partage des tâches et des responsabilités qu'une chaîne alimentaire sans visibilité et sans objectifs nutritionnels clairs a pu se développer. Le point majeur de cette évolution a été la montée en puissance du secteur agroalimentaire et l'effacement presque complet de l'agriculture dans la fourniture alimentaire. Le paysan a estimé qu'il lui revenait de se concentrer sur le travail de la terre, sur la production agricole, laissant au secteur aval le soin de bien valoriser ses productions, ce qui devait lui assurer de meilleurs débouchés. L'agriculture a perdu dans cette répartition des tâches une grande partie de ses revenus potentiels et sa responsabilité dans le contrôle de la qualité finale des produits, dans le partage régional et national des productions, dans la fixation d'un juste prix pour les matières premières. L'autre démission tout aussi prégnante et lourde de conséquences a été celle des consommateurs vis-à-vis de l'industrie agroalimentaire et de la grande distribution. Ces consommateurs, souvent issus de l'exode rural (à l'échelle d'une génération), ont abandonné leur savoir-faire traditionnel et ont adopté les nouveaux aliments qui leur ont été proposés. En achetant apparemment à bas prix des produits beaucoup plus simples d'emploi, les nouveaux consommateurs ont réduit progressivement le temps passé à la préparation des repas et ont perdu une partie de leurs connaissances sur les aliments de base et le savoir-faire culinaire. Une dépendance forte vis-à-vis des produits transformés a ainsi solidement été induite. Le cas des enfants ignorant l'origine du lait, des poissons panés, du pain, a été maintes fois cité comme exemple de perte de repères naturels. Un cercle vicieux s'est installé ; en achetant les nouveaux aliments standardisés issus des circuits géants de distribution, les consommateurs, surtout les plus jeunes, se sont habitués aux laits UHT au point de trouver désagréable un lait nature, aux poulets industriels au point de trouver trop dure la chair des poulets fermiers et au goût des céréales sucrées du petit déjeuner au point de délaisser le pain. Adultes et enfants, par une influence réciproque, en arrivent à consommer des repas sans reliefs, constitués de mets standard : viennoiseries, pain blanc, pâtes, yaourts aromatisés, fromages allégés en matières grasses, jambon blanc, pizzas, ketchup, conserves, surgelés, margarine, biscuits, nectars et boissons sucrées. Un ensemble de produits standardisés constitue ainsi l'ordinaire des consommateurs les plus ignorants de l'intérêt des aliments naturels de base, de la façon de les accommoder, et les plus éloignés du plaisir réel de manger.

Une évolution vers des produits standardisés de qualité moyenne ou insuffisante, lorsqu'ils sont chargés en calories vides, n'était pas inéluctable. Elle a été favorisée par l'esprit de domination de la grande distribution qui a exploité la naïveté du consommateur, sa lecture simpliste des étiquettes et des prix. D'une certaine façon, en imposant toujours des prix très concurrentiels, la grande distribution, en position de monopole, a incité le secteur de la transformation alimentaire à choisir la composition des aliments la plus avantageuse au niveau économique aux détriments d'une qualité nutritionnelle optimale.

Le consommateur s'est laissé porter par la vague alimentaire des produits d'apparence convenable, des fruits colorés sans saveur, des viandes peu goûteuses, des yaourts standardisés, des produits si bien emballés. Il a aussi joué un rôle dans cette évolution par son adhésion à une offre alimentaire où l'aspect extérieur l'a emporté sur la valeur intrinsèque.

L'INQUIÉTUDE DES CONSOMMATEURS

Pourtant, un sentiment d'insatisfaction vis-à-vis de l'offre alimentaire est né dans diverses classes sociales. Le consommateur ne s'est pas rendu compte qu'il avait une large part de responsabilité dans la situation alimentaire qui lui était réservée, dans l'ère des apports caloriques faciles et des prises alimentaires sans convivialité.

Progressivement, après vingt à trente années de cette évolution, le sentiment d'être trompé sur la marchandise a lentement émergé et a trouvé son expression médiatique à travers le terme de

« malbouffe ». D'où vient ce malaise ? Sans doute de la découverte d'une très grande diversité de pratiques choquantes dans la chaîne alimentaire : des cultures sans sol, des élevages industriels concentrationnaires, des poulaillers gigantesques, des aliments irradiés, des viandes reconstituées, des tomates imputrescibles, des cultures conduites avec des herbicides et une large gamme de produits phytosanitaires.

Parmi toutes les innovations autrefois futuristes et pratiquées actuellement, la problématique des OGM est particulièrement significative d'un décalage entre les avancées technologiques et la demande sociétale. Il est certain en effet que l'ensemble de la population aspirait à pouvoir continuer à consommer les aliments naturels dont elle disposait depuis toujours. Cependant, les scientifiques ont cherché à mettre en œuvre les progrès de la biologie moléculaire. Les possibilités de modifier l'équipement génétique des plantes ou des animaux par des techniques de transgenèse ont semblé une voie très intéressante pour introduire des gènes nouveaux et disposer d'un instrument pour modifier le fonctionnement des organismes et leurs diverses expressions. Alors que le public est fortement demandeur de la technique de transgenèse pour générer des thérapies nouvelles permettant de traiter les déficits génétiques ou les pathologies diverses, il exprime une réticence viscérale à l'idée de consommer des produits alimentaires provenant de manipulations génétiques. Certes, l'homme a adapté depuis toujours les espèces végétales et animales à sa convenance par la sélection et le croisement génétiques, mais il n'était pas capable de créer des chimères, d'introduire des gènes étrangers à l'espèce et de faire exprimer ainsi aux plantes alimentaires des propriétés nouvelles : résistance à la sécheresse, aux parasites ou aux herbicides, synthèse accrue ou nouvelle de micronutriments.

De façon égocentrique, le citoyen consommateur s'est posé principalement la question de l'innocuité des OGM. Il est bien probable, en fait, que cette crainte sanitaire soit le plus souvent sans objet, toutefois le principe élémentaire de précaution s'applique particulièrement dans ce domaine. Le développement des OGM pose en fait des questions éthiques à plusieurs niveaux : celles de l'appropriation du vivant par les multinationales les plus performantes dans ces technologies, celles du développement d'une agriculture toujours plus productiviste, celles des risques écologiques par la contamination des espèces similaires voisines, celles des déséquilibres dans les cultures végétales. Le problème le plus fondamental concerne le droit de l'homme à manipuler le vivant. En effet, on comprend bien que le développement de ce type de technologies n'en est qu'à ses balbutiements et que l'homme possédera un jour les moyens de modifier très fortement la nature des plantes et les équilibres naturels. Qu'il faille réfléchir longuement avant d'emprunter cette voie n'exclut pas que cette technique de transgenèse puisse se révéler utile. Les lobbies de biotechnologies font pression pour rentabiliser leurs investissements, et les OGM produits correspondent plus à des objectifs de performance agronomique productiviste qu'à une amélioration durable des plantes. Il est choquant de trouver déjà une fréquence si élevée de contaminations de semences ou d'aliments par des OGM, ce qui ne correspond vraiment pas à une démarche qualité de la part des filières concernées. La législation actuelle autorise une contamination de 0,9 % par les OGM, ce qui pour certains experts est un seuil très faible !

Même s'ils ne constituent pas un danger avéré pour la santé, les OGM continuent à être un motif d'inquiétude pour une large partie de la population. À cela s'est ajoutée la crise de la vache folle qualifiée d'encéphalite spongiforme bovine, une maladie à prions responsable de dégénérescence cérébrale. Les risques courus par l'homme, à long terme, ont fait de la survenue de cette pathologie le point culminant des inquiétudes sécuritaires et de remise en cause des pratiques de la chaîne alimentaire. Le fait de donner des protéines animales aux ruminants a été perçu comme un acte de non-respect du statut animal de ces herbivores. Heureusement, l'interdiction des farines animales a permis de stopper cette épidémie de vache folle et a rétabli la confiance du consommateur. Avec une chaîne alimentaire contrainte aux turbulences et aux pressions économiques des plus diverses, les accidents sanitaires constituent toujours un choc brutal pour les consommateurs et les filières concernées. Dans ces conditions difficiles, il est prévisible que les problèmes sanitaires engendrés apparaîtront au grand jour lorsque des liens avérés auront pu être établis avec les pratiques actuelles.

MANGE ET TAIS-TOI

Les doutes ressentis par la population peuvent parfois provenir d'un manque de communication sur l'évolution des techniques de cultures, d'élevages ou de transformations des aliments. Le questionnement sur l'origine des produits et leur technique de préparation n'est pas de la même nature pour des objets de consommation courante que pour des aliments destinés à reconstituer notre organisme. De plus, il existe un certain nombre d'aliments particuliers dont la composition est peu identifiable et ne correspond pas à des représentations claires pour le public non initié. Le fait que beaucoup de produits résultent d'un mélange d'ingrédients est largement dissimulé par un étiquetage approximatif qui n'indique pas réellement les taux de sucre, d'amidon ou d'autres produits de remplissage. L'accent est toujours mis sur la présentation plutôt que sur le contenu réel. Cette opacité récurrente plus ou moins forte selon les produits est ressentie comme un désagrément ; elle désappointe le consommateur plutôt en quête de certitudes sur ce qu'il mange. Il existe sans doute chez l'homme une inquiétude fondamentale sur la qualité des aliments, et il est très important que ce sentiment ne soit pas entretenu par une chaîne alimentaire peu encline à montrer les procédés par lesquels elle assure sa rentabilité. Un certain hygiénisme de nos sociétés contribue aussi à entretenir la peur d'être empoisonné, et les industriels revendiquent fortement la sécurité alimentaire de leurs produits, ce qui est beaucoup plus facile à garantir que la valeur nutritionnelle intrinsèque des aliments. L'attitude inverse visant à rassurer en minimisant ou en occultant les risques sanitaires d'un produit est tout aussi critiquable. En fait, la sécurité microbiologique est plutôt bien assurée actuellement, par contre la pollution environnementale et phytosanitaire contribue à entretenir une chaîne de contaminations bien regrettables.

Il existe donc un réel problème d'information sur les caractéristiques des aliments en termes de composition ou de contamination. De plus, la communication nutritionnelle est trop souvent focalisée sur les aspects susceptibles de mettre en valeur le produit. Combien de yaourts hypersucrés avec pour justification finale un besoin surévalué de calcium ? À l'inverse, d'autres filières (telle que la filière blé-pain) figées dans leurs habitudes de vente sont incapables de mettre en valeur la richesse naturelle de leurs produits en fibres et minéraux. Pendant ce temps, la communication des producteurs de céréales de petit déjeuner a été beaucoup plus efficace, incitative, explicite sur le contenu nutritionnel, ce qui a eu pour résultat d'induire, chez les jeunes, une forte diminution de la consommation de pain. Dans ce contexte difficile, il serait nécessaire qu'une communication claire soit développée auprès des consommateurs, bien trop éloignés de la conduite de la chaîne alimentaire. Ces efforts de clarification et de pédagogie sont loin d'avoir été accomplis. Pour être menés à bien, cela nécessiterait la participation de tous les acteurs et conduirait les producteurs, les grossistes, les transformateurs, les distributeurs à justifier leurs diverses pratiques. Ainsi, il est difficile de savoir qui est responsable de la mauvaise qualité de certains pains, du manque de saveur de tels ou tels fruits et légumes, de l'excellence ou de la médiocrité de certaines viandes. Au lieu de cela, le consommateur apprend un jour que de nombreux légumes sont cultivés sous serres, voire sans terre, des ruminants élevés sans prairies, des poulaillers gérés comme des usines de production d'œufs. Il est informé bien tardivement des conditions extrêmes de concentration et d'industrialisation de certains élevages de volailles et de porcs alors qu'il a consommé couramment ce type de produits.

Les techniques actuelles développées pour l'élaboration des aliments sont susceptibles de choquer de nombreux consommateurs. Elles sont la rançon d'une nourriture peu onéreuse. C'est en informant le consommateur sur la complexité de la chaîne alimentaire, sur les meilleures techniques d'élevage et de culture et de traitement des aliments qu'il sera possible de faire progresser la qualité de l'offre, de faire évoluer les modes alimentaires, de créer un esprit de confiance indispensable au bien-être du consommateur.

L'ensemble des acteurs de la chaîne alimentaire est loin d'entretenir cet état d'esprit. Afin de montrer le sérieux d'une agriculture productiviste, une agriculture dite raisonnée est mise en avant, mais elle est finalement fortement utilisatrice de pesticides et bien conventionnelle. Pour vanter la performance des ateliers de préparation alimentaire, l'accent est souvent mis sur l'importance des mesures d'hygiène, sur la sécurité microbiologique des méthodes de traitement des aliments, ce qui ne garantit en rien la qualité nutritionnelle des produits. Le discours sur la sécurité chimique est illusoire tant que des mesures en amont visant à mettre en place une agriculture propre ne seront pas prises. L'effet de l'imprégnation à long terme de notre organisme par de faibles doses de substances toxiques constitue toujours un problème sanitaire non résolu et pourtant bien inquiétant. De plus, l'accent n'est pas suffisamment mis sur la sécurité positive, c'est-à-dire sur la richesse effective d'un aliment en facteurs de protection. De même, aucun index de qualité facilement identifiable ne permet au public de juger de l'abondance en calories vides ou de la densité nutritionnelle d'un aliment.

En l'absence d'une présentation objective des critères de qualité nutritionnelle, de sécurité toxicologique et microbienne, le public finit par croire les filières les plus persuasives, les plus performantes au niveau de la présentation et du discours nutritionnel, les plus accrocheuses au niveau publicitaire. Bien sûr, il subsiste un malaise au niveau des aliments recomposés, sur le rôle de tous les additifs, arômes, colorants et conservateurs savamment répertoriés et numérotés. L'esprit critique est toutefois bien faible, et, finalement, aucun industriel agroalimentaire n'a été mis en demeure, par des associations de consommateurs, de justifier la composition des produits, de rendre compte de l'impact des aliments délivrés sur l'état de santé de la population. Pour prévenir de futurs procès ou révoltes, certaines firmes, à l'instar de MacDonald, commencent à mettre en garde les consommateurs des risques liés à l'abus de leurs aliments, alors que la seule alternative honnête serait de s'engager à faire évoluer leur production vers une qualité nutritionnelle suffisante. Le fait qu'une boisson, une barre chocolatée, un petit pot pour bébé, une pizza industrielle aient une composition simpliste n'a jamais mobilisé l'esprit du législateur, si bien qu'on peut proposer à l'infini « les plus nuls » des aliments ou des boissons sans risquer aucun frein de la part des pouvoirs publics. Nos spécialistes des réglementations aiment discourir sur les supplémentations, les aliments fonctionnels, les allégations, mais leur apparente vigilance est largement insuffisante pour assainir l'offre alimentaire. Alors que les producteurs de céréales de petit déjeuner enrichissent leurs produits en fer et vitamines sous prétexte d'une destination diététique ciblée, les meuniers ou boulangers seraient rappelés à l'ordre s'ils opéraient le même type d'enrichissement. Ainsi, l'essor des multinationales est favorisé au détriment de filières plus traditionnelles.

L'ALTÉRATION DU GOÛT

Le manque de transparence des produits transformés mais aussi l'altération du goût des produits de base sont les défauts récurrents de notre chaîne alimentaire. La perte des repères organoleptiques est un des ressentis les plus troublants pour beaucoup de consommateurs. Ce désarroi concerne particulièrement le goût des fruits et légumes dont l'apparence extérieure est souvent déconnectée des qualités organoleptiques des produits (quelle bizarrerie de la sélection végétale effectuée par l'homme). Il ne s'agit pas seulement de la perte de goût par rapport à des repères récents mais bien d'une attente déçue par rapport à des critères organoleptiques sans doute fortement enracinés dans nos systèmes de perception. Ce type de désappointement, largement répandu vis-à-vis du goût des tomates, des pommes ou du pain de mauvaise qualité, est rassurant sur la capacité des populations à réagir face aux dérives des systèmes de production intensifs. Cependant, si le type d'offre alimentaire actuel persiste, il est probable que la normalité des goûts évolue, sous le poids des habitudes et du temps, vers les aliments standard omniprésents. Cette évolution n'est pas sûre, pour quelques groupes de population, des goûts typés pourraient demeurer fortement ancrés dans une sorte de patrimoine alimentaire. Ainsi, la quête de certaines caractéristiques organoleptiques pourrait longtemps encore être recherchée. L'exemple du retour du bon pain que les Français ont tant souhaité après plusieurs dizaines d'années de pain excessivement pétri, blanchi et si facilement rassis est rassurant quant à notre capacité de réaction positive. Le contre-exemple est celui d'une large couche d'Américains, devenus « accros » d'aliments totalement artificiels, de pains dopés d'additifs, de produits sucrés, de sauce tomate et de breuvages artificiels, de pseudo-charcuteries, d'œufs dénaturés, de glaces géantes et de fromages aseptisés.

LA PERTE DES REPÈRES

Le passage d'une alimentation traditionnelle, fondée sur l'utilisation des aliments de terroir disponibles et sur des coutumes culinaires bien établies, à l'offre alimentaire actuelle a bien sûr bouleversé nos habitudes, nos réflexes, nos comportements et souvent notre métabolisme au point de le déformer. Comme dans toutes les situations de changement, une partie de la population, souvent la plus éclairée, s'est bien adaptée et même a su tirer profit de la nouvelle donne alimentaire tandis que de larges couches ont subi de plein fouet, dans leur corps comme dans leur tête, les déséquilibres induits par cette offre énergétique, désignée couramment par les spécialistes sous le terme de « transition nutritionnelle ».

Les ressources agricoles, les croyances et les modes alimentaires, les types de cuisine, voire certains plats font partie de l'identité culturelle profonde des peuples. Il n'est pas étonnant que le nouveau paysage alimentaire des supermarchés perturbe profondément l'identité culturelle des groupes de population. L'exemple classique des Maghrébins abandonnant leur couscous ou leur galette de blé dur au profit de plats beaucoup moins complets ou de pain blanc est évidemment regrettable sur le plan à la fois nutritionnel et culturel. Progressivement naît une interrogation sur l'identité culturelle d'autant que l'incitation à consommer les nouveaux produits manufacturés est prolongée par le développement des nouvelles chaînes de fast-food. Certes, il existe des réactions de rejet vis-à-vis de la « macdonalisation », mais comment résister au désir des enfants qui ressentent comme une fête la possibilité de s'empiffrer de frites et de ketchup ? La peur de perdre les produits du terroir ou les racines culinaires est toutefois bien réelle. Cette demande spécifique en produits du terroir a permis le développement de certains circuits de production et de distribution régionaux, mais elle a généré aussi une nouvelle offre par l'agroalimentaire de pseudo-produits du terroir, de foies gras du Sud-Ouest en provenance d'élevages industriels de toutes régions et de tous pays. Si, finalement, l'attente vis-à-vis des produits du terroir est déçue, le goût des pêches de vigne complètement ignoré, on s'achemine vers une nouvelle normalisation des goûts à l'aune des caractéristiques des produits industriels.

Par ailleurs, la représentation mentale des aliments est si complexe et si prégnante que certains sociologues ont même mis l'accent sur l'importance de l'identification de l'homme à ce qu'il mange. La viande est ainsi synonyme de muscles et de puissance musculaire, les légumes revêtent une connotation moins agressive, plus féminine, les fruits inspirent une image de soleil. Parce qu'ils sont peu énergétiques, les fruits et légumes ne sont pas des aliments associés à une image de force physique à la différence des produits céréaliers, des féculents et de la viande. Il est important de comprendre les représentations mentales des aliments et la manière dont elles s'élaborent. Si cette perception est juste, elle peut être précieuse et permettre à la personne de bénéficier sans effort d'un bon équilibre alimentaire, source de bien-être et de santé. Si la vision des aliments et de l'alimentation est erronée, déformée par des influences médiatiques, culturelles ou socioéconomiques diverses, les conséquences sur le comportement alimentaire et la préservation de la santé peuvent être très graves. Par exemple, dans beaucoup de milieux défavorisés, la viande et les aliments très énergétiques sont perçus comme des aliments indispensables, et les fruits et légumes, peu énergétiques et beaucoup plus onéreux, comme des produits secondaires.

La perception du lait dépend fortement de l'imaginaire et de la culture des peuples : première source de vie venue des mères, produit extrêmement fragile dont il fallait se méfier, aliment peu recommandable pour ses effets digestifs, et actuellement source exceptionnelle et indispensable de calcium pour le lobby laitier. Certains aliments, comme le pain qui bénéficiait d'une image symbolique très forte d'aliment complet, de produit qu'il fallait partager et qu'il était interdit de jeter, ont vu leur valeur symbolique se détériorer. Le pain a ainsi rejoint les poubelles de la société de consommation. Toutes nos représentations mentales ont à la fois été bouleversées par les connaissances scientifiques, la genèse de nouveaux aliments et beaucoup plus récemment par les discours nutritionnels ésotériques. Les consommateurs ont acquis de nouvelles certitudes, pas toujours fondées, au fur et à mesure que leurs représentations traditionnelles se sont estompées. Cependant, les influences publicitaires, le discours des diverses filières, le foisonnement médiatique et une certaine cacophonie des vrais ou faux nutritionnistes rendent bien difficile l'acquisition d'une culture nutritionnelle pourtant indispensable dans nos sociétés de choix. Ce terrain d'incertitudes laisse libre cours aux influences publicitaires, suffisamment fortes pour créer le besoin d'achat à l'instar d'autres objets de consommation. Ainsi, le développement de certains produits n'est pas dépendant de leur valeur intrinsèque mais de l'image véhiculée par la marque. Dans ce contexte, on a assisté à une inflation du discours nutritionnel en vue de développer de nouveaux marchés.

LA PROMOTION ALIMENTAIRE PAR DES ARGUMENTS SANTÉ

Pour beaucoup d'industriels, l'important est de développer la vente de nouveaux produits avec des arguments de bien-être et de santé. Grâce à un lobbying puissant et avec l'aide de la communauté scientifique qui sollicite des moyens de recherche, les industriels sont autorisés à présenter des argumentations très encourageantes pour la promotion de nouvelles formules alimentaires. Afin de mettre en avant les spécificités d'un aliment, leur impact potentiel sur certaines fonctions physiologiques, les professionnels de l'agroalimentaire ont développé le concept d'aliment fonctionnel.

Dans une approche scientifique, il s'agit de s'assurer qu'un aliment peut jouer un rôle spécifique intéressant sur une fonction physiologique. Les nutritionnistes ont progressivement pris conscience que les aliments n'étaient pas la simple addition d'un ensemble d'éléments, qu'ils avaient pour la plupart une composition bien particulière susceptible de générer des effets spécifiques au sein de l'organisme. Les pays asiatiques, en particulier le Japon, riches d'une tradition alimentaire dans laquelle les aliments étaient dotés de vertus spécifiques, ont fortement contribué à l'essor d'une nouvelle gamme d'aliments fonctionnels, en particulier avec la montée en puissance des industries de fermentation. Évidemment, l'industrie agroalimentaire a essayé de capter un nouveau marché potentiellement florissant et riche de plus-value. Cependant, la difficulté d'établir des dossiers pour prouver les allégations affichées et une certaine méfiance du consommateur vis-à-vis d'aliments médicalisés ont dans un premier temps freiné le développement de ce type d'aliments. Grâce à la puissance du marketing alimentaire, le public s'est maintenant habitué aux margarines contenant des phytostérols sous prétexte de lutter contre l'hypercholestérolémie ou aux produits laitiers enrichis en prébiotiques (bactéries susceptibles de survivre dans le tube digestif et de stimuler les défenses immunitaires intestinales). Évidemment, le bénéfice santé de tous ces artifices est loin d'être avéré.

Toujours dans un même esprit de marketing, on assiste au foisonnement de produits « riches », « enrichis » en éléments divers qui sont autant d'incitations fortes à consommer. L'affichage d'une teneur élevée n'est pas une garantie de qualité du produit ; il ne suffit pas de rajouter de la vitamine C dans un jus d'orange pour assurer une excellente qualité, ou de la vitamine D dans du lait pour lui donner une odeur de prairie. La qualité aromatique peut également être manipulée par l'addition d'arômes, mais aucune de ces opérations ne peut reproduire la qualité élaborée par l'animal ou la plante dans un environnement optimal. Cette vue globale est seulement perçue par les consommateurs les plus avertis, les plus sensibles à la complexité des éléments naturels, souvent les plus proches de la nature. À travers les marques ou diverses présentations, le secteur agroalimentaire s'est donc approprié la responsabilité de l'élaboration de la qualité. Il est vrai que les meilleurs produits de l'agriculture peuvent être fortement altérés par des technologies de transformation alimentaire inappropriées ; à l'inverse, il est vain d'espérer obtenir de bons aliments si les produits végétaux ou animaux de base ne sont pas de qualité suffisante.

LES COMPLÉMENTS ALIMENTAIRES

Malgré de belles apparences, un grand nombre de produits alimentaires ou de boissons sont de faible qualité nutritionnelle, en particulier de par leur richesse en ingrédients purifiés ou de par la médiocrité des matières premières utilisées pour leur confection. Par ailleurs, les progrès scientifiques ont permis de mettre en évidence l'importance d'un bon statut nutritionnel en minéraux et micronutriments pour ralentir les processus de vieillissement et l'apparition des pathologies. Avec une alimentation de type occidental, les apports nutritionnels sont généralement loin d'être optimaux. Cette prise de conscience a été particulièrement importante aux États-Unis (il est vrai que les défauts de la chaîne alimentaire y sont encore plus prononcés que chez nous). Elle s'est traduite par l'explosion d'un nouveau marché, celui des compléments alimentaires. Au lieu de remettre en question les méthodes de production ou les modes alimentaires, un marché supplémentaire a été créé pour pallier les insuffisances de la chaîne alimentaire. Si cette approche était efficace, elle pourrait être justifiée, mais il s'agit d'une démarche approximative souvent inutile, parfois dangereuse et difficile à gérer sur le long terme. Évidemment, l'administration de minéraux, de vitamines ou de micronutriments divers peut être bénéfique chez des sujets carencés, mais il faut aussi améliorer le régime de ces personnes mal nourries. À l'échelle d'une vie, seule une alimentation équilibrée selon les bases de la nutrition préventive assure une protection durable de l'organisme.

Pour mettre en valeur leur bricolage nutritionnel, les producteurs de compléments ont créé des néologismes tels que nutraceutiques ou alicaments pour signifier que ces produits sont à la frontière de l'aliment et du médicament, qu'ils ont des effets physiologiques beaucoup plus puissants que de simples aliments.

Le développement et l'évolution de la chaîne alimentaire ont été réalisés sans contraintes nutritionnelles claires, si ce n'est du point de vue de la sécurité sanitaire. L'erreur majeure des nutritionnistes du XXe siècle aura été de croire que l'on pouvait extraire des ingrédients énergétiques, les utiliser en abondance sans conséquences négatives pour la santé. L'imprécision de la démarche suivie en nutrition humaine contraste avec l'esprit de rigueur qui a guidé les ingénieurs de l'alimentation animale. En nutrition animale, l'utilisation des ingrédients purifiés est beaucoup plus rare, et les apports énergétiques sont toujours ajustés par une addition adéquate de minéraux et de vitamines.

Les processus de dévalorisation alimentaire de la chaîne industrielle ont déjà eu des conséquences étonnantes sur l'homme avec l'explosion de l'obésité et du diabète de par le monde. Il est urgent, après cette transition nutritionnelle, d'amorcer l'entrée dans un nouvel âge alimentaire où l'homme saura bénéficier des potentialités d'une alimentation très élaborée et conçue pour être en équilibre avec l'environnement naturel.

Le droit d'être bien nourri

VERS UNE AGRICULTURE À FINALITÉ NOURRICIÈRE

Quel serait notre paysage alimentaire si les agriculteurs s'étaient directement impliqués dans la distribution alimentaire ? Il y a des raisons de penser que la nourriture courante aurait comporté les mêmes quantités de viandes ou de fromages mais une plus forte proportion de produits végétaux complexes et une bien moindre abondance en produits transformés, ce qui correspond à des recommandations consensuelles. L'évolution actuelle vers le gigantisme et le monopole de la grande distribution aurait pu être évitée, de même que le recours trop systématique à des transformations souvent superflues des aliments.

On peut espérer une prise de conscience collective qui mette fin à l'isolement de l'agriculteur et facilite l'organisation de nouveaux types de circuits alimentaires. Cette chaîne d'attention alimentaire et de suivi nutritionnel existe déjà dans quelques cas particuliers. Une minorité d'agriculteurs éclairés, entourés d'une clientèle proche, fonctionnent dans un esprit de convivialité, mais cela demeure exceptionnel. De nombreuses initiatives en France ou dans beaucoup de pays ont permis de rapprocher des groupements de consommateurs et des agriculteurs pour la distribution hebdomadaire de paniers de légumes. Ce mode de distribution est plus avantageux pour chacune des parties, et les légumes des supermarchés ne racontent pas la même histoire que celle des paniers garnis en fonction des produits de saison et remplis de valeurs pour une économie et une écologie solidaires.

L'agriculture doit répondre aux interpellations dont elle fait l'objet, voire prendre l'avis du consommateur pour faire évoluer ses productions et son offre. Les sujets de communication autour de l'agriculture et de l'alimentation ne manquent pas, par exemple, concernant la problématique de la qualité des fruits et légumes, l'optimisation de leur effet santé, le fonctionnement des circuits de distribution et la justification du prix final ou la contamination par les pesticides.

Agriculteurs, acteurs intermédiaires, consommateurs discutant d'objectifs communs pourraient se sentir responsables de la bonne marche de la chaîne alimentaire. Cette approche peut paraître peu réaliste, ce n'est pas si sûr, elle correspond déjà à l'esprit de l'agriculture biologique. Cette dernière est trop peu développée, longtemps exclue du champ de la recherche agronomique, elle n'a pas bénéficié d'une politique de développement attractive pour les agriculteurs. Par réaction aux excès de l'agriculture productiviste, l'agriculture biologique s'est sans doute contrainte à des règles excessives, l'attention de ses membres a trop souvent été imprégnée d'une peur sécuritaire, pas suffisamment tournée vers l'élaboration de produits de qualité assez compétitifs. Cependant, le maintien d'une agriculture biologique active a eu le mérite extraordinaire de montrer qu'il était toujours possible de développer une agriculture naturelle, indépendante de l'agrochimie. Au niveau de la nutrition humaine, l'agriculture bio est animée de l'esprit nourricier qui aurait dû toujours guider nos paysans dans leur stratégie de développement. Les circuits bio s'efforcent de fournir aux consommateurs qui les fréquentent des solutions nutritionnelles intéressantes, des pains bis au levain, une grande diversité de produits céréaliers et de légumes secs distribués en vrac, des biscuits ou des jus de fruits de bonne densité nutritionnelle, des recettes de cuisine saines.

Pour notre société, l'idéal serait de développer un nouveau modèle d'agriculture garante de bonnes pratiques agronomiques et de la valeur nutritionnelle des produits, soucieuse de l'équilibre alimentaire des consommateurs et directement impliquée dans l'élaboration et le contrôle de la qualité finale des produits transformés. Ce nouveau type d'agriculture nourricière, que l'on peut qualifier aussi de durable parce qu'il répond aux besoins de la société à long terme, devrait être soutenu par un gros effort pédagogique pour montrer son adéquation à la nutrition humaine. Il s'agit de proposer une alternative sérieuse à l'agriculture conventionnelle actuelle. Un tel progrès, correspondant à une nouvelle et réelle possibilité de choix pour les consommateurs, demanderait la réunion de beaucoup de compétences technologiques, nutritionnelles, économiques, sociologiques. Il serait essentiel que les agriculteurs et les consommateurs agissent ensemble dans ce sens et parviennent à mobiliser les acteurs intermédiaires nécessaires au succès d'un tel projet.

Combien de techniciens, d'ingénieurs, de scientifiques se dirigent sans convictions vers les industries agroalimentaires ou celles de l'agrochimie parce qu'elles sont génératrices d'emplois ! Pourquoi de jeunes talents dans de nombreux domaines n'accepteraient-ils pas de participer à une nouvelle aventure, à la construction et à la conduite d'un autre type de chaîne alimentaire ? Il paraîtrait normal que la finalité d'un secteur agroalimentaire soit entièrement conçue pour consolider un environnement agricole sain et durable et pour assurer une nutrition humaine optimale. Or les secteurs agroalimentaires majoritaires et la grande distribution exercent actuellement un pouvoir économique et un monopole trop importants qui les ont fort éloignés de l'intérêt général et de la défense des agriculteurs et des consommateurs. En revanche, de nombreuses entreprises peuvent s'insérer dans une nouvelle démarche et œuvrer à la mise en place de circuits de production et de distribution plus adaptés aux besoins de l'homme.

Quelle ouverture, quel avantage évident pour les agriculteurs de ne plus se sentir isolés, d'être conseillés, de participer au suivi du parcours des aliments. Certes, les agriculteurs se sont depuis longtemps organisés pour résoudre de nombreux problèmes d'exploitation agricole, de commercialisation de leurs produits à travers diverses structures dont les coopératives agricoles. Mais, cependant, beaucoup d'entre elles ont acquis une logique finalement bien proche des autres entreprises privées ou capitalistes.

Une démarche nouvelle d'agriculture-alimentation-santé nécessiterait de bien mieux connaître les facteurs limitants dans l'élaboration de la qualité nutritionnelle et dans l'adoption de comportements alimentaires protecteurs de la part du consommateur. Cela supposerait de résoudre les problèmes d'approvisionnement des villes, de fixer des objectifs à atteindre pour les différentes parties concernées, au niveau de l'environnement, de la qualité de vie, du bien-être et de la santé, de s'engager dans une démarche de responsabilité sur un enjeu majeur de notre fonctionnement vital.

Aucun aspect pour la réussite d'une telle entreprise ne devrait être négligé : par l'adaptation des modes d'agriculture et du traitement des aliments en fonction des objectifs nutritionnels à atteindre, par le développement de l'information nutritionnelle, par la mise en place d'une véritable nutrition préventive. Les preuves de l'intérêt d'un système d'alimentation conçu pour le bien-être de l'homme, construit en harmonie avec les professionnels et la population apparaîtront clairement dans la durée. Le fait qu'il soit possible de mieux gérer la chaîne alimentaire dans l'intérêt de tous semble évident, tant la démarche actuelle d'une division du travail et d'une approche sans liens des secteurs de l'alimentation et de la santé est caricaturale.

Que la chaîne alimentaire n'ait jamais réellement été conçue pour en tirer tous les bénéfices potentiels est sans doute le résultat d'une évolution trop rapide des techniques et des modes alimentaires ainsi que du manque de recul des professionnels et des citoyens dans ce domaine. Beaucoup d'entreprises alimentaires développent leurs activités sans posséder de compétences dans le domaine des relations entre alimentation et santé. Peut-on imaginer qu'un constructeur automobile ou d'autres objets d'usage courant méconnaissent les risques liés à l'utilisation des produits commercialisés ?

La nécessité d'assurer une formation suffisante à tous les acteurs de la production alimentaire, la complexité des systèmes à gérer, la longueur des évolutions possibles, l'importance des ruptures à opérer peuvent paraître comme autant d'obstacles insurmontables. Pourtant, il semble bien exister un consensus sur la nécessité d'une meilleure gestion de la chaîne alimentaire dont les performances sont trop souvent appréciées à l'aune des résultats de la balance commerciale de l'agroalimentaire ou du volume des achats des ménages. Il faudrait plutôt considérer comme critère de réussite l'adhésion des producteurs et des divers intermédiaires à de bonnes pratiques et des consommateurs à des modes alimentaires équilibrés. Le fait que le monde agricole de demain se sente responsable, en partenariat avec les autres acteurs de la gestion d'une alimentation préventive, est une des conditions fondamentales pour opérer des changements durables et souhaitables dans notre environnement agricole et alimentaire.

UNE ALIMENTATION AVEC UNE FINALITÉ SANTÉ PLUS FORTE

Deux domaines qui interagissent fortement ensemble touchent particulièrement la vie humaine, celui de la santé et celui de l'alimentation. On sait à quel point le secteur de la santé a bénéficié d'un investissement social fort. Logiquement cette sensibilisation aurait dû se prolonger jusqu'au secteur alimentaire puisqu'il est acquis maintenant qu'une bonne nutrition est essentielle à la préservation de la santé. Des liens plus sérieux sont en train d'être tissés, mais beaucoup de retard a été pris pour la mise en place d'une chaîne alimentaire porteuse de santé.

La société a instauré un système de solidarité pour le remboursement des dépenses de santé. L'essentiel des efforts a porté sur la prise en charge des malades et l'élaboration d'un système de soins pour tous. Ce système de santé a été organisé pour répondre au coup par coup aux demandes de soins de la population si bien que les moyens consacrés à la prévention sont négligeables par rapport à ceux consacrés au traitement des pathologies. Ce système, on le sait maintenant, entraîne une dérive des dépenses difficilement maîtrisable, et, finalement, une partie de plus en plus grande du budget des ménages *via* les cotisations ou les impôts est consacrée au financement de la Sécurité sociale. Comme le budget des ménages n'est pas extensible, l'augmentation des coûts de la santé contribue à réduire la part du revenu consacrée à la nourriture. Dans le même temps, l'industrialisation de l'alimentation a permis de disposer d'une offre alimentaire peu onéreuse, mais de qualité nutritionnelle incertaine, avec des conséquences majeures sur la prévalence de maladies dites de civilisation telles que le diabète par exemple. Un cercle vicieux a donc largement été amorcé. En consacrant **des efforts** considérables à traiter les pathologies sans organiser une prévention à long terme, des moyens suffisants n'ont pas été consacrés à la gestion de la chaîne alimentaire pourtant fondamentalement porteuse de bien-être et de santé.

Dans une société de partage des tâches, nos concitoyens sont entièrement tributaires des professionnels de l'alimentation pour la qualité de leur nourriture. Dans un dialogue de sourds, il est objecté qu'il revient au consommateur de faire les bons choix pour être bien nourri. Ce dernier, confronté à des offres de prix très intéressantes, sans information et sans compétences claires, adopte donc les aliments transformés qui lui sont proposés, sans se rendre compte que cela peut, à la longue, nuire à sa santé ou ne pas lui apporter la forme, le bien-être et le statut nutritionnel optimaux nécessaires à la prévention d'un très grand nombre de pathologies. Or, pour des raisons historiques très complexes, la production alimentaire a pu se développer sans un cahier des charges permettant de garantir une qualité nutritionnelle optimale, de plus les connaissances nécessaires au développement des meilleures technologies n'étaient pas disponibles. Sans une connaissance fine de la biochimie des acides gras, il n'est pas étonnant que la production des premières margarines ait abouti à la synthèse d'acides gras « trans » (avec une chaîne carbonée déformée) peu recommandables sur le plan nutritionnel. De même, il ne semble pas facile de maîtriser la production d'huiles qui aient gardé toute leur richesse en micronutriments. Il a fallu du temps pour comprendre que la production de pain blanc n'était pas un idéal alimentaire à atteindre, que la production de sucre (si nécessaire lorsque l'on en était dépourvu) se révélerait plus tard comme un des facteurs responsables, avec l'excès de gras et la sédentarité, d'une épidémie mondiale d'obésité.

À mesure que les industries de première transformation (production d'ingrédients simples de type farine, sucre, huile) et de deuxième transformation (biscuits, boissons, pâtes, yaourts, etc.) prirent leur essor, il aurait été possible d'optimiser la valeur nutritionnelle des produits en fonction des connaissances acquises. Des limites de densité nutritionnelle à respecter pour les diverses classes de produits auraient pu être définies. Ces règles de bonne pratique n'ont pas été mises couramment en place à ce jour.

Évidemment, c'est l'état nutritionnel de la population dans son ensemble qui en pâtit. L'offre majoritaire de pain blanc ne permet pas de bénéficier de la richesse des produits céréaliers en magnésium, si bien que les apports recommandés en cet élément sont mal couverts pour une large majorité de personnes. Il était pourtant prévisible que l'introduction des matières grasses ou de sucre dans un très grand nombre de produits exercerait des effets défavorables sur le statut nutritionnel des populations, que la prédominance de certaines huiles déséquilibrées en acides gras aurait des répercussions profondes sur l'équilibre physiologique du consommateur, que l'introduction de sel caché dans divers aliments et leur appauvrissement en potassium (antidote du sodium) auraient des répercussions physiopathologiques importantes. Tout cela était bien prévisible, mais n'a pas contribué à générer de nouvelles pratiques sans doute parce que cela pouvait constituer un frein économique à court terme. Parfois, les professionnels de l'alimentation s'abritent derrière d'apparentes incertitudes pour continuer leurs activités sans contraintes d'objectifs nutritionnels à atteindre et sans se soucier de l'impact sur la santé publique des produits qu'ils commercialisent. En l'absence d'un éclairage visionnaire suffisant de la part de ses responsables et de ses spécialistes, les pouvoirs publics ont laissé se développer, sans obligation de densité nutritionnelle, une production alimentaire anarchique dont on mesure les conséquences aux États-Unis et maintenant dans bien d'autres pays. J'ai la conviction qu'une autre politique aurait pu être menée si on n'avait pas systématiquement recherché l'essor d'une activité agroalimentaire le plus puissante possible. Heureusement, une vision nouvelle et largement partagée concernant l'alimentation se développe ; on n'attend plus seulement des aliments qu'ils nous nourrissent mais aussi qu'ils aident à la préservation de la santé. C'est pourquoi l'information dans ce domaine est devenue un enjeu considérable.

LE DROIT À L'INFORMATION FACE AU POIDS DES LOBBIES

Pour dégager un consensus sur le discours nutritionnel, il est important que les responsables concernés puissent le faire en toute indépendance. En fait, nous n'avons jamais été dans cette situation idéale. Aux États-Unis en particulier, les filières de production se sont organisées en lobbies pour piloter les recherches susceptibles de dégager des arguments favorables à leurs intérêts.

En France, comme dans tous les autres pays occidentaux, les lobbies sont omniprésents : celui du sel, pour rassurer le public sur le risque lié à une surconsommation de cet élément d'autant que la réduction de sel dans les aliments diminuerait fortement la consommation d'eaux minérales et de boissons sucrées et toucherait bien des industries florissantes ; celui du sucre, qui entretient la confusion dans les esprits entre le besoin indispensable de glucides (sous forme d'aliments complexes) et le besoin en sucre beaucoup plus limité ; celui des matières grasses, qui met l'accent sur la responsabilité des glucides (toutes classes confondues) dans le risque de surcharge pondérale sous prétexte qu'aux États-Unis la consommation de matières grasses a été légèrement réduite sans résultat visible sur l'état de la population américaine (il est cocasse que les deux lobbies producteurs de calories vides se renvoient la responsabilité d'être à l'origine de l'épidémie de l'obésité alors que chacun d'entre eux y participe entièrement) ; celui de la filière laitière, qui s'est emparé du calcium comme étant l'exclusivité de cet aliment dont même les adultes devraient se gaver pour lutter contre l'ostéoporose (avec des résultats peu convaincants).

Les arguments nutritionnels sont donc une affaire de marketing. La démarche n'est pas d'analyser les qualités nutritionnelles d'un produit pour aboutir à une consommation équilibrée du consommateur. Les filières ou les divers producteurs cherchent systématiquement les arguments qui pourront servir à l'achat de leur produit même si les allégations nutritionnelles sont fort éloignées de l'impact réel du produit ou à relativiser dans le cadre de la globalité du régime. Des besoins nouveaux sont suscités pour assurer une protection souvent imaginaire, notamment au niveau digestif.

Pourtant, le droit à une information le plus complète et le plus claire possible semble évident dans une société prétendument démocratique. Paradoxalement, la qualité de l'offre alimentaire est très difficile à évaluer pour le public compte tenu de l'omniprésence des lobbies avec leurs arguments partiels ou erronés, mais aussi compte tenu du cloisonnement disciplinaire du secteur de l'alimentation et de la santé. La production alimentaire s'est développée en effet sans expertise sur l'effet santé des aliments. Par ailleurs, le discours sur la santé est, pour une large majorité de la population, dévolu au corps médical qui pendant très longtemps n'a pas bénéficié de formation notable en nutrition. Même actuellement, cette formation est beaucoup trop éloignée de la connaissance des aliments et donc a un caractère très approximatif. La démarche de nutrition préventive devrait être plus présente dans le quotidien de la pratique médicale.

Pour améliorer les relations entre alimentation et santé, nous souffrons de l'absence d'un corps important de nutritionnistes pertinents capables de dynamiser ce domaine. Jusqu'à présent, les deux grands corps professionnels de l'alimentation et de la médecine se sont côtoyés sans relation étroite. Ce manque de suivi et d'interaction, de mise en commun de compétences ne permet pas de gérer au mieux la chaîne alimentaire. L'importance de cette dernière mériterait bien sûr d'être mise en valeur, bonifiée par un corps de nutritionnistes de bon niveau. Il est notable qu'il n'existe pas en France de grande école pour la formation de nutritionnistes. Cette formation nécessiterait une approche multidisciplinaire très large concernant la connaissance des aliments, de la digestion, du métabolisme, de la physiologie, des diverses pathologies, du comportement alimentaire, des aspects socioéconomiques, etc. En l'absence d'un corps de nutritionnistes et d'une masse critique suffisante de personnes compétentes, la gestion de la chaîne alimentaire est assurée par une très grande diversité d'acteurs dont les recommandations sont très hétérogènes ou contradictoires. Les voix parfois discordantes des nutritionnistes ont laissé libre cours aux appétits des lobbies agroalimentaires. Ainsi, le public est décontenancé par ces avis divergents. Malgré toutes ces difficultés, la nécessité de dégager des informations claires s'impose fortement face à la complexité et à l'opacité de l'offre alimentaire, face à l'apparition d'une très grande diversité de succédanés alimentaires (sirop de glucose aromatisé au miel, surimi, hors-d'œuvre et desserts artificiels). Il s'agirait de faciliter la perception de l'intérêt nutritionnel des produits proposés et de favoriser l'adoption de comportements alimentaires sûrs. Il existe un large consensus pour reconnaître qu'un tel éclairage est un objectif social majeur, mais bien peu d'initiatives sont prises dans ce but si ce n'est notre timide PNNS (Programme national nutrition santé).

Certes, de nombreuses réglementations ont été conçues pour guider la production alimentaire, pour la définition des signes officiels de qualité mais selon des critères génériques trop imprécis sur le plan nutritionnel. La création d'agences telles que l'AFSSA, plus ou moins récentes selon les pays, chargées de statuer sur la valeur des aliments constitue une étape importante pour clarifier et assainir la production alimentaire. Cependant, ces agences se prononcent principalement sur le développement de nouveaux produits alors qu'il y a un travail de fond considérable à faire sur la correction des dérives actuelles (par exemple dans le domaine des calories vides) et donc sur les produits déjà existants.

Pour informer correctement le public et développer des approches nutritionnelles nouvelles, il faudrait concevoir des structures de formation adaptées aux exigences du terrain. Confrontée à un paysage alimentaire bien complexe, une large partie de la population n'a pas les connaissances suffisantes ou le temps pour effectuer les bons choix. Ainsi, de nombreux foyers ont perdu leurs repères nutritionnels et ont des connaissances trop imprécises sur l'art de bien s'alimenter. De plus, une maîtrise individuelle de l'alimentation devient indispensable compte tenu de l'éclatement des structures familiales.

Pour l'instant tout au moins, et tant que l'industrie agroalimentaire n'aura pas accompli dans la durée un travail de sape et de déculturation suffisamment avancé, il est possible de s'appuyer sur les cultures culinaires spécifiques des populations ou des régions pour vulgariser des modes alimentaires sûrs et protecteurs. S'il s'agit de toucher des populations méditerranéennes, par exemple, il est très judicieux de faire découvrir l'intérêt de leurs pratiques culinaires traditionnelles aux familles qui les ont délaissées. La préservation de la culture ne commence pas au théâtre, elle est aussi vécue au sein des cuisines et souvent affadie dans les supermarchés. S'il est juste et bien conçu, le discours nutritionnel ne peut qu'enrichir le patrimoine culturel des populations.

APPRENDRE À LIRE, MAIS AUSSI À MANGER

Dans la mesure où la transmission du savoir-faire familial est perdue, le bon sens voudrait que soit confié à l'Éducation nationale le soin d'apprendre aux jeunes la façon de bien s'alimenter. À cette fin, il conviendrait d'imaginer entièrement des formations nouvelles adaptées à la vie moderne et aux problématiques actuelles. Dans un premier temps, l'enseignement de la nutrition ne peut être basé que sur une approche globale, concrète, conviviale pour qu'elle corresponde à la vie de tous les jours. Les technocrates de l'éducation nationale ont jugé que l'enseignement de la cuisine au collège avait un caractère ringard et l'ont supprimé, parfois les parents ont prolongé cette attitude, si bien que des jeunes quittent parfois leur foyer en étant très mal préparés à prendre en charge leur alimentation ou celle de leur conjoint ou enfant. Dans ce dernier cas, les conseils du médecin ou du pédiatre deviennent le principal recours pour guider les jeunes parents avec un suivi qui ne peut être que très approximatif.

Sur le terrain, l'enseignement de la nutrition dans les programmes de l'Éducation nationale demeure beaucoup trop théorique, faute d'une formation suffisante de la part des enseignants et d'une approche nouvelle qui tienne compte des avancées de la nutrition préventive et de la réalité concrète de notre paysage alimentaire. Enseigner qu'il faut consommer des protéines, des glucides, des lipides, des minéraux et des vitamines ne permet guère d'acquérir une culture nutritionnelle valable. De plus, l'Éducation nationale ou les structures régionales ont fait preuve de beaucoup de légèreté dans la gestion de l'alimentation des enfants ou des jeunes dont elles ont la charge. En maternelle, il serait particulièrement utile, rassurant, éducatif que les enfants puissent parfois assister à la préparation de leurs repas. On sait à quel point on a négligé les bénéfices de ce type de convivialité au profit de garanties hygiénistes (souvent apparentes) ou sous couvert de rentabilité. Beaucoup d'efforts sont faits pour l'amélioration des cantines scolaires, mais leur gestion est trop déconnectée de l'éducation nutritionnelle. Un travail d'information théorique pour la justification des menus pourrait être mené. Les élèves devraient être associés à la préparation des menus, des repas et se sentir impliqués par la bonne gestion de l'ensemble. À travers cette pratique, des informations pourraient être diffusées dans les familles et aider à la future indépendance des jeunes adultes.

L'état d'esprit de la majorité des communes ou des collectivités régionales est de confier à des sociétés de services le soin d'assurer les repas avec le respect des règles diététiques conventionnelles et des consignes de sécurité. Heureusement, de nombreuses associations de parents exercent un droit de regard pour améliorer ce fonctionnement, et de nombreuses initiatives intéressantes sont prises pour favoriser la consommation de produits régionaux, pour améliorer l'ordinaire ou corriger certaines erreurs diététiques manifestes. Souvent les institutions elles-mêmes, par le biais de distributeurs de boissons ou de gadgets sucrés, participent directement à la déstructuration du comportement alimentaire des adolescents. Pourtant la prévention de l'obésité des jeunes est un phénomène de santé publique qui mérite une même prise de conscience que pour le tabac. L'objection classique de beaucoup de décideurs est de considérer qu'il vaut mieux éduquer les esprits plutôt que d'interdire. En fait les circulaires vaguement incitatives ont peu de poids par rapport au matraquage publicitaire. Il est urgent d'envisager un contrôle des messages publicitaires et des pratiques de distribution alimentaire. Dans l'enceinte des établissements scolaires, il serait tout à fait normal d'exiger une distribution de produits alimentaires ou de fruits et légumes de qualité, cela pourrait être confié à des agriculteurs, à des sociétés de services ou à d'autres structures respectant un cahier des charges approprié. Il s'agirait d'une activité économique tout aussi rentable et valable que bien d'autres. Il est curieux de mettre l'accent sur le respect du civisme et de bafouer des règles fondamentales d'hygiène nutritionnelle pour l'avenir des jeunes. Il faut espérer que cette situation évolue rapidement sous la pression de l'opinion publique et d'une réglementation nouvelle.

FAVORISER L'ÉMERGENCE DE CHOIX ÉCLAIRÉS

Arrivés au stade universitaire, il semblerait normal que les étudiants (bien qu'ils aient souvent d'autres soucis) soient directement associés à la gestion de leurs restaurants de façon plus étroite que par le biais d'une participation lointaine à des comités de gestion. En fait, de même que le futur citoyen doit connaître les règles de l'institution, de la vie collective, le citoyen consommateur devrait disposer d'une formation satisfaisante en matière de nutrition préventive et de sécurité alimentaire. Non seulement il faut donc mettre en place cette formation, mais il convient aussi de vérifier les connaissances acquises lors du passage d'examens tels que le bac.

Déjà, un des problèmes majeurs concerne la formation des jeunes à l'art de bien ⌐'alimenter lorsqu'ils quittent le domicile familial pour devenir autonomes. Il est certes possible de vivre un temps avec des pâtes alimentaires, mais l'absence de toute culture culinaire est difficilement compatible avec le maintien d'un bon état nutritionnel. Sans un acquis notable en nutrition, les nouveaux parents doivent nourrir leurs enfants alors qu'ils n'ont pas appris à se prendre en charge eux-mêmes. Or on sait à quel point l'alimentation est importante pour le développement harmonieux de l'enfant, de son intelligence et de ses capacités physiques, de même la fonction nourricière des parents joue un rôle clé dans l'équilibre des relations affectives. Par le biais de produits prêts à l'emploi, souvent trop sucrés ou aromatisés, le secteur agroalimentaire fidélise les enfants et les futurs consommateurs aux produits industriels dépossédant les parents de leur rôle nourricier (sans que ces derniers en prennent bien conscience).

Il semble donc raisonnable et humain que la société et les pouvoirs publics investissent beaucoup mieux le domaine de la nutrition. Cela est capital dans le cadre d'une politique générale de prévention nutritionnelle qui fait actuellement tant défaut dans nos sociétés en pleine mutation, riches en termes de pouvoir économique mais peu sûres en termes de dynamisme humain et de gestion de la santé.

Souvent les approches diététiques enseignées concernent seulement la gestion de régimes particuliers, le contrôle précis des apports caloriques ou nutritionnels. Il est important aussi d'œuvrer sur le terrain pour apprendre aux consommateurs les plus désemparés l'art de bien s'alimenter, ce qui nécessite un engagement et une approche diététique nouveaux. Pour développer au maximum la nutrition préventive, pour gérer en quelque sorte la santé à long terme par une alimentation adaptée, pour

assurer à tous les niveaux l'information et l'assistance nutritionnelle indispensables à cette fin, il est important de trouver une
nouvelle place aux diététiciens et aux nutritionnistes. La formation actuelle, trop centrée sur l'application de régimes spécifiques doit être élargie vers une approche intégrée de l'assiette
jusqu'au champ, pour introduire une logique nutritionnelle dans
toutes les étapes de l'élaboration des aliments et des choix alimentaires. Il serait souhaitable que le corps médical en collaboration avec les autres acteurs de la production alimentaire
s'implique fortement dans cette démarche.

ASSURER LES BESOINS DE CONVIVIALITÉ

L'aspiration la plus fondamentale, liée à la prise alimentaire,
concerne le plaisir affectif que l'homme trouve à partager son
repas avec d'autres, des parents, des amis, des collègues ou même
des inconnus. Cette aspiration profondément humaine est résu-
mée par le thème de convivialité. Puisque cette convivialité est
profondément inscrite dans l'homme, qu'il en a un besoin indispensable, qu'il en tire un réconfort essentiel, la production alimentaire aurait dû être conçue, organisée jusque dans ses moindres détails pour l'épanouissement humain à travers le besoin de
partage alimentaire inscrit dans nos gènes de primates évolués.

On a surtout analysé la transition nutritionnelle de la
seconde moitié du XXe siècle sous l'angle de la modification de la
nature des aliments ou des nutriments ingérés, du passage des
aliments bruts aux aliments transformés et empaquetés. Les
conséquences de cette transition nutritionnelle n'ont pas suffisamment été abordées sous l'angle de la destruction de la convivialité. Certes, la sédentarité, les excès de sucre et de gras, les frigos bien garnis ont joué un rôle direct dans le développement de
l'obésité, mais une large déstructuration des repas et une mauvaise prise en compte de la dimension conviviale de l'alimentation ont fortement contribué à l'amplification de cette épidémie
mondiale.

L'approche dominante du secteur agroalimentaire a été de
confectionner des aliments et des boissons avec une conservation
le plus longue possible afin que chaque consommateur puisse en
disposer en permanence. Ainsi, même si l'individu ne fait aucun

effort pour préparer ou partager un repas, il dispose à volonté d'aliments caloriques dont les plus caricaturaux sont disponibles chez les marchands de journaux et les stations-service. Dans un esprit de santé publique, et de bien-être sociétal, il serait fortement souhaitable que l'offre agroalimentaire contribue à favoriser la convivialité plutôt que les pratiques de consommation individuelle.

DE NOUVEAUX MODÈLES ALTERNATIFS DE DISTRIBUTION ALIMENTAIRE

Au lieu de multiplier à l'infini le nombre de produits référencés dans nos supermarchés, ce qui visiblement n'apporte plus aucun bénéfice au consommateur, il faudrait donc développer des activités de services pour aboutir à des repas équilibrés de qualité. Parmi les développements possibles de diverses offres, on peut souhaiter la multiplication de restaurants familiaux peu onéreux, l'ouverture de boutiques pour disposer de repas préparés au quotidien, le développement d'une livraison directe de produits issus de l'agriculture, la mise en place de marchés paysans ou d'agromarchés organisés par des groupements de consommateurs et d'agriculteurs, la prise en charge par les professionnels des fruits et légumes ou d'autres aliments des étapes préliminaires de leur préparation. Il s'agirait de favoriser l'adoption de repas réellement structurés autour d'une entrée, d'un plat principal et d'un dessert, de réhabiliter l'acte culinaire, d'éduquer le goût, d'apprendre à gérer les plaisirs de la table. Il n'y a aucune raison que nos sociétés modernes, sous prétexte de gérer l'abondance alimentaire, ne soient plus capables de maintenir certaines traditions culinaires, de les enrichir, de favoriser l'équilibre nutritionnel de la population. Une nouvelle approche tournée autour de la préparation des repas par le développement de services appropriés est tout aussi génératrice de développement économique. Les modèles actuels de production agroalimentaire sont considérés comme des sources de richesses importantes, mais il faudrait en évaluer aussi les conséquences générées en amont sur le tissu rural et l'environnement, et en aval sur le comportement et le dynamisme humains.

Une prise de conscience nouvelle du potentiel de l'alimentation, de la responsabilité de chacun dans la gestion de cette chaîne complexe devrait sûrement inciter le consommateur à consacrer une part plus importante de son revenu au budget alimentaire. Ce changement de notre paysage devrait sans doute aboutir à un redéploiement de l'activité économique des grandes entreprises vers les PME, les artisans et les agriculteurs eux-mêmes.

FAVORISER L'ESPRIT DE PARTAGE TOUT AU LONG DE LA CHAÎNE ALIMENTAIRE

L'esprit de convivialité ne se limite pas aux convives du repas, le plaisir de manger est finalement l'aboutissement du travail des paysans et de tous les intermédiaires qui ont œuvré du champ jusqu'à l'assiette. Un des défauts récurrents d'une alimentation mondialisée et standardisée est de créer une distance très grande entre le consommateur et l'origine agricole des aliments, or une large majorité des gens sont restés dans leur esprit très proches du monde rural et sont sensibles à la naturalité de leurs aliments. À l'avenir, il est clair que le consommateur aura à se positionner à travers ses choix alimentaires, sur les méthodes d'agriculture et d'élevage qu'il veut favoriser, sur l'importance qu'il accorde à la préservation des espaces naturels. Encore faut-il que l'origine des aliments ne lui semble pas trop lointaine, qu'il comprenne la nécessité de pratiquer des échanges équitables, qu'il attribue une valeur marchande suffisante à son alimentation de façon à maintenir une chaîne alimentaire bénéfique pour tous.

La dimension conviviale de l'alimentation a donc un caractère très large. Elle devrait être à la fois une revendication forte et aussi une exigence pour tous puisque le consommateur a une lourde responsabilité par ses choix, par la nature de ses dépenses sur l'évolution de la chaîne alimentaire. Cette évolution sera lourde de conséquences à de nombreux niveaux, celui de l'environnement jusqu'à celui du fonctionnement le plus intime de l'homme.

À travers son mode d'agriculture et de nourriture, l'homme pourra s'intégrer dans une chaîne écologique équilibrée ou participer à la dégradation de pans entiers d'espaces naturels, assurer son avenir biologique et son équilibre psychique ou prendre des risques de transformations métaboliques et de perturbations psychiques. La gestion de la chaîne alimentaire à visée humaine doit être compatible avec la préservation et le partage équitable des ressources naturelles.

Si, pour satisfaire des intérêts capitalistique ou nationaux, des territoires sont stérilisés, des agricultures marginalisées, des peuples asservis à des modes alimentaires standardisés, l'avenir de l'homme est bien mal engagé. L'homme ne peut donc fonder son humanisme que sur le respect, à toutes les étapes de la chaîne alimentaire, d'un esprit de partage dans le sens d'un développement durable. Cet esprit d'universalité et de solidarité, qui gagnerait à régir les échanges agricoles, est bien éloigné du marchandage actuel des pays riches entre eux ou vis-à-vis des pays en développement. Le droit élémentaire des peuples à se nourrir eux-mêmes est bafoué par la mise sur le marché de matières premières à des coûts dérisoires. De même, l'exportation de modèles alimentaires occidentaux dominants est un manque évident de respect pour les autres peuples dont les cultures sont marginalisées. Par contre, il y a un bénéfice réel, pour tous ceux qui le peuvent, à emprunter et à adopter des modes alimentaires ou des préparations culinaires originales qui font la richesse du patrimoine mondial. Il est sûrement intéressant que les Français apprennent à aimer les tajines marocains, le « pumpernickel » allemand ou les pitas du Moyen-Orient, le tofu asiatique, les tortillas mexicaines, le taboulé ou le hommmous libanais, les falafels juifs, la moussaka méditerranéenne, les chapatis indiens, le chili con carne américain, le gaspacho andalou ou la soupe d'Halloween. L'adoption d'une partie de la culture de l'autre est aussi une excellente manière de le comprendre, et de diversifier et d'équilibrer sa propre alimentation. Souvent des modes alimentaires de par le monde se sont révélés extrêmement protecteurs vis-à-vis de certaines maladies. On sait à quel point il serait intéressant de transposer la diète méditerranéenne, le fameux régime crétois, à l'ensemble des régions françaises par exemple pour lutter contre l'infarctus du myocarde.

L'intérêt de partager les ressources et les savoir-faire culinaires, pour un enrichissement réciproque, est particulièrement prégnant en matière d'alimentation humaine et serait une voie originale de mondialisation. Ce métissage culturel est bien différent d'une certaine uniformisation des goûts prônée par la domination des géants de l'agroalimentaire, par la civilisation « Coca-Cola » et « MacDonald ». Le danger réside dans la capacité des pays riches occidentaux, dotés d'une industrie agroalimentaire surpuissante, de faire consommer aux pays du sud ou de l'Asie des produits manufacturés ou des produits animaux dans l'esprit de conquérir de nouveaux marchés. Ce péril est déjà bien réel puisqu'on peut mesurer les conséquences de « la transition nutritionnelle » que nous avons subie dans beaucoup de pays du Sud.

La marchandisation de la nourriture n'est sûrement pas le bon moyen pour vaincre la faim dans le monde. En revanche, il est souhaitable d'enrichir, chaque fois que cela est possible, le patrimoine culinaire des populations. Au-delà du bonheur de partager le plaisir des autres à travers leurs aliments, il est également important de mettre en commun l'immensité des connaissances acquises pour élaborer des systèmes de nutrition préventive en fonction des ressources disponibles. En effet, puisque nos connaissances ont tellement évolué dans ce domaine, il devient élémentaire au niveau éthique d'en faire bénéficier tous les peuples. C'est d'une certaine manière ce que pratique la communauté scientifique dont le fondement est de diffuser en permanence les connaissances nouvelles. Toutefois, il y a une grande distance entre les approches souvent trop théoriques des scientifiques et le développement de politiques nationales de santé publique dans le domaine alimentaire.

ATTENTION AUX ENFANTS ET AUX ADOLESCENTS

La solidité et la sûreté du comportement nutritionnel se préparent dès le plus jeune âge et se nourrissent de la convivialité familiale. La mise en place d'une nutrition préventive chez le jeune, avec pour objectif une santé à long terme, peut paraître paradoxale à un moment de la vie où l'horizon de la maladie et de la mort est entièrement occulté, suscitant bien des comportements à risque. C'est pour cela qu'il est important que les jeunes disposent d'acquis nutritionnels sûrs puisque la problématique d'une bonne alimentation rentre peu dans le champ de leurs préoccupations. Pourtant, l'influence des modes alimentaires pratiqués durant l'enfance et l'adolescence est souvent déterminante pour assurer un bon état de santé tout au long de la vie. C'est pourquoi il semble important de structurer le comportement alimentaire des enfants et des adolescents d'autant que l'apprentissage du goût est souvent long, la découverte de nouveaux aliments difficile et les réactions de néophobie courantes. On comprend tout l'intérêt de familiariser les enfants aux aliments inconnus dans un contexte socio-affectif chaleureux. Dans la société actuelle, l'enfant ne peut trouver seul les bons repères, or les jeunes sont particulièrement sensibles aux influences publicitaires que la famille ou les pouvoirs publics tempèrent difficilement.

Parfois, la crise de l'adolescence se manifeste par des comportements excessifs, des déviations du comportement alimentaire allant jusqu'à la boulimie, l'anorexie et son cortège de souffrances auxquelles les victimes ont du mal à mettre un terme. Dans cette période où le phénotype de l'état adulte se met en place, la privation comme l'excès alimentaire vont perturber le futur état d'équilibre corporel et psychologique ; d'où l'importance de la bonne gestion de cette étape tourmentée de la vie.

Ces déviations du comportement alimentaire révèlent la complexité des contradictions intérieures de la personne et peuvent être indépendantes des facteurs nutritionnels extérieurs. Cependant, l'augmentation de la prévalence actuelle de la boulimie et de l'anorexie conduit à poser le problème de l'influence, sans doute bien réelle, de l'offre alimentaire et de la déstructuration des repas sur le développement de ces syndromes.

Ce qui inquiète le plus la société est le développement actuel de la surcharge pondérale, voire de l'obésité de l'enfant. L'influence de l'offre et du mode alimentaire semble déterminante dans le développement de ce qui ressemble à une épidémie mondiale. Sous l'influence des modes de vie confortables, de temps passé devant des écrans de télévision ou d'ordinateurs et surtout d'une nourriture industrielle parfaitement assimilable, de jeunes enfants gavés présentent des états de surcharge pondérale très précocement. Dans ces conditions, sous l'effet de fréquentes stimulations nutritionnelles relayées par des signaux

endocriniens, le tissu adipeux se développe anormalement.
Ainsi, une situation de dérive vers le surpoids est créée avec une
porte d'entrée toujours plus grande ouverte pour le stockage et
relativement fermée pour la sortie des acides gras (*via* la mobilisation des graisses) qui ne peut être que très lente pour ne pas
intoxiquer l'organisme. Maintenant que l'obésité arrive à se
développer si précocement chez les jeunes, certains d'entre eux
développent le syndrome du diabète de type 2, caractéristique
plutôt de la résistance à l'insuline de sujets âgés.

Les nutritionnistes ont cherché à identifier les facteurs nutritionnels impliqués dans le développement de l'obésité juvénile
sans résultats convaincants. L'allaitement maternel est la première mesure préventive face au risque de développement ultérieur de la surcharge pondérale parce que le lait maternel est
adapté à la physiologie du bébé, alors que l'on maîtrise encore
mal les apports énergétiques des laits 1er âge. Les conséquences de
la malnutrition fœtale, qui peut avoir des origines très diverses,
sont souvent prolongées par les effets d'une nourriture infantile
trop riche en énergie et en protéines ou déséquilibrée en acides
gras essentiels. Ainsi, un usage important de produits laitiers et
de beaucoup d'autres aliments et boissons de forte densité énergétique constitue un facteur de développement de l'obésité de
l'enfant, dans un contexte de sédentarité. Lorsqu'une prédisposition génétique et un environnement défavorable se conjuguent,
les risques de devenir obèse du bébé issu de parents en surcharge
pondérale sont très élevés. Le développement précoce du tissu
adipeux crée ensuite un terrain métabolique favorable à l'installation durable d'un état d'obésité à l'âge adulte. Sans aucun démar-
rage précoce, l'obésité peut aussi se développer assez tardivement
chez des jeunes ou des adultes exposés à des excès alimentaires et
bien peu maîtres de leur comportement. L'apparition de ce syndrome est ensuite grandement facilitée à la génération suivante,
et il devient urgent de réfléchir aux méthodes, sans doute bien
nouvelles, à mettre en place pour interrompre cette chaîne de
transformation du phénotype.

La survenue de cette épidémie de l'obésité à l'échelon mondial
est à l'origine d'une remise en question de l'offre agroalimentaire
de mauvaise qualité et d'un vif encouragement à lutter contre la

sédentarité. Il faut souligner de plus que cette sorte de malnutrition touche maintenant les classes les plus défavorisées, les moins averties de l'importance de la prévention et les moins aptes à disposer de facteurs environnementaux favorables.

VIEILLIR EN BONNE SANTÉ

Finalement, il revient au consommateur de gérer lui-même au mieux sa santé par l'alimentation, ce qui nécessite qu'il ait reçu une information claire et qu'il adapte son comportement en conséquence. Compte tenu de la complexité des régulations physiologiques, des influences socioéconomiques et culturelles, des spécificités des représentations mentales, l'adoption de bonnes pratiques, compatibles avec une gestion optimale de la nutrition préventive, peut sembler difficile et nécessite d'acquérir très tôt de bonnes bases.

L'allongement de l'espérance de vie est souvent mis en avant en faveur de l'efficacité de notre système alimentaire. Cette problématique est fort complexe. En toute rigueur, les centenaires actuels n'ont connu ce qui est appelé « la transition nutritionnelle » (un terme bien édulcoré) que dans la seconde moitié de leur vie alors que les fondements de leur santé, leurs habitudes alimentaires étaient déjà bien établis. Réciproquement, il est difficile de parier que la génération des jeunes, les plus accros aux « Coca-Cola, fast-foods et calories vides », améliorera son espérance de vie. Par contre, pour une bonne majorité de la population, il est possible de trouver dans l'offre alimentaire actuelle, par des choix éclairés, une alimentation favorable au bien vivre et au bon vieillissement. Cependant il n'est pas toujours facile de s'approvisionner, par exemple, en fruits et légumes ou en d'autres denrées de bonne valeur nutritionnelle. La mise en place d'une bonne gestion de la santé par l'alimentation devrait donc concerner tous les acteurs de la production alimentaire, d'où la nécessité d'une sensibilisation nouvelle sur ce sujet. De même, il est important de faciliter la perception du consommateur et surtout de ne pas brouiller les messages, de ne pas opposer naïvement, comme nous l'avons précédemment montré, qualité organoleptique (qu'il est possible de manipuler par des arômes, du sucre, du gras, du sel ou d'autres artifices) et qualité nutritionnelle (liée à l'équilibre de la composition en nutriments et micronutriments). Il n'en reste pas moins que le consommateur doit ajuster son propre comportement à sa physiologie, à ses spécificités digestives et métaboliques qui font de chacun d'entre nous un être unique.

L'argument majeur montrant que l'approche nutritionnelle préventive n'est pas actuellement satisfaisante (et bien peu soutenue par une politique de santé publique) concerne l'importance des pathologies qui se déroulent à un âge tardif. La maladie est tellement prégnante dans nos sociétés que l'on a oublié qu'il est possible de vieillir sans pathologies graves, la vieillesse est un devenir, et les maladies qui l'accompagnent ne sont pas une fatalité. Il est probable que la science mettra en évidence l'essentiel des mécanismes de prévention et des conditions nécessaires au bon vieillissement. L'homme saura-t-il mettre à profit ces connaissances pour construire un environnement favorable à son bien-être et à sa santé ?

CHAPITRE II

Mieux gérer la santé par l'alimentation

Mais que dois-je manger ?

Jamais la nutrition humaine n'a suscité un tel intérêt, cependant l'approche qui en est faite est trop centrée sur la réponse aux inquiétudes des consommateurs. Il est vrai qu'il existe un malaise sociétal provoqué par la forte modification du paysage alimentaire. L'extrême diversité de l'offre, la découverte de pratiques choquantes, la peur d'être empoisonné, la modification du goût de certains produits, la perte du savoir-faire culinaire ou de repères culturels se traduisent par un questionnement égocentrique sur le « que dois-je manger ? », ou bien par un désintéressement désabusé. L'information concernant la nutrition est encore trop souvent contradictoire. Or le public a besoin d'être éclairé sur un sujet dont il commence à sentir l'importance dans la prévention des maladies. Il est sans cesse sollicité par des produits nouveaux, et les explications qu'il reçoit sont souvent partielles et confuses. Il est important d'entreprendre un effort de clarification et de vulgarisation pour que les consommateurs puissent s'appuyer sur des recommandations sûres.

LE CONCEPT DE NUTRITION PRÉVENTIVE

Compte tenu de la valeur inestimable que représente la santé dans la vie humaine, l'exploration des relations entre alimentation et santé constitue un des positionnements clés les plus mobilisateurs au niveau de la recherche et le plus soutenu par la société. Cette démarche est l'objet d'une nouvelle discipline, la nutrition préventive. Celle-ci décrit les modes alimentaires qui permettent de satisfaire tous les besoins nutritionnels dans leur très grande diversité, d'assurer le bon fonctionnement de l'organisme et de prévenir ou de retarder un très grand nombre de pathologies. Le domaine de la nutrition préventive ne s'est pas encore suffisamment développé, parce qu'il est difficile d'expliquer l'influence de la nutrition sur des processus pathologiques de long terme. Par ailleurs, le rôle des facteurs génétiques, souvent déterminants, rend très complexe l'interprétation des relations entre alimentation et santé. Puisque nous ne savons pas quelles sont nos imperfections génétiques, quels organes ou quels tissus vont nous trahir, pourquoi donc se préoccuper de prévention nutritionnelle ? Une première réponse à cette question apparaît dans le fait que la prévention nutritionnelle est, dans la majorité des cas, efficace face à un grand nombre de pathologies. Bien que nous soyons largement inégaux devant les risques de la maladie, nous avons sensiblement les mêmes caractéristiques énergétiques et nous sommes susceptibles de bénéficier des mêmes facteurs de protection. Il est clair que la qualité des nutriments et des micronutriments que reçoivent nos cellules a des répercussions non seulement sur le bon fonctionnement de notre organisme, mais aussi sur son éventuel dérèglement au cours du vieillissement.

Alors que la nutrition préventive doit trouver une place majeure dans l'élaboration d'une société moderne, sa genèse, sa mise en place, son application se sont révélées très difficiles. Une opinion commune est de considérer que le management de la santé est somme toute l'affaire du monde médical et que les autres acteurs en amont n'ont pas à s'investir de cette mission. Cela pouvait se concevoir tant que les aliments ou les régimes étaient relativement peu investis d'une valeur santé, tant qu'il n'était pas parfaitement prouvé que l'ensemble de l'alimentation avait une influence sur la prévalence des maladies cardio-vasculaires, des cancers et des autres pathologies. Il n'était pas nécessaire de s'occuper de la qualité nutritionnelle de tous les aliments consommés puisque l'on attribuait l'efficacité préventive à des facteurs nutritionnels relativement simples. Il fallait seulement réduire le cholestérol et les acides gras saturés pour lutter contre les maladies cardio-vasculaires et, dans un passé pas si lointain, réduire les glucides pour lutter contre le diabète.

Compte tenu de l'implication de l'ensemble des aliments dans le développement d'un bon statut nutritionnel et dans les mécanismes de prévention, il n'est plus possible de déconnecter la gestion de la santé de celle de la chaîne alimentaire. Cette gestion dépasse les attributs du corps médical qui d'ailleurs ne la revendique pas. Le suivi de la chaîne alimentaire dans le but d'assurer le bien-être et la santé de la population ne bénéficie guère de l'appui d'un corps de nutritionnistes bien trop éloigné des réalités de terrain. D'un côté, les acteurs de la santé ont une connaissance très imparfaite de la complexité des aliments, de leurs mécanismes d'action et surtout de leurs modes de production. Ainsi, ils sont bien mal placés pour exercer une influence sur l'élaboration de la qualité nutritionnelle, par exemple en matière de pain. D'un autre côté, le large secteur agricole et alimentaire ne dispose pas d'une culture suffisante en nutrition humaine. Pourtant ce secteur pourrait être fortement amélioré s'il disposait de directives claires de la part des nutritionnistes. Il y a donc une réelle difficulté, en l'absence d'un corps suffisamment organisé et compétent de nutritionnistes, d'établir les passerelles nécessaires pour concevoir la production alimentaire en fonction des besoins nutritionnels de l'homme.

Ces besoins ont en effet été difficiles à établir. Finalement, on n'a jamais réellement pu évaluer à quel point l'alimentation pourrait exercer des effets protecteurs, prévenir très fortement les cancers, l'ostéoporose. Ces incertitudes concernant l'efficacité de la prévention nutritionnelle sont un frein pour la mise en place d'une alimentation protectrice. Au niveau du terrain, il est vraiment difficile de montrer les bienfaits de l'alimentation lorsqu'une large majorité de la population consomme du pain blanc, trop de sucre, de matières grasses ou de sel. Dans ce contexte peu favorable, les enquêtes épidémiologiques ont malgré tout mis en évidence l'intérêt de la consommation de fruits et de légumes pour se protéger des cancers et d'autres pathologies, le rôle de l'équilibre entre acides gras polyinsaturés dans la protection cardio-vasculaire, les risques liés aux excès de sel dans la survenue de l'hypertension. Pour la majorité des populations, il est compréhensible qu'avec une alimentation approximative et beaucoup d'erreurs commises tout au long d'une vie il soit très difficile d'affirmer les potentialités de la nutrition préventive. Ainsi, les bénéfices possibles d'une alimentation qui serait adaptée aux besoins de l'homme sont assez systématiquement sous-estimés. Heureusement quelques peuples, tels que les Crétois, ont pu bénéficier d'un environnement alimentaire favorable contre certaines pathologies, et cela a permis d'asseoir le discours des nutritionnistes. Cette population est maintenant influencée par les facilités du système agroalimentaire dominant avec son cortège de surcharge pondérale et de pathologies dégénératives.

Ainsi, faute d'un trop petit nombre de populations exemplaires par l'équilibre de leur environnement et de leur savoir-faire, le rôle des facteurs environnementaux et nutritionnels a souvent été marginalisé. Sans incitations claires, des populations entières n'empruntent pas un cercle vertueux de gestion intéressante de la santé par l'alimentation et cèdent à un cercle vicieux d'ignorances et de dévalorisation alimentaire, avec des retombées évidentes fort négatives sur de nombreux plans. Difficile dans ces conditions, pour les épidémiologistes, de tirer des conclusions claires à partir du passé nutritionnel peu cohérent des cohortes étudiées.

Il est donc nécessaire maintenant de ne pas ressasser indéfiniment le passé, de construire l'avenir nutritionnel de nos enfants parce que, malgré les difficultés et grâce au recoupement d'une multitude d'approches scientifiques, on a acquis aujourd'hui un degré de certitude suffisamment fort sur la façon de bien s'alimenter. Malheureusement, cette bonne nouvelle est étouffée par un bruit de fond pénible d'avis incompétents. Cependant, il existe toujours un danger à présenter des informations, comme certaines qui s'avèrent ensuite assez inexactes. Il ne s'agit donc pas d'édicter des règles de conduites strictes, d'uniformiser les comportements nutritionnels, mais bien de situer les limites raisonnables à respecter dans les variations de la qualité nutritionnelle des aliments et des pratiques alimentaires. En fait, les erreurs des nutritionnistes ou des professionnels de l'agroalimentaire ont été de délivrer ou de s'appuyer sur des analyses trop réductrices qui ne tiennent pas compte de la complexité des aliments et des régimes. En effet, les aliments ne sont pas seulement la somme de leurs composés nutritionnels, de même les régimes sont plus que la somme des aliments qui les composent. L'impact de ces ensembles dépend de leur complexité, de la complémentarité et de la synergie d'action de leurs composés ; les défauts majeurs à éviter étant un fort déséquilibre dans les nutriments énergétiques et un apport indigent de minéraux et micronutriments.

Vu l'abondance des aliments disponibles, il y a, et c'est heureux, une très grande diversité possible dans l'art de bien s'alimenter, et donc une palette de menus quasi infinie ; ce qui est un des arguments essentiels qu'il convient d'opposer à une critique récurrente de la nutrition préventive, source imaginaire de monotonie et antinomique au plaisir.

DES RECOMMANDATIONS NUTRITIONNELLES PLUS SÛRES

Les bases théoriques de la nutrition préventive ont pu être définies en analysant nos besoins dans les différentes classes de glucides, protéines, lipides, et surtout en comprenant mieux la nature et l'importance de la fraction non énergétique* qui doit accompagner les composés caloriques. Il a fallu étudier par des approches complexes les besoins en chaque nutriment et micronutriment et s'assurer que la couverture de ces apports nutritionnels corresponde à des modes alimentaires protecteurs à l'instar du modèle méditerranéen. Les régimes les plus efficaces sur le plan du bien-être et de la santé sont tous caractérisés par un apport élevé de produits végétaux, et une utilisation modérée d'ingrédients purifiés et de produits animaux riches en acides gras saturés. Du point de vue énergétique, la proportion des glucides, protéines et lipides doit être de l'ordre de 55 %, 15 % et

---

* Voir également le glossaire.

30 % respectivement. En termes un peu plus concrets, cela représente une consommation quotidienne d'équivalents glucose de 4 à 5 g par kilo de poids corporel, et de protéines et de lipides de 1 g par kilo. Actuellement, la majorité de la population française, comme d'autres populations occidentales, dispose d'un apport énergétique du type 45 % pour les glucides, 15 % pour les protéines et 40 % pour les lipides. Pour les nutritionnistes qui observent le comportement des populations, ces pourcentages caloriques sont révélateurs de typologies alimentaires peu équilibrées. Des mesures plus complexes sur l'apport spécifique de certains nutriments ou micronutriments* indiquent également que, dans l'ensemble, le statut nutritionnel d'une frange importante de la population n'est pas optimal.

Un effort évident doit donc être fait pour favoriser la consommation de glucides sous forme de produits végétaux complexes et pour modérer les apports lipidiques. Le problème pour le consommateur est de traduire dans la pratique quotidienne ces recommandations sachant qu'il est difficile d'estimer la répartition de l'énergie dans ses repas. Des repères plus clairs devraient être mis à la disposition du public, non seulement pour la description des aliments, mais aussi pour les diverses préparations culinaires. Cependant, la possibilité d'établir une comptabilité des apports énergétiques alimentaires est assez théorique et finalement peu utile, il convient plutôt d'apprendre à bien manger en ayant toutefois des repères qualitatifs sur le profil nutritionnel des aliments, sur la présence de sucres ou de matières grasses ajoutées, sur l'intérêt physiologique des produits consommés. Des repères quantitatifs concernant la valeur calorique des aliments peuvent être utiles. Savoir que 100 g de salade n'apportent que 25 kcal, alors qu'une cuillerée à soupe d'huile de 10 g fournit 90 kcal, et qu'une pierre de sucre de 5 g apporte 20 kcal. Il est nécessaire que le consommateur connaisse la composition générale des produits de base, qu'il sache que 100 g de viande correspondent à environ 20 g de protéines, que 100 g de pain apportent 50 g d'amidon et qu'une canette de Coca contient 30 g de sucre. Chaque foyer pourrait disposer de tableaux récapitulatifs

---

* Voir également le glossaire.

simples pour caractériser le profil nutritionnel des aliments, décrivant les teneurs en protéines, en glucides et en fibres des produits végétaux, les teneurs en graisses, sucre ou sel apportées par les aliments préparés. Ces repères peuvent être utiles, mais l'art de bien se nourrir nécessite une compréhension globale de l'équilibre et des bienfaits de l'alimentation. Si cette vision était mieux développée, le consommateur sélectionnerait plus spontanément des produits moins raffinés et moins riches en ingrédients purifiés.

Glucides et santé, des progrès majeurs à réaliser

Le développement humain a sans doute été fortement lié à celui des ressources en glucides. Longtemps cette disponibilité fut insuffisante, et paradoxalement les problèmes nutritionnels actuels concernant les apports glucidiques ne sont toujours pas résolus. Pourtant, il n'existe plus d'obstacles scientifiques, technologiques, économiques notables à la résolution de ces problèmes.

L'homme a, en effet, un besoin particulièrement élevé en glucose pour satisfaire ses dépenses énergétiques. Son cerveau en consomme environ 120 g par jour. C'est aussi le carburant énergétique de nombreux tissus : cellules sanguines, intestin, cœur, poumons, muscles, peau. Même si les acides gras issus des lipides peuvent être utilisés par les muscles dans les efforts de longue durée, le glucose reste une source essentielle d'énergie pour l'effort musculaire et pour l'ensemble de l'organisme. Le besoin en glucose est si impérieux qu'il est souvent ressenti physiquement par chacun d'entre nous, lorsque la glycémie s'abaisse au-dessous de 0,8 g/l. Heureusement, l'organisme peut éventuellement pallier les irrégularités des apports digestifs en fabriquant du glucose à partir du glycogène, ou à partir d'autres composés tels que les acides aminés. Le besoin en glucides est donc plus proche de 60 % de l'énergie totale ingérée que du chiffre de 50 % souvent cité. Cela représente, pour une dépense calorique moyenne, une ingestion de glucides (en équivalent glucose) de plus de 300 g par jour.

LA DIFFICILE QUÊTE DES GLUCIDES
CHEZ LES CHASSEURS-CUEILLEURS

Actuellement, il est bien facile de se procurer le pain, les pâtes, le riz, les lentilles, les pommes de terre, les bananes et le sucre pour satisfaire pleinement ce type de besoins en glucides. Il n'en a pas toujours été ainsi. Le monde végétal dans lequel ont évolué nos ancêtres chasseurs-cueilleurs était sûrement bien pauvre en glucides assimilables. Les espèces animales, même herbivores, n'ont jamais su digérer en glucides simples les parois cellulosiques des végétaux. Les feuilles, les baies, les racines, les tiges, consommées par les chasseurs-cueilleurs, contenaient quelques sucres solubles, mais leur teneur en glucides assimilables était bien insuffisante pour nourrir nos ancêtres primates et répondre à un besoin accru de glucose au fur et à mesure que la taille du cerveau s'élevait. Il existait sûrement quelques graines ou d'autres organes végétaux qui contenaient de l'amidon, mais ce polymère de glucose, le seul que l'on sache digérer, le glucide le plus adapté à la physiologie humaine, était bien rare avant le développement de l'agriculture. Il est probable que certains amidons n'étaient même pas digestibles, comme les tubercules de l'ancêtre de la pomme de terre que les premiers habitants d'Amérique du Sud ont pu déterrer. Paradoxalement, nos chasseurs-cueilleurs avaient donc la plus grande difficulté à nourrir leur cerveau à partir des énormes ressources végétales environnantes. Un statut végétarien strict n'aurait pas permis aux primates d'évoluer, de disposer d'une pléthore suffisante de glucose, d'acides aminés et d'acides gras nécessaires au développement de la taille du cerveau. La pratique de la chasse et de la pêche a joué un rôle déterminant pour augmenter la fourniture des acides gras essentiels (à très longue chaîne), indispensables à l'élaboration du tissu cérébral bien que ces acides gras du cerveau puissent aussi être synthétisés à partir d'acides gras précurseurs d'origine végétale. Cependant, la disponibilité en glucides assimilables a dû longtemps être un frein à l'évolution des ancêtres de l'homme. Dans ces conditions, les hommes préhistoriques avaient un régime très riche en protéines, et le glucose provenait de la conversion des acides aminés par un processus qui est appelé la néoglucogenèse. Cette situation de carnivore forcée correspond à des adaptations métaboliques proches du jeûne et accélère fortement le vieillissement des organismes.

LES PROGRÈS DE L'AGRICULTURE

Le passage à l'agriculture, qui a commencé quelque dix mille ans avant J.-C., a permis de disposer de ressources glucidiques, principalement de l'amidon, totalement inhabituelles pour l'organisme humain. En théorie, la disponibilité de nouvelles sources de glucose fut un grand avantage pour la nutrition cérébrale mais aussi pour ralentir la néoglucogenèse à partir des acides aminés, diminuer les besoins de viande et placer l'organisme dans un mode de fonctionnement plus satisfaisant et plus favorable à la longévité. En réalité, la stabilisation de l'habitat, la réduction du territoire de vie contribuèrent sans doute à créer des problèmes nutritionnels nouveaux en diminuant la diversité des ressources disponibles.

La disponibilité en aliments glucidiques, à la suite de la culture des céréales, a été la préoccupation de tous les peuples pour leur survie. Les produits céréaliers permettent une bonne couverture des besoins nutritionnels de l'homme, si bien qu'une large majorité des peuples a bâti son développement agricole et agroalimentaire sur cette ressource. Longtemps les récoltes furent irrégulières, les famines fréquentes et les ressources en céréales, une source de spéculations. Ces dernières sont encore une arme géopolitique déterminante. Dans les populations européennes, le fait de ne disposer principalement que de céréales comme source de glucides constituait un système bien fragile. En France, les habitants se nourrissaient principalement de pain, et son manque récurrent fut à l'origine de nombreuses famines et de révoltes dont la plus célèbre est la Révolution française.

Notre Parmentier comprit le bénéfice évident de disposer d'une autre source de glucides pour s'affranchir des aléas des récoltes céréalières. Dans certains pays, la pomme de terre en vint même à supplanter les céréales pour assurer la nourriture des populations, mais les très mauvaises récoltes de ce tubercule, atteint de brunissure au milieu du XIXᵉ siècle en Irlande, provoquèrent une famine terrible et l'émigration d'un million et demi d'Irlandais vers le continent américain. D'autres populations, dans le pourtour de la Méditerranée, ont bénéficié de la culture des légumes secs ou des châtaigniers pour pallier les insuffisances des récoltes de céréales ou de pommes de terre. Au cours des deux cents dernières années, l'autre bouleversement dans l'approvisionnement en glucides fut provoqué par le développement de l'industrie sucrière à partir de la betterave à la suite du blocus continental destiné à maîtriser l'expansionnisme napoléonien. Rien ensuite n'arrêtera l'homme dans cette recherche effrénée d'une forte disponibilité en glucides. La sélection variétale, les progrès de l'agronomie, un usage intensif d'engrais et de pesticides permirent d'accroître de façon considérable les rendements en céréales, en pommes de terre, en betteraves sucrières.

LA DOUBLE DÉVALORISATION DES ALIMENTS GLUCIDIQUES

Au lendemain de la Seconde Guerre mondiale, alors que les problèmes d'approvisionnement étaient enfin résolus pour une partie de l'humanité, un double processus de dévalorisation des aliments glucidiques, dont nous payons encore les conséquences, survint : le premier par le raffinage ou la purification trop poussés des produits végétaux, le second par une dépréciation du pain et des divers féculents parés d'une image d'aliments triviaux, de faible intérêt nutritionnel. Ainsi, à l'aube du XXIe siècle, la problématique apparemment bien simple d'une bonne nutrition glucidique n'est toujours pas résolue. Bien que stabilisée, la consommation de sucre raffiné visible et caché (dépourvu de toute trace de minéraux et micronutriments) atteint des proportions irraisonnables de 10 à 20 % des apports énergétiques totaux, diminuant d'autant la densité nutritionnelle des régimes. À ce vide nutritionnel occasionné par le sucre, il faut ajouter la perte des trois-quarts de minéraux et de vitamines dans le raffinage des céréales. Cela signifie que 30 à 50 % de notre alimentation est artificiellement appauvrie en micronutriments et que les glucides n'apportent plus les composés nutritionnels qui leur étaient naturellement associés.

La situation est devenue encore plus caricaturale à la suite du développement d'une nouvelle industrie de transformation des céréales en amidon ou en sucres simples. En effet, il est possible de produire du glucose et du fructose à partir de l'amidon extrait des céréales, d'où l'abondance de ces sucres dans beaucoup d'aliments et de boissons. De plus, la production d'amidon à partir des céréales est devenue une industrie florissante, si bien que l'on retrouve ce glucide purifié dans beaucoup de préparations alimentaires.

Nous consommons une quantité insuffisante de glucides, et, selon certains avis, il serait même utile, dans ces conditions où l'offre est de piètre qualité nutritionnelle, d'en consommer encore moins pour prévenir les maladies métaboliques. On connaît le succès populaire aux États-Unis de la méthode du docteur Atkins qui préconise une forte réduction des apports de glucides. Une telle stratégie aboutit nécessairement à une impasse, à une quasi-impossibilité de gérer correctement la santé par l'alimentation. La limitation des apports en glucides, au-dessous de 45 % des apports énergétiques, impose des contraintes alimentaires et métaboliques anormales à l'organisme. Évidemment, il faut interrompre ce cercle vicieux, redonner une juste place aux aliments glucidiques pour bénéficier d'un approvisionnement en glucose avec un environnement nutritionnel (apport de micronutriments) qui facilite les régulations physiologiques et favorise un état de bonne forme et de bien-être.

Si notre alimentation en glucides est si mal gérée, si un développement aberrant de la production de glucides purifiés (des sucres simples jusqu'à l'amidon), de boissons et d'aliments sucrés a pu se produire, c'est à l'évidence dû à un manque de prise de conscience par les pouvoirs publics, les professionnels et les consommateurs, au caractère anormal de notre chaîne d'approvisionnement en glucides.

Compte tenu de la puissance de l'outil de production agricole et de transformation industrielle des denrées, une mauvaise perception des besoins nutritionnels provoque des conséquences insoupçonnées sur l'équilibre énergétique et nutritionnel des populations.

Le consommateur lui-même a cédé aux sirènes du plaisir sucré et s'est laissé persuadé du caractère trivial de la pomme de terre, du pain, des légumes secs, des pâtes et du riz. Moins il satisfait ses besoins en glucides par ces aliments de base riches en amidon (mais aussi en d'autres composés nutritionnels complémentaires lorsque la complexité des produits végétaux est préservée), plus il sera amené à chercher des produits de substitution souvent sucrés et associés à des matières grasses, ce qui contribue à déréguler sa prise alimentaire.

Alors qu'il a fallu des milliers d'années pour maîtriser les apports de glucides dont la valeur inestimable était représentée par la symbolique du pain, il aura suffi de moins de cinquante ans pour dégrader leur image, leur qualité et altérer leur consommation. Évidemment, il faut maintenant entreprendre un effort de valorisation de ces aliments de base dans la chaîne alimentaire et auprès du consommateur. Pour cela, il est nécessaire que la problématique des apports alimentaires en glucides, les spécificités de leur métabolisme soient beaucoup mieux comprises.

DES CRITÈRES DE QUALITÉ TROP IMPRÉCIS

La qualité des glucides est souvent assimilée à leur vitesse de digestion, si bien qu'ils sont classés et perçus principalement comme des glucides lents ou rapides. Cette caractéristique ne suffit pas à exprimer la valeur nutritionnelle des diverses sources de glucides qui est mieux définie par leur composition et par un ensemble de propriétés physiologiques : rôle dans le fonctionnement du tube digestif, effet sur la satiété, efficacité hypocholestérolémiante des fibres, impact sur le métabolisme hépatique ou sur la sécrétion d'insuline. Sans être un puits de science, on peut savoir que des apports trop élevés de fructose peuvent augmenter les triglycérides du sang ou bien que la pomme ou les légumes secs contribuent à diminuer le cholestérol sanguin.

À la différence des autres composés énergétiques (lipides et protéines), il n'existe pas de réserves notables de glucides dans l'organisme, seulement deux à trois cents grammes de glycogène. Les réserves de glucose constituées par le glycogène sont rarement épuisées, et les glucides ingérés sont destinés majoritairement à être brûlés pour assurer le fonctionnement du cerveau et de la plupart des tissus. Notre organisme a donc besoin d'un apport en glucides étalé dans le temps, grâce à l'ingestion d'aliments dits de faible index glycémique. En effet, il faut éviter d'élever trop fortement la glycémie, ce qui augmente la sécrétion d'insuline avec le risque d'une diminution, à la longue, de la sensibilité des tissus à cette hormone. La notion d'index glycémique définit en fait la capacité d'un aliment à augmenter la concentration de glucose dans la circulation générale au cours des heures qui suivent le repas. L'index glycémique permet de comparer le degré d'hyperglycémie induit par un aliment par référence à un apport glucidique standard de même grandeur. Cela a permis de mettre en évidence l'abondance des aliments de fort index glycémique dans la chaîne alimentaire actuelle.

ATTENTION, SUCRES PURIFIÉS !

Dans l'ensemble, la consommation de sucres simples (glucose, saccharose et fructose) sous des formes très diverses est beaucoup trop élevée. Ces sucres simples ont été qualifiés de sucres rapides. Cette qualification est imprécise. Le saccharose et le glucose sont effectivement très vite absorbés, alors que l'absorption du fructose seul est plus lente et celle du lactose variable selon les sujets. Au niveau métabolique, la consommation de glucose est très hyperglycémiante alors que celle du saccharose, du fructose et du lactose élève plus faiblement la glycémie. Les sucres simples sont donc plus ou moins rapidement absorbés et ont un pouvoir hyperglycémiant très différent en fonction de leur métabolisme hépatique ; leur qualification de glucides rapides est donc approximative. En fait, ce qui différencie le plus les diverses sources de glucides simples provient de leur environnement en fibres, minéraux et micronutriments. Cela explique que les glucides simples des fruits n'ont pas d'effets pro-oxydants (aboutissant à la production de molécules délétères telles que les radicaux libres*) à la différence du saccharose ou du fructose consommés sous forme purifiée. Pour ne pas compliquer la perception du consommateur, et surtout pour faciliter ses choix, il est important de mettre l'accent sur le concept de glucides purifiés ou non, plutôt que sur le qualificatif rapide ou lent.

DU GLUCOSE LENTEMENT ET SÛREMENT

Il peut cependant être intéressant de comparer la vitesse de digestion des produits riches en amidon. En effet, cette réserve naturelle de glucides, commune à une très grande diversité

---

* Voir également le glossaire.

d'espèces végétales, est stockée sous forme de granules de taille et de structure différentes et elle présente de très grandes différences de digestibilité. La cuisson est parfois indispensable pour favoriser la digestion de l'amidon, pour rendre, par exemple, la pomme de terre ou les légumes secs comestibles. Lorsque l'amidon est bien protégé par un réseau protéique (dans le cas des pâtes alimentaires) ou par un réseau de fibres (légumes secs), il est moins vite absorbé que lorsque le granule d'amidon est éclaté (dans le pain par exemple). La structure moléculaire de l'amidon peut également influencer sa digestibilité, de même que les traitements technologiques ou les procédés de cuisson. Il est donc intéressant de comparer l'index glycémique des produits céréaliers, des légumes secs ou de divers féculents. Cela a permis de mettre en évidence que les pâtes alimentaires, haricots, pois chiches, lentilles étaient des aliments parfaitement adaptés à la physiologie humaine, alors que le pain blanc très aéré était trop vite absorbé, de même que de nombreuses préparations de céréales de petit déjeuner. Dans une optique de bonne nutrition, il importe de ne pas exposer l'organisme à une charge glycémique trop élevée. Celle-ci est le résultat du produit de l'index glycémique par les quantités de glucides ingérées. Les sujets exposés à des charges glycémiques élevées ont tendance à mal réguler leur prise alimentaire, et, de plus, la synthèse de graisse est stimulée dans les tissus adipeux. Diverses enquêtes épidémiologiques indiquent également que les populations habituées à ces régimes hyperglycémiants ont une plus forte prédisposition au diabète et aux maladies cardio-vasculaires, et, selon de nombreux experts, le développement de certains cancers (côlon) pourrait en être favorisé.

Malgré l'importance de ces données, toute l'information sur les glucides ne doit pas seulement être centrée sur la valeur de l'index glycémique ; la densité nutritionnelle globale doit être aussi considérée et satisfaisante. Par exemple, un biscuit de faible index glycémique demeure une source de calories vides s'il est majoritairement confectionné avec de la farine blanche, du sucre et des matières grasses ! Il ne suffit pas de parvenir à réduire l'index glycémique d'un aliment pour garantir sa qualité, c'est l'ensemble du profil nutritionnel de l'aliment qui doit être équilibré.

PRÉSERVER LA COMPLEXITÉ ALIMENTAIRE

L'effet santé des glucides a été relié trop schématiquement à leur index glycémique alors que leur densité nutritionnelle est une de leurs qualités primordiales. La plupart des sources de glucides comprennent une très grande diversité d'autres composés qui jouent un rôle dans leur impact physiologique. La compréhension du rôle de ces autres constituants aurait dû mettre un frein à la production de glucides purifiés, ce qui n'a pas été le cas. Pour que l'absorption et le métabolisme du glucose ou du fructose soient optimisés, il faut que les glucides soient accompagnés d'éléments complémentaires ou synergiques tels que les protéines, les fibres alimentaires, les minéraux et les micronutriments. En fait, ces éléments sont tous apportés par les céréales complètes, les légumes secs et la plupart des fruits et légumes, et sont perdus dans les glucides purifiés ou retrouvés en quantité insuffisante dans les produits raffinés. Il existe en particulier une complémentarité essentielle entre glucides et protéines : les glucides ont un moindre effet hyperglycémiant lorsqu'ils sont accompagnés d'un taux normal de protéines, et réciproquement l'apport glucidique facilite la synthèse protéique à partir des acides aminés.

De même que les glucides doivent être environnés de protéines, il est important qu'ils soient inclus dans une matrice alimentaire constituée par les fibres non digérées dans l'intestin grêle. Cela permet d'étaler l'absorption des glucides notamment lorsque les fibres enchâssent les grains d'amidon ou ont une viscosité suffisante pour ralentir la vitesse d'absorption du glucose. La présence de fibres permet également d'entretenir des fermentations symbiotiques dans le côlon, de régulariser le transit digestif et de favoriser l'état de satiété.

L'apport de glucides doit être également accompagné d'une teneur suffisante en minéraux, en potassium, en magnésium dont l'alimentation de type occidental est bien mal pourvue. On sait à quel point la consommation excessive de glucides purifiés s'effectue sans la présence de potassium, or ce minéral accompagne toujours les sucres des fruits.

Les glucides ont tellement eu une place centrale dans l'alimentation humaine que les procédés alimentaires ou les usages individuels ont conduit à les déconnecter des autres composés nutritionnels auxquels ils doivent être obligatoirement associés, si bien, par exemple, que l'apport en fibres alimentaires est devenu en moyenne très insuffisant. De plus, des travaux récents ont bien mis en évidence le caractère pro-oxydant des glucides isolés de leur matrice naturelle (en particulier du saccharose et du fructose). On comprend tout l'intérêt de l'environnement antioxydant* potentiellement présent dans de nombreux produits végétaux. La vitamine C et les caroténoïdes, ainsi qu'une très grande diversité de polyphénols, participent à la protection de l'organisme face aux risques liés au métabolisme des glucides. De ce point de vue, il est difficile de mettre sur le même plan le sucre purifié ou les sucres présents dans les fruits et légumes ou le miel. Il est évident que, si le développement des transformations agroalimentaires, à l'origine de la « transition nutritionnelle » que nous avons connue, se mettait en place aujourd'hui, il y aurait une forte incitation à purifier le moins possible les sources de glucides.

LE MÉTABOLISME POUR PALLIER LES ALÉAS DE L'ALIMENTATION

Un des buts d'une bonne nutrition préventive* est de faciliter la régulation de la glycémie. Lorsque l'organisme ne dispose pas de cet approvisionnement optimal, il s'adapte, mais cela a souvent des conséquences négatives à long terme. Le glucose a en effet un rôle central pour le fonctionnement de l'organisme. Cependant, en cas de manque de glucides alimentaires, le foie a la capacité d'en synthétiser à partir des acides aminés provenant de la digestion intestinale ou du métabolisme corporel. Le seul métabolisme que ne sait pas faire l'organisme est de transformer les acides gras des lipides en glucose. Au niveau des tissus, le glucose peut même être épargné, recyclé sous forme de lactate, que le foie pourra convertir à nouveau en glucose. Si le repas est pauvre en glucides et riche en viande, la néoglucogenèse à partir des acides aminés est particulièrement importante. En fin de compte, le fait de réduire largement les glucides (pain, pâtes, riz) de la ration alimentaire quotidienne oblige l'organisme à en syn-

---

* Voir également le glossaire.

thétiser. Cette erreur, reproduite à l'échelle de centaines de millions d'hommes, en particulier dans les pays occidentaux, aboutit à une très mauvaise gestion des productions agricoles, avec une utilisation de plus en plus élevée de céréales en nutrition animale et une consommation peu diversifiée et peu adaptée des céréales par l'homme. La production alimentaire doit mieux assurer, en les valorisant, en garantissant leur qualité nutritionnelle, la couverture des aliments glucidiques. En bout de chaîne, c'est au consommateur d'adapter ses modes alimentaires pour fournir à son organisme l'approvisionnement suffisant en glucose avec un environnement en nutriments et micronutriments adéquat.

Dans les périodes où l'absorption digestive est achevée, le cerveau, à lui seul, consomme la moitié du glucose, et les acides gras ne peuvent pas servir de carburant de substitution. Cela explique à quel point nos facultés d'attention sont tributaires d'une bonne régulation de la glycémie. Combien de milliers d'enfants ou d'adultes se retrouvent, en état d'hypoglycémie, dans l'incapacité d'être attentifs, à la suite d'une mauvaise gestion de la nature et du rythme de leurs repas ? Un petit déjeuner de pain blanc, accommodé de confiture, est suffisamment hyperglycémiant pour stimuler une forte sécrétion d'insuline, ce qui va réduire prématurément la production hépatique du glucose alors que le repas a été trop insuffisant pour fournir ce carburant jusqu'en fin de matinée. Parfois, c'est la prise d'alcool à jeun qui provoque une hypoglycémie sévère, bien néfaste lorsqu'il s'agit d'assurer certains réflexes comme la conduite automobile. Prise en même temps que le repas, la consommation modérée d'alcool, de vin ou de bière perturbe beaucoup moins la glycémie et donc le comportement du buveur.

Pour assurer un approvisionnement régulier de glucose à l'organisme, il est nécessaire de consommer des sources de glucides au cours des trois repas quotidiens, mais, selon les besoins physiologiques de chaque individu, les quantités à ingérer peuvent être extrêmement variables.

LE DÉCLIN DE LA CONSOMMATION DE GLUCIDES

L'homme occidental du début du XXIᵉ siècle consomme beaucoup moins d'aliments glucidiques complexes que ses grands-parents ou arrière-grands-parents nés au début du XXᵉ siècle, mais davantage de produits sucrés. Il ne semble pas que la consommation du glucose par le cerveau humain ait pu bien changer. Deux raisons principales expliquent la forte réduction de consommation de pain, de pommes de terre ou de légumes secs chez nos contemporains. La première origine de ce changement a résulté de la surabondance en produits sucrés, en matières grasses et en produits animaux de l'offre alimentaire, ce qui a poussé le consommateur à délaisser les produits végétaux traditionnels. La seconde explication est liée au développement actuel de la sédentarité. Le travail manuel comme tout exercice physique augmentent fortement la consommation du glucose par les muscles, même si les matières grasses *via* les acides gras jouent un rôle important dans l'entretien de l'effort physique de longue durée. D'ailleurs, si la glycémie chute trop fortement, la capacité d'effort physique s'effondre. Heureusement, l'entraînement physique peut contribuer à réduire très fortement l'utilisation du glucose, au profit des acides gras ; grâce à cette mobilisation lipidique, l'effort est plus durable, moins épuisant, moins générateur d'espèces oxygénées réactives et de radicaux libres. Les travailleurs manuels qui nous ont précédés auraient pu bénéficier d'une meilleure nutrition lipidique, mais les huiles végétales étaient bien peu disponibles, et même les sources de graisses saturées animales étaient limitées. Il est compréhensible qu'ils aient eu besoin de manger jusqu'à un kilo de pain pour soutenir l'immensité et la permanence de leur effort physique, mais cette alimentation monotone était peu adaptée à leurs besoins.

LES PIÈGES DE LA SÉDENTARITÉ

Le glucose étant utilisé dans tous les tissus de l'organisme même au repos, alors que les acides gras sont surtout brûlés dans les muscles, le développement de la sédentarité aurait dû entraîner l'adoption de régimes peu gras. Or c'est une évolution inverse qui s'est progressivement mise en place. Depuis ses origines, l'homme n'a jamais consommé autant de matières grasses (visibles ou cachées). Cette dérive alimentaire pourrait paraître sans conséquence s'il n'y avait pas une explosion de la surcharge pondérale et de diverses maladies métaboliques telles que le diabète. Les conséquences de la baisse de consommation des glucides sont sans doute accentuées par la très forte proportion de sucres purifiés divers ou de céréales raffinées. Cependant, consommer beaucoup de glucides n'est pas un but en soi à rechercher pour être en bonne santé. Selon l'importance des dépenses énergétiques et selon les caractéristiques physiologiques de chacun, la proportion des aliments riches en amidon ou de fruits et légumes à consommer peut être très variable. Un effort physique soutenu nécessite un apport plutôt élevé de glucides lents, ce qui a été parfaitement compris dans les milieux du sport, adeptes de la « pâte partie » avant la compétition. Le même encouragement à consommer généreusement des produits riches en amidon ne peut être prodigué à la personne sédentaire dans la mesure où il n'est pas souhaitable d'apporter du glucose au-delà des besoins métaboliques, ni des lipides d'ailleurs. La difficulté bien sûr est de se connaître soi-même. Toute surconsommation impose une fatigue à l'organisme, augmente la production d'espèces oxygénées réactives provoquées par l'oxydation des glucides. Il a bien été montré chez le rat, naturellement adapté à un régime très riche en amidon, qu'une restriction énergétique modérée augmentait sa longévité.

L'IMPLICATION DES GLUCIDES DANS LA SURCHARGE PONDÉRALE

Puisque le glucose sanguin est notre substrat énergétique majeur, il convient de bien assurer l'approvisionnement en glucides en évitant les excès comme les manques, en contrôlant leur impact par un bon environnement en protéines, en lipides ou en micronutriments. Dans un régime complexe comportant une proportion souvent élevée de lipides, toute surconsommation de glucides participe à la prise de poids. Si l'apport de matières grasses est très limité, les glucides sont peu efficaces pour stimuler la synthèse de graisses au sein de l'organisme. Pourtant on sait à quel point le pain est perçu par un large public comme un aliment redoutable qui fait grossir. Certes, le pain comme divers produits céréaliers ou féculents peuvent participer à l'excès calorique d'un repas bien arrosé de lipides. Dans ces conditions, les aliments glucidiques facilitent la mise en réserve des lipides du repas par le biais de la sécrétion de l'insuline qui est une hormone fortement lipogénique. L'association glucides-lipides, bien que naturelle et nécessaire, facilite grandement la prise de poids. Il est évident qu'il faut, avant de diminuer la consommation de pain, réduire surtout les quantités de matières grasses et souvent les deux produits à la fois. En fait, pour être équilibrante, une nourriture doit être abondante et légère (sur le plan calorique), d'où le rôle irremplaçable de la diversité des produits végétaux, des produits céréaliers ou des pommes de terre riches en amidon jusqu'aux légumes très pauvres en glucides. Il revient à chacun d'adapter la proportion des divers féculents ainsi que celle des fruits pour obtenir une densité en glucides appropriée aux besoins corporels et aux modes de vie. L'ensemble de ces produits végétaux, par leur richesse en fibres, ont un effet satiétogène et favorisent la régularité des prises alimentaires. Ainsi, une réduction volontaire des apports glucidiques, sans une consommation abondante de fruits et légumes, met l'organisme en grande difficulté. D'ailleurs, la réduction de la consommation de pain, de pâtes, de riz ou d'autres féculents est souvent remplacée par des sucres visibles ou cachés dans des produits transformés divers (boissons, biscuits, etc.). Ces glucides souvent très vite absorbés gardent toute leur efficacité pour faciliter le stockage des graisses alimentaires. En revanche, une alimentation pauvre en lipides et riche en produits céréaliers et en légumes, comme les régimes de nombreuses populations asiatiques ou bien les diètes pratiquées par les sportifs de haut niveau, induit très difficilement des surcharges pondérales et de plus permet d'éviter le développement du diabète de type 2.

POURQUOI L'ALIMENTATION ACTUELLE AUGMENTE-T-ELLE LE DIABÈTE ?

L'homme occidental, devenu sédentaire, a réduit fortement sa consommation de glucides complexes, et cela a paradoxalement favorisé une augmentation considérable des situations d'intolérance au glucose, caractéristique du diabète de type 2. Cette maladie métabolique diffère du diabète classique dont l'origine est la destruction précoce des cellules du pancréas chargé de sécréter l'insuline. Cette hormone a un rôle indispensable pour favoriser l'utilisation du glucose, principalement dans deux grands territoires, les muscles et le tissu adipeux. Ainsi, après un repas, il est nécessaire de stimuler l'utilisation du glucose pour normaliser la glycémie, et l'insuline joue un rôle clé dans cette régulation. L'effet de cette hormone est facilité si les glucides sont lentement absorbés et ne sont pas accompagnés d'une trop grande quantité de lipides. C'est pourquoi le développement du diabète de type 2 est favorisé par une mauvaise gestion de la qualité des glucides et de leur accompagnement en lipides. Le simple fait de remplacer systématiquement et à long terme une partie des lipides de la ration alimentaire par des aliments glucidiques complexes de bonne qualité nutritionnelle peut avoir des effets favorables dans la prévention du diabète de type 2, le plus fréquent, celui qui survient chez les sujets âgés. Ce mode alimentaire permet aussi d'éviter la surcharge pondérale qui joue elle-même un rôle clé dans le développement de ce type de diabète.

La prévalence du diabète de type 2 est en très forte augmentation dans le monde (de 100 millions actuellement, elle pourrait atteindre 300 millions dans dix ans). En France, cette pathologie atteint 3 % de la population, soit environ 1,8 million de personnes, et nous sommes loin d'être le pays le plus touché. Ce type de diabète correspond schématiquement à un état de résistance à l'insuline souvent compliqué de désordres dans la sécrétion pancréatique de cette hormone. L'insuline devient moins efficace pour contrôler la glycémie, en particulier parce que les acides gras provenant de l'excès lipidique environnant, celui du régime alimentaire ou celui des graisses corporelles, perturbent l'action de l'insuline.

Dans 75 % des cas, c'est au surpoids et à l'obésité que l'on attribue le diabète de type 2, qui est devenu, et de beaucoup, le plus fréquent (neuf cas sur dix). Ce diabète touche maintenant des sujets de plus en plus jeunes (moins de vingt ans), alors que l'on pensait qu'il fallait plusieurs dizaines d'années de déviation métabolique pour l'induire. Pour qualifier cette nouvelle épidémie, les scientifiques ont inventé le mot de diabésité pour associer les deux syndromes de diabète et d'obésité. La brusque augmentation du diabète dans un très grand nombre de pays, et surtout chez des populations migrantes habituées à des nourritures rustiques, est

fortement liée à l'occidentalisation des modes de vie, à l'industrialisation alimentaire et à la sédentarité. Il est surprenant que le
bouleversement des facteurs environnementaux aboutisse à des
déviations cellulaires et moléculaires aussi spécifiques que celles
du diabète.

Dans ce syndrome, la liaison de l'insuline à son récepteur
perd de son efficacité, elle ne parvient plus à stimuler l'utilisation
du glucose dans les tissus sensibles tels que les muscles ou les tissus adipeux. De plus, cette hormone n'est plus capable de moduler la synthèse de glucose par le foie qui se met à produire trop
de glucose, même lorsque les apports digestifs pourraient suffire
à l'organisme. Le mauvais contrôle de la glycémie, après le repas
et même à jeun, maintient une imprégnation trop forte des tissus
par le glucose, entretient un processus de glucotoxicité aboutissant ainsi à une glucosylation anormale de nombreuses protéines
et à une production excessive de radicaux libres.

Beaucoup de personnes ignorent qu'elles sont diabétiques
ou prédiabétiques parce que la présence d'une quantité légèrement trop importante de glucose dans le sang ne provoque pas
de symptôme évident. Les personnes en surpoids, avec un tour
de taille très élevé, une forte répartition des graisses au niveau
du ventre, sont, pour la plupart, prédisposées à un diabète de
type 2. À titre d'exemple, les hommes qui ont un tour de taille
supérieur à 1 mètre présentent un risque majeur de développer,
à plus ou moins long terme, cette maladie insidieuse. L'élévation
de la glycémie semble toxique pour les vaisseaux et les micro-
vaisseaux ; ainsi, le diabète s'accompagne de complications vasculaires au niveau des reins, des yeux, du système nerveux et
cardio-vasculaire. Cette pathologie est la première cause de
cécité et de troubles visuels, d'amputation d'un pied ou d'une
jambe et même de l'impuissance masculine. Avec un diabète, le
risque d'avoir un infarctus du myocarde, un accident vasculaire
cérébral ou une insuffisance rénale devient très élevé. Changer
de mode de vie, d'alimentation, accroître les dépenses physiques
ne doit pas rester des vœux pieux et concerne une large partie de
la population.

Compte tenu de la susceptibilité particulière de certaines
populations, les biologistes ont recherché les gènes de sensibilité

pouvant rendre compte de l'expression d'un phénotype diabétique chez certains sujets. En fait, pour le diabète, comme pour l'obésité, il existe principalement un profil multigénique de prédisposition et non une origine génétique unique du diabète. Tout se passe comme si les bouleversements des facteurs environnementaux, des habitudes alimentaires permettaient de mettre en évidence les populations ou les sujets les moins adaptés aux nouvelles conditions de vie ou, réciproquement, les plus adaptés à des modes de vie traditionnels. Avec une activité physique élevée et des aliments naturels peu transformés, les chances de développer un diabète deviennent infimes.

Pourquoi l'alimentation actuelle est-elle devenue diabétogène ? Sûrement à la suite d'un apport trop élevé de matières grasses visibles ou cachées (40 % de l'énergie totale), de sucres purifiés ou de céréales fortement raffinées, une consommation insuffisante de glucides complexes lentement digérés (pâtes, légumes secs, riz et pain complet) et de fruits et légumes. Dans ces conditions, l'offre en produits transformés fournit ainsi une énergie parfaitement assimilable trop faiblement accompagnée de micronutriments.

Les excès d'apport lipidique créent une forte compétition entre glucose et acides gras pour leur utilisation énergétique. Cette compétition est d'autant plus grave que l'absorption glucidique est rapide, nécessitant une intervention très puissante de l'insuline pour assurer le maintien de la glycémie. L'effet bénéfique de l'exercice physique est largement lié à la stimulation de l'utilisation des acides gras par les muscles, ce qui évite qu'ils soient en compétition avec le glucose.

Il existe aussi un lien très fort entre le développement du diabète et la mauvaise densité nutritionnelle des régimes en minéraux et micronutriments, d'où le rôle extrêmement néfaste des sucres purifiés, des produits raffinés et de tous les aliments riches en calories vides. Les rôles protecteurs de la fraction non énergétique des produits végétaux pour la prévention du diabète sont de nature très diverse et bien peu pris en considération : effet de la matrice des aliments pour ralentir la vitesse d'absorption du glucose, effet des antioxydants pour prévenir les altérations cellulaires et moléculaires provoquées par les radicaux

libres et une imprégnation trop élevée de glucose, effet des vitamines pour faciliter l'utilisation énergétique du glucose et des
acides gras, effet des minéraux et des micronutriments pour
assurer une protection vasculaire.

Il existe donc un lien de cause à effet entre la sédentarité,
l'offre des supermarchés en aliments énergétiques de faible valeur
nutritionnelle et le développement du diabète de type 2, entre des
modifications environnementales apparemment très générales et
des événements cellulaires et moléculaires très précis et très
sophistiqués. Cela signifie tout simplement que notre organisme
n'est pas adapté à des conditions environnementales si particulières par rapport à l'histoire de l'humanité.

CONNAIS-TOI TOI-MÊME

Puisque nos dépenses individuelles, notre environnement et
nos modes de vie varient fortement, il revient à chaque individu,
diabétique ou non, d'adapter la charge glycémique de son alimentation à son mode de vie, à ses besoins nutritionnels en ajus-
tant les proportions des aliments pourvoyeurs d'amidon et des
produits végétaux bien moins riches en glucides tels que les
fruits et légumes. Il peut sembler paradoxal, pour les sujets diabétiques, de se sentir encouragés à consommer en relative abondance des produits végétaux de bonne qualité nutritionnelle,
cependant ils doivent faire preuve de plus de rigueur dans leurs
choix alimentaires.

Les quantités de produits riches en amidon à consommer
augmentent théoriquement avec le niveau des dépenses physiques. Pour ceux ou celles qui fonctionnent avec des apports
caloriques alimentaires très faibles, il est important de réduire
très fortement les calories inutiles (le sucre, les matières grasses
cachées), avant de diminuer le pain, le riz, les légumes secs. Pour
tous, la consommation de fruits et légumes doit être le plus élevée possible avec un strict minimum de 300 g de fruits et de
300 g de légumes par jour.

Le pain, les féculents, tout ce qui évoque l'amidon revêt,
pour une bonne partie du public, un caractère trivial, de lour-
deur, de fadeur, à l'inverse de beaucoup d'autres mets parés
d'une image plus noble, voire festive. Il est important de corriger

cette vision générale. Les sources d'amidon ne sont pas des aliments d'accompagnement secondaire (du pain pour déguster le fromage, des pommes de terre pour accompagner la viande, des lentilles pour servir la saucisse), ils constituent la base de notre alimentation. Par contre, les produits céréaliers et les divers féculents ont effectivement besoin pour équilibrer leurs qualités organoleptiques ou nutritionnelles d'être associés, relevés, enrichis par des produits complémentaires : viandes, fruits et légumes, matières grasses, herbes, épices, aromates. Si l'accompagnement en viandes ou matières grasses gagne à être plutôt modéré, l'association avec les fruits et légumes devrait être le plus généreuse possible. Cela est nécessaire pour disposer d'une panoplie suffisante de phytomicronutriments, beaucoup moins abondants dans les produits amylacés que dans les autres produits végétaux.

Des apports en protéines encore mal maîtrisés

À la différence de nombreux produits végétaux, les produits animaux et en particulier les viandes sont perçus comme des aliments de haute valeur nutritionnelle par une large majorité de populations. Cela montre la place importante qu'ont occupée les produits animaux dans l'histoire de l'alimentation humaine. Pour son développement, l'homme a bénéficié d'un statut d'omnivore, et la consommation de viandes a joué un rôle capital dans la survie de nos ancêtres chasseurs-cueilleurs et, par la suite, de bien des populations démunies de réserves de céréales ou d'autres produits végétaux.

Dans un premier temps, le développement de l'agriculture a permis à l'homme de devenir moins dépendant de ses activités de chasse et de pêche en disposant de ressources végétales mieux adaptées à la satisfaction de ses besoins nutritionnels. Dans beaucoup de pays, la population humaine s'est multipliée, l'agriculture s'est développée, et les ressources en viandes, en provenance de la chasse ou de la pêche et de l'élevage, sont devenues insuffisantes par rapport aux possibilités de consommation. Ainsi, au début du XXe siècle, les populations rurales et les classes ouvrières en France consommaient de la viande une ou deux fois par semaine, voire moins fréquemment. Évidemment, les classes plus aisées avaient un meilleur accès aux produits animaux, du moins lorsqu'ils étaient disponibles. Avant la Révolution française, la noblesse au sommet de la société abusait de la plus grande panoplie possible de gibiers, de viandes d'élevage, jusqu'à en pâtir et souffrir de goutte ou d'atteintes cardio-vasculaires. Le niveau de consommation des produits animaux a donc longtemps constitué un signe de différenciation sociale, des bourgeois par rapport aux pauvres, des cadres par rapport aux ouvriers, des pays riches par rapport aux pays en voie de développement. Après la Seconde Guerre mondiale, les classes laborieuses ont voulu rejoindre les cadres et les classes aisées en adoptant leur mode alimentaire.

La productivité de l'agriculture et de l'élevage n'ayant jamais cessé d'augmenter pendant près de cinquante ans, cette augmentation de la consommation de produits animaux était particulièrement bienvenue pour les filières de production et de transformation. L'abondance de l'offre, la baisse des prix permirent ainsi aux Français, vers les années 1990, de figurer parmi les plus grands consommateurs de viandes avec une consommation avoisinant les 200 g par jour en moyenne.

Pour une grande majorité de peuples souffrant de pénurie alimentaire, même au début du XXᵉ siècle, souvent épuisés par le travail manuel harassant de la révolution industrielle, le fait de disposer d'un soûl de viande pouvait paraître paradisiaque. Ainsi, la viande, si possible rouge, semblait un garant de force physique, de virilité. Cette croyance a longtemps été répandue chez nos premiers sportifs, chez les premiers forçats du Tour de France, chez les rugbymen du Sud-Ouest qui cherchaient à puiser une réserve de puissance énorme avant de se livrer à des efforts gigantesques. Les connaissances actuelles concernant l'exercice physique ont montré la naïveté de ces croyances.

LA PRÉDILECTION HUMAINE POUR LES PROTÉINES

Avant que la science ne remette à sa juste place le rôle des protéines animales dans la physiologie de l'homme et du sportif, les connaissances scientifiques émergentes dans le domaine du métabolisme protéique ont fortement contribué à sacraliser la valeur nutritive des viandes et des autres produits animaux. On découvrit ainsi que les protéines corporelles étaient synthétisées à partir d'une vingtaine d'acides aminés dont certains étaient indispensables, que l'apport en acides aminés pouvait être limitant pour la croissance corporelle, que les protéines animales avaient dans l'ensemble une composition très équilibrée pour assurer la synthèse et le renouvellement des protéines corporelles, alors que les protéines végétales ne bénéficiaient pas du même équilibre en acides aminés essentiels. Ainsi, pour plusieurs générations de parents et de médecins, une disponibilité suffisante dans les meilleures sources possibles en protéines devint la préoccupation diététique majeure, ce qui était une approche bien réductrice de la complexité des besoins nutritionnels.

Un autre élément important dans la prédilection humaine pour les produits animaux est sans doute directement lié aux ressources alimentaires dont disposaient les populations. En effet, dans les régions arides ou froides où il était très difficile de développer une agriculture nourricière, seule la pratique de l'élevage, de la chasse ou de la pêche permit aux populations de subsister, et cette situation perdure dans quelques régions du monde. Néanmoins, certains groupes humains, après leur migration vers des modes de vie modernes, ont gardé dans leurs comportements cette empreinte nutritionnelle et culturelle qui contribue à valoriser très fortement les produits animaux, même si leur consommation élevée n'est plus adaptée à leurs besoins physiologiques.

Le comportement humain face à la viande a toujours suscité des sentiments ambigus d'attirance ou de dégoût. La viande, et surtout la viande rouge, n'est jamais restée un produit neutre, elle n'a cessé de faire l'objet de restriction et d'interdiction. La plupart des religions ont également statué sur la question des viandes en listant les consommations permises ou interdites, les animaux impurs ou sacrés, en décrivant les modes permis de sacrifice, en organisant la consommation des viandes autour des fêtes religieuses.

L'importance des produits animaux est largement liée à la culture culinaire des populations, à leur intérêt gastronomique, si bien que la majorité de la restauration est organisée autour de la préparation d'un plat de viande. Longtemps, il a paru difficile d'être excellent dans le domaine gastronomique sans le recours aux produits animaux. Viandes et légumes peuvent former des ensembles très harmonieux, mais le monde végétal est d'une telle diversité qu'il peut se suffire à lui-même, que ce soit au niveau de la palette des goûts ou de la satisfaction des besoins nutritionnels.

Les sociologues ou les économistes, grands spécialistes de l'évolution des consommations humaines, ont observé que l'élévation du pouvoir d'achat dans beaucoup de pays se traduisait immanquablement par l'augmentation de la consommation de viandes ou d'autres produits animaux, de même que celle de l'énergie ou d'autres produits de consommation. Certes, on ne peut nier cette tendance, mais il faut espérer que les pays en voie de développement ne commettront pas les mêmes erreurs au niveau de l'évolution de leur chaîne alimentaire que celles commises dans les pays occidentaux. Un développement trop important de l'élevage conduirait à développer une agriculture encore plus productiviste pour fournir les céréales et les protéines végétales nécessaires à l'alimentation animale.

Pour mieux gérer l'agriculture et l'élevage, à l'échelon de tous les pays, et aussi pour mieux gérer la santé humaine par l'alimentation, il est important d'avoir une vision pertinente de la chaîne des protéines alimentaires et des besoins nutritionnels de l'homme. Les enjeux de cette problématique sont énormes et conditionnent le futur de notre agriculture.

DES APPORTS EN PROTÉINES PLUS ÉQUILIBRÉS

Les six à huit kilos de protéines de l'organisme se renouvellent constamment, les protéines dégradées pouvant fournir des acides aminés qui seront réutilisables pour la synthèse de nouvelles protéines. Toutefois, ce recyclage n'est pas d'une efficacité absolue puisque nous éliminons en permanence des déchets azotés après l'utilisation à des fins énergétiques des acides aminés de toutes origines. La prise d'un repas équilibré permet de restaurer les protéines corporelles dans tous les tissus, mais plus particulièrement dans l'intestin et le foie. Chez l'individu adulte qui garde un poids stable, le besoin de protéines alimentaires pour le renouvellement permanent des constituants cellulaires reste modeste, compte tenu des possibilités de recyclage des acides aminés.

La problématique de la nutrition azotée est très complexe parce que les acides aminés possèdent de nombreuses fonctions biologiques spécifiques en plus de leur rôle dans la synthèse des protéines. Par ailleurs, les protéines alimentaires sont un des constituants majeurs des aliments et à ce titre elles participent à leurs effets physiologiques globaux et à la satisfaction d'un ensemble de besoins nutritionnels. Pour les protéines, comme pour d'autres facteurs nutritionnels, l'art de bien s'alimenter est de se situer dans un juste milieu entre les risques liés à des apports trop élevés ou trop faibles. Ainsi, ni une sous-évaluation des besoins en protéines par une comptabilité trop rigoureuse des pertes azotées, ni une surconsommation ne correspondent à l'esprit d'une nutrition équilibrée et, plus en amont, à une bonne gestion de la chaîne alimentaire.

À part les calories vides, les matières grasses et les glucides purifiés, tous les aliments contiennent des protéines. Elles constituent 4 à 5 % de la matière sèche des fruits, 10 à 15 % de celle des céréales, 8 à 10 % de celle de la pomme de terre, 20 à 25 % de celle des légumes secs, 20 à 90 % des produits animaux. Bien que cela soit peu parlant, il suffit qu'une alimentation complexe, équilibrée en énergie, contienne au moins 12 % de protéines pour couvrir les besoins nutritionnels de l'homme. Évidemment, cela serait très facile à atteindre du fait de la richesse naturelle en protéines de tous les aliments (à l'exception des fruits), si l'offre alimentaire ne comportait pas tant d'ingrédients purifiés. Ainsi, dans les régimes de type occidental, le rôle des produits animaux pour satisfaire les besoins en protéines est d'autant plus élevé que l'alimentation est riche en calories vides et pauvre en produits végétaux complexes. Le défaut de ce système pourtant très compréhensible n'a pas été bien explicité auprès du public, entretenant les gâchis de la chaîne alimentaire actuelle.

Un statut avantageux d'omnivore et de végétarien

Alors que les produits animaux ont une place remarquable dans notre culture nutritionnelle, il est intéressant de souligner que nous nous accommodons fort bien d'un statut de végétarien.

Les apports en protéines sont particulièrement importants durant la croissance pour l'élaboration de nouveaux tissus. La valeur biologique des protéines a d'ailleurs été évaluée à partir de modèles animaux à croissance très rapide, ce qui revêtait un intérêt zootechnique évident. Pour obtenir une croissance maximale du poulet ou du porc, avec des performances extraordinaires qui n'ont aucun caractère physiologique, il faut effectivement que l'animal dispose à volonté d'énergie et que celle-ci soit accompagnée par un apport optimal d'acides aminés. Dans ces conditions, aucune source végétale n'est parfaite, et chacune d'entre elles doit être associée à d'autres sources protéiques d'origine animale ou végétale de composition complémentaire. Pour les animaux, si l'alimentation est à base de céréales, il suffit d'ajouter les quelques acides aminés limitants pour les synthèses protéiques (par exemple de la lysine) afin d'obtenir des bonnes performances de croissance. Le plus souvent, on associe aux céréales des légumineuses (soja, pois, lupin...) qui ont des protéines de composition complémentaire.

Les végétaux permettent donc de satisfaire entièrement les besoins des organismes animaux. De ce point de vue, l'homme peut très bien assurer ses besoins protéiques en étant végétarien, en associant aux produits céréaliers des légumes secs, des produits laitiers ou des œufs selon le mode alimentaire souhaité. Contrairement à de nombreux avis, l'adoption d'un comportement alimentaire adapté à la satisfaction des besoins protéiques, sans un recours élevé aux protéines animales, n'est pas bien difficile et ne constitue pas une performance nutritionnelle notable.

De plus, à la différence des animaux capables de doubler leur poids corporel en moins d'un mois, voire quinze jours, la croissance du petit de l'homme est particulièrement lente à l'exception de la période d'allaitement pendant laquelle le bébé dispose de protéines laitières de bonne valeur biologique. À l'échelon mondial, la maîtrise des apports en protéines pour la nutrition humaine est liée à une bonne gestion des ressources alimentaires, à une utilisation rationnelle des ressources végétales, plus qu'à un développement important des productions animales. La lenteur du développement humain n'exige pas un apport nutritionnel en protéines aussi bien ajusté que pour assurer la croissance ultrarapide de nos animaux d'élevage.

La malnutrition protéique, pourtant si répandue dans le monde, provient soit de la précarité sociale, soit de la monotonie des régimes alimentaires, en particulier dans les pays du Sud lorsque le manioc ou le mil sont les ressources majeures, ce qui est une situation critique pour le sevrage des enfants. Néanmoins, dans les pays pauvres, si la ration globale en protéines est souvent acceptable, dépassant les 50 g par jour, elle est parfois très carencée en acides aminés essentiels et en micronutriments lorsque les ressources végétales sont peu diversifiées et les produits animaux peu disponibles. À cela, il faut ajouter la misère des populations entassées dans les mégapoles qui ont accès à une offre agroalimentaire de faible qualité et qui sont privées d'un environnement naturel végétal et du savoir-faire ancestral des agriculteurs-cueilleurs.

Pour de multiples raisons, l'intérêt des protéines et particulièrement des produits animaux a largement été survalorisé dans l'esprit de beaucoup de consommateurs. Cependant, la perception de la valeur santé de ces aliments est en train de changer, et il existe une évolution sensible vers moins de viandes et plus de légumes, ce qui serait une saine évolution si cette tendance se confirmait. En effet, la survalorisation de l'intérêt des protéines qui a longtemps prévalu ne peut maintenant s'appuyer sur aucune donnée physiologique avérée.

LES MÉCANISMES D'ÉPARGNE ET DE GASPILLAGE

La définition des besoins en protéines est souvent très relative puisque l'homme adapte l'intensité de la dégradation des acides aminés à son niveau d'apport nutritionnel. L'ingestion d'un excès de protéines n'améliore pas le gain protéique. Dans ces conditions, les individus adaptés à une consommation élevée de protéines dégradent fortement les acides aminés, ce qui entretient leur besoin en protéines alimentaires pour les repas suivants. À l'opposé, un métabolisme tourné vers l'épargne se met en place lorsque le niveau d'apport en protéines alimentaires devient très faible. Dans ce cas, la synthèse protéique après le repas est limitée par la faible disponibilité en acides aminés, mais l'organisme utilisera peu ces composés à des fins énergétiques, si bien qu'ils seront disponibles par la suite pour le renouvellement protéique. En revanche, un apport protéique très élevé augmente certes la protéosynthèse postprandiale par la forte teneur en acides aminés absorbés, mais entretient un catabolisme permanent sans doute peu favorable sur le plan physiologique et source de vieillissement accéléré. Les régimes riches en protéines, dans la mesure où ils ne sont pas accompagnés de graisses, sont effectivement des régimes amaigrissants compte tenu du gaspillage énergétique qu'impose la conversion des acides aminés en glucose mais aussi en urée qui sera ensuite éliminée par les reins.

À l'inverse, il existe une complémentarité essentielle entre glucides et protéines. Les glucides ont un moindre effet hyperglycémiant lorsqu'ils sont accompagnés d'un taux normal de protéines ; en retour, ils favorisent la synthèse des protéines à partir des acides aminés, en diminuant leur conversion en glucose et en induisant un état endocrinien favorable à l'anabolisme corporel.

À partir de nombreuses expérimentations, les besoins de l'homme en protéines ont pu être évalués assez précisément. En dehors des périodes de croissance, ces besoins sont peu élevés, de l'ordre de 1 g de protéines par kilo de poids corporel, ce qu'une alimentation naturelle, à condition de n'être point trop riche en calories vides, peut fournir aisément. Néanmoins notre capacité à stimuler la machinerie de synthèse protéique s'atténue en vieillissant, si bien que les personnes âgées, sous le double effet d'une réduction de l'activité physique et d'un métabolisme déficient, voient leurs muscles fondre progressivement. Pour ralentir cette fonte musculaire (sarcopénie), des recherches récentes ont montré qu'il était important de concentrer l'apport de protéines lors du déjeuner afin de stimuler la synthèse protéique après le repas et de mettre à profit une chronobiologie favorable à la restauration de l'organisme.

Les connaissances actuelles ne nous autorisent surtout pas à dévaloriser l'intérêt des protéines, mais plutôt à recadrer leurs effets dans l'optique d'un fonctionnement harmonieux de l'organisme. Il convient en particulier de ne plus classer les protéines, de valeur biologique faible ou élevée, seulement en fonction de leur composition en acides aminés essentiels. Les protéines sont de nature très diverse, présentes dans de nombreuses matrices, plus ou moins vite digérées, de composition très variable, et l'organisme bénéficie finalement de cette polyvalence et de cette diversité alimentaire. Dans ce sens, la dévalorisation habituelle des protéines végétales par rapport aux protéines animales est injustifiée. Il faut reconnaître à ces dernières la capacité de fournir en abondance et rapidement les acides aminés nécessaires à la stimulation de la protéosynthèse postprandiale. Cependant, l'organisme, lorsqu'il y est adapté, peut parfaitement se suffire des protéines végétales qui présentent également des fonctionnalités physiologiques intéressantes.

DES ACIDES AMINÉS AUX MULTIPLES VERTUS

De nombreux acides aminés alimentaires ont des effets biologiques intéressants et servent de médiateurs pour réguler diverses fonctions cellulaires dont la synthèse protéique elle-même. Le contrôle de cette synthèse est fortement dépendant, par exemple, de la leucine, un acide aminé très abondant dans les protéines végétales, celles du maïs en particulier. Certains acides aminés participent donc directement à la régulation du métabolisme protéique et complètent l'action des hormones. De plus, ils exercent de nombreuses fonctions physiologiques en dehors de la sphère de la régulation protéique. Ainsi, la glutamine, un acide aminé abondant dans les produits végétaux, sert à fournir de l'énergie aux cellules dans les tissus à multiplication rapide. Cet acide aminé joue aussi un rôle important pour moduler l'activité du système immunitaire. De même, l'arginine, abondante dans certains légumes secs, est un acide aminé important pour la synthèse d'un des médiateurs contrôlant la circulation sanguine. Les protéines du pain ou de l'œuf sont riches en acides aminés soufrés qui participent à la synthèse d'un composé (le glutathion), indispensable à la protection cellulaire contre les espèces oxygénées réactives. Le cerveau, pour la synthèse de ses neuromédiateurs, a d'ailleurs besoin d'un apport équilibré en acides aminés, et des régimes excessifs en glucides peuvent déséquilibrer la disponibilité en acides aminés précurseurs de ces neuromédiateurs. Ce type de dysfonctionnement est sans doute impliqué dans certains troubles des conduites alimentaires (compulsion vers le sucré).

Compte tenu de la diversité des familles botaniques et des protéines cellulaires, l'homme peut donc trouver dans l'environnement végétal tous les acides aminés qui lui sont nécessaires, à la fois pour le renouvellement des protéines et pour le fonctionnement général de son organisme. La consommation de protéines animales lui offre une garantie supplémentaire de ne jamais pâtir d'un manque d'acides aminés essentiels. Cependant, il n'a jamais été démontré que l'organisme humain fonctionnerait mieux s'il ne disposait que de protéines de valeur biologique « idéale » telles que celles de l'œuf, du lait ou de la viande.

La consommation de produits animaux est aussi un moyen intéressant de satisfaire certains besoins nutritionnels autres que les acides aminés. Être assuré de disposer de suffisamment de calcium grâce aux produits laitiers, d'un apport satisfaisant en vitamines B et en fer en consommant de la viande, de pouvoir bénéficier de l'apport vitaminique complet présent dans le lait, les œufs, le foie n'est pas un mince avantage. Le bénéfice de la consommation de produits animaux dépasse donc la problématique de leur équilibre en acides aminés. Les tissus des animaux que nous consommons concentrent des éléments peu disponibles ou absents dans le monde végétal tels que le sélénium, la vitamine B12 ou des acides gras à très longue chaîne (et parfois même des substances toxiques).

Il faut noter que les repas riches en protéines sont rassasiants et contribuent à diminuer le grignotage. À cela, il faut ajouter le plaisir de la table et de la convivialité autour des produits animaux.

VALORISER LES PROTÉINES VÉGÉTALES

Notre chaîne alimentaire continue à privilégier la production de protéines animales aux dépens des protéines végétales. Pourtant une consommation excessive de produits animaux fait courir un risque inutile à l'organisme. En effet, même si la teneur en graisses des produits animaux peut être très variable et parfois modeste, les viandes issues des animaux d'élevage et surtout les produits laitiers sont riches en acides gras saturés, ce qui constitue un facteur de risque important pour le développement des maladies cardio-vasculaires. Les produits végétaux et surtout les fruits et légumes sont des antidotes parfaits pour pallier les conséquences de ces apports d'acides gras et de cholestérol athérogènes. Limiter la problématique des effets nutritionnels des protéines végétales à l'apport de certains acides aminés dits essentiels ne permet pas de rendre compte de leur complexité d'action, de leur impact sur l'homéostasie du cholestérol, de leur effet sur la circulation sanguine, de leur rôle protecteur *via* les micronutriments ou les fibres alimentaires auxquels elles sont associées. De plus, beaucoup de protéines végétales sont lentement digérées et sont ainsi complémentaires des protéines plus vite assimilables d'origine animale.

Il faut maintenant mettre à profit les connaissances acquises pour bâtir une stratégie concernant la gestion des protéines alimentaires à des fins de santé publique et en accord avec le développement d'une agriculture durable. Nous défendons l'hypothèse qu'il vaudrait mieux organiser la chaîne alimentaire en fonction des besoins nutritionnels de l'homme plutôt que l'inverse. Ces besoins nutritionnels en protéines pouvant être satisfaits très facilement, il serait raisonnable, à la fois sur le plan de la santé et sur celui de l'efficacité agronomique, qu'une large partie de l'humanité adopte un comportement davantage végétarien. Cela suppose que les potentialités de production végétale soient suffisantes, or, dans certaines régions défavorisées du monde, la survie des populations est encore tributaire des seules ressources de l'élevage ou de la pêche. Les habitants de ces régions, tels les Esquimaux, ont développé des capacités d'adaptation remarquables à des régimes très pauvres en produits végétaux, ce qui ne prouve pas que de nombreuses populations seraient susceptibles de développer les mêmes performances. Pour le commun des citadins d'aujourd'hui, un apport élevé de protéines au-delà de 100 g par jour semble pour le moins superflu et sans doute peu compatible avec une nutrition préventive optimale, au moins chez certains sujets.

Une gestion sûre et prudente des ressources alimentaires de la planète mais aussi de la nutrition préventive contraste avec la forte tendance actuelle à l'adoption, par les pays en voie de développement, des modes alimentaires de type occidental. Pour aller dans ce sens, ces pays implanteraient toujours plus d'élevages industriels concentrationnaires, s'adonneraient à des types d'alimentation occidentale stéréotypés au détriment de modes alimentaires traditionnels plus équilibrés et plus économes en protéines animales.

Au titre de la gestion des ressources alimentaires et de la santé publique, modérer la consommation de viandes serait un avantage considérable. Une consommation élevée de viandes, qui n'aurait pas d'utilité physiologique (au-delà de 100 g par jour en moyenne), ne pourrait de toute façon jamais être atteinte par l'humanité entière. Une moindre utilisation des céréales en alimentation animale permettrait de dégager des réserves confortables de produits céréaliers. En complément, la production de fruits et légumes devrait être développée pour parfaire les apports nutritionnels.

Dans les pays occidentaux comme la France, il serait sans doute souhaitable que la consommation de viandes diminue sensiblement. Cela devrait inciter les filières à faire évoluer leurs productions vers la meilleure qualité possible. La baisse des quantités produites et l'élévation des coûts permettraient de laisser inchangée l'équation économique. Pour maintenir le tissu rural et entretenir les espaces naturels, l'élevage des ruminants devrait garder une place privilégiée à condition que ces animaux ne consomment pas trop de nos céréales.

Vers une maîtrise de la consommation des protéines

Sur le plan individuel, le consommateur peut être plus ou moins attiré par une alimentation carnée ou, à l'inverse, par une alimentation de type végétarien. Bien que nous ayons des différences génétiques importantes dans notre capacité et notre propension à utiliser intensément les acides aminés, il est clair que l'organisme humain est capable de s'adapter à une large étendue d'apports de protéines. Il est probable aussi que les adaptations chez l'homme soient une affaire de long terme. Il n'est certainement pas facile de réduire la consommation de viandes chez des sujets qui ont un comportement carnivore depuis leur jeune âge.

Il existe une tendance actuelle, dans les populations défavorisées ou chez des adeptes du végétarisme, au remplacement des viandes par des produits transformés souvent riches en ingrédients purifiés. Diminuer la consommation des viandes au profit des glucides purifiés ou des matières grasses n'a aucun intérêt nutritionnel et nuit aux régulations métaboliques et aux mécanismes de contrôle du poids corporel. Des comportements pseudo-végétariens, dans lesquels la part des fruits et légumes ou des autres produits végétaux complexes est réduite, ne sont pas du tout adaptés à la physiologie humaine. Avec un environnement riche en calories vides, la non-consommation de produits animaux ne peut que renforcer certains déficits nutritionnels.

L'enjeu principal est bien de favoriser l'adoption, le plus tôt possible, de régimes protecteurs riches en produits végétaux complexes et équilibrés en produits animaux complémentaires, sachant que ces derniers ont normalement une place bien minoritaire par rapport à la base végétale de l'alimentation humaine.

L'évolution des comportements nutritionnels de l'homme a été bouleversée en moins de cinquante ans, et il est difficile de prédire le temps nécessaire pour enfin aboutir à des modes alimentaires relativement équilibrés qui tiennent compte de nos particularités génétiques, des ressources environnantes et de l'évolution des modes de vie. Néanmoins, il est important d'avoir une vision claire pour l'avenir du paysage alimentaire à façonner, de ne pas favoriser un gâchis de consommation protéique et d'éviter tout aussi énergiquement de réduire très fortement les apports en protéines au profit des calories vides, avec pour résultat le développement de troubles métaboliques et de carences diverses.

À la suite de son passé ancestral, de ses difficultés d'approvisionnement alimentaire encore récentes et avec l'encouragement un peu naïf de ses premiers nutritionnistes, l'humanité a fortement investi dans le développement des productions animales et souvent au détriment d'un meilleur équilibre nutritionnel et d'une bonne protection de l'organisme par une alimentation végétale de qualité.

Des matières grasses à profusion

L'un des traits les plus caractéristiques de l'alimentation contemporaine est sa richesse en lipides (30 à 40 % de l'énergie), ce qui est d'autant plus surprenant que nous sommes devenus sédentaires, et que seul l'exercice physique permet l'utilisation intense des acides gras. L'homme est certes omnivore, mais à aucun moment de son histoire ses apports nutritionnels n'ont été aussi riches en lipides. Même les espèces carnivores ont des régimes plus faibles en matières grasses. Quarante pour cent d'énergie lipidique ne correspondent ni aux besoins physiologiques de nos cellules, ni à la meilleure façon d'apporter la diversité des nutriments et des micronutriments avec un apport calorique optimal. Concernant la vitamine E liposoluble, la consommation de deux à trois cuillerées à soupe d'une huile végétale peut suffire à satisfaire son besoin, on est loin des cent grammes de matières grasses ingérées quotidiennement par beaucoup d'hommes sur terre. Évidemment en cas de régime, il faut veiller à consommer ce minimum d'huile en s'assurant de sa bonne teneur en vitamine E.

La profusion des lipides alimentaires a été possible grâce au développement des cultures oléagineuses et également des productions animales. La production d'huiles d'arachide, de colza, de soja, de tournesol, de maïs n'a pris une extension considérable qu'après la Seconde Guerre mondiale. La filière oléagineuse est d'une efficacité remarquable pour fournir des calories à prix de revient plus que compétitif. Un litre d'huile fournit environ 7 200 kcal pour un coût d'environ 1,5 euro. Avec le même prix, on peut espérer acquérir un kilo de sucre, soit 4 000 kcal, 0,5 kilo de pain, soit 1 200 kcal, 100 g de viande, soit environ 200 kcal, ou un kilo de légumes, soit environ 250 kcal. L'augmentation de la proportion des lipides et de sucre dans l'alimentation humaine a été favorisée par leur compétitivité économique. Cela a contribué aussi à dévaloriser le coût de l'alimentation mais avec des conséquences que l'homme paie fort cher en termes de santé. À moins de taxer (raisonnablement) ces ingrédients énergétiques, il sera difficile de réduire leur utilisation et de résoudre ainsi une partie de nos problèmes nutritionnels.

Les matières grasses végétales ne sont que très partiellement utilisées sous forme d'huile de table, elles sont incorporées dans un très grand nombre de préparations alimentaires directement ou après leur transformation en margarine. En plus de cette disponibilité de corps gras végétaux, l'augmentation de la consommation de viande et surtout de produits laitiers a permis à l'alimentation de type occidental d'atteindre des sommets d'imprégnation lipidique. Malgré des efforts d'allégement, de traque de matières grasses, en particulier aux États-Unis, l'apport lipidique dans les pays occidentaux demeure relativement élevé puisque l'habitude de rajouter des matières grasses dans les aliments est devenue banale, au même titre que divers sucres ou ingrédients purifiés.

La richesse en matières grasses n'est pas pour déplaire à l'homme puisqu'elle joue un rôle important dans le développement des qualités organoleptiques des aliments, surtout si ces derniers ont peu de qualités à faire valoir. Cette profusion de matières grasses est devenue tellement banale dans les produits transformés, dans les sauces d'accompagnement, dans les plats cuisinés, dans les desserts, dans les glaces, dans les produits laitiers, que les viandes sont presque devenues des sources secondaires de lipides. Cette situation semble maintenant tellement normale que beaucoup mettent en doute l'opportunité et la faisabilité des recommandations diététiques visant à limiter l'apport de lipides au-dessous de la barre des 30 %. Dans le même sens, les gastronomes médiatiques ne manquent jamais l'occasion de faire l'éloge du gras et de persuader le public qu'il est difficile de faire du « bon » sans une utilisation généreuse des matières grasses.

Cet avènement du gras et en parallèle d'une industrie florissante de glucides purifiés est largement responsable de l'épidémie mondiale de l'obésité et du diabète, ce qui est un lourd bilan à mettre au passif de « la transition nutritionnelle » du XXe siècle. Pourtant, une bonne disponibilité en matières grasses végétales aurait pu être entièrement bénéfique pour la physiologie humaine, pour le développement du cerveau, pour la prévention des maladies cardio-vasculaires ou d'autres pathologies. Il est bien dommage que l'impact des huiles végétales de qualité soit atténué par la multiplication des sources de matières grasses, ce qui génère des apports d'acides gras déséquilibrés et superflus.

LE DIFFICILE ÉQUILIBRE DES ACIDES GRAS ALIMENTAIRES

Les huiles et les autres sources de matières grasses présentent une grande diversité d'acides gras qui sont classés en fonction de la longueur de leur chaîne et du nombre de leurs doubles liaisons (on les qualifie ainsi d'acides gras saturés, mono-insaturés ou poly-insaturés). Le corps humain peut brûler, synthétiser de nombreux acides gras ou modifier leur structure. En l'absence d'apport lipidique notable, l'organisme pourrait synthétiser la majorité des acides gras, à l'exception de deux acides gras insaturés, l'acide linoléique (de la série n-6 ou oméga-6) et l'acide alpha-linolénique (de la série n-3 ou oméga-3*). De nombreux travaux ont mis en évidence que la nature des acides gras ingérés avait une influence sur le développement des maladies cardio-vasculaires, des lithiases biliaires, des cancers, voire des maladies inflammatoires. Les nutritionnistes ont ainsi développé le concept de l'équilibre en acides gras, défini comme celui qui permet un fonctionnement optimal de l'organisme.

Les lipides jouent en effet un rôle essentiel dans la formation des membranes cellulaires, les acides gras sont aussi des précurseurs pour la synthèse des médiateurs tissulaires ou exercent des impacts directs sur le fonctionnement cellulaire *via* des récepteurs particuliers. On comprend toute l'importance de disposer d'un apport équilibré en acides gras pour assurer un renouvellement normal des membranes cellulaires, faciliter les échanges et la communication des cellules avec le milieu environnant. Un apport équilibré d'acides gras est peu compatible avec une situation de surconsommation ; en effet, plus on en consomme, plus il est difficile d'atteindre l'équilibre physiologique recherché à la suite de problèmes complexes de compétition métabolique.

La vitesse de renouvellement des membranes cellulaires est très variable et souvent très lente. On peut donc se poser la ques-

---

* Voir également le glossaire.

tion de l'importance d'une nourriture riche en acides gras poly-insaturés. En fait, il existe une seule situation où l'apport des acides gras essentiels est particulièrement critique, il s'agit de la période du développement cérébral chez le fœtus et le nouveau-né. Le cerveau est en effet constitué d'acides gras à très longue chaîne carbonée, analogues à ceux que l'on rencontre dans la chair de certains poissons (en abrégé DHA et EPA). Au cours de cette période, il est particulièrement important de disposer des deux types d'acides gras essentiels en évitant les excès d'oméga-6 par rapport aux oméga-3. Si l'alimentation est de bonne qualité, le lait maternel contient une proportion équilibrée de ces acides gras à très longue chaîne directement utilisables par le cerveau, d'où l'intérêt de leur apport dans des laits reconstitués pour les nourrissons.

Même si l'organisme adulte n'a pas une exigence très élevée en acides gras essentiels pour assurer diverses synthèses, puisqu'il n'est pas en croissance active, on recommande de consommer 1 g par jour d'acide alpha-linolénique en privilégiant l'utilisation d'huile de colza (si possible vierge) et de bien d'autres aliments (légumes verts, noix, poissons gras tels les maquereaux ou les sardines). Il faut veiller aussi à maintenir un apport équilibré entre les oméga-6 et les oméga-3 pour assurer une production optimale dans l'organisme de médiateurs cellulaires tels que les prostaglandines. Par exemple, les médiateurs lipidiques issus du métabolisme des oméga-3 peuvent réduire la concentration des triglycérides plasmatiques, atténuer très fortement les conséquences de l'infarctus du myocarde ou modérer le développement de certains processus inflammatoires. Parce que ce type d'acides gras est susceptible d'exercer des effets bénéfiques les plus divers (pas toujours avérés), de la protection du cancer à la lutte contre la dépression, l'allégation « riche en oméga-3 » est devenue ainsi un argument facile de vente pour la promotion de toutes sortes d'aliments alors que l'attention devrait surtout porter sur la qualité des matières grasses courantes et leur équilibre en acides gras essentiels. Surtout pour une bonne gestion de la santé publique, il serait bien plus efficace d'organiser la production oléagineuse pour que finalement les lipides délivrés par la chaîne alimentaire aient une composition souhaitable en acides gras.

LIPIDES ET CHOLESTÉROL, DES RELATIONS À CLARIFIER

L'équilibre diététique en acides gras a aussi été très étudié dans le but de connaître leurs effets sur la concentration des lipides plasmatiques et sur celui du cholestérol en particulier. Face à la prévalence extraordinaire des affections cardio-vasculaires, avant que la médecine ne sache mieux prévenir et traiter ce type de pathologie, de nombreux chercheurs se sont intéressés à l'impact de la nature des acides gras sur la lipémie. On découvrit ainsi le rôle athérogène des acides gras saturés, l'excellente tolérance de l'organisme vis-à-vis de l'acide oléique et les effets hypocholestérolémiants de l'acide linoléique très abondant dans beaucoup d'huiles (tournesol, maïs, pépins de raisin).

La focalisation de la prévention cardio-vasculaire sur le cholestérol alimentaire et les lipides de la ration en relation avec la concentration plasmatique des lipides a longtemps été excessive ; en particulier concernant l'influence du cholestérol alimentaire sur la cholestérolémie. Que de phobies du cholestérol ! On a même vu des produits végétaux, naturellement dépourvus de ce composé, affichant une garantie d'absence de cholestérol. En fait, les apports d'acides gras saturés mais aussi les excès d'énergie sont déterminants pour développer une hypercholestérolémie, et la consommation de produits sans cholestérol ne suffit pas à prévenir tout risque.

L'influence de l'apport alimentaire de cholestérol est cependant bien réelle, parfois marginale chez de nombreux sujets qualifiés de mauvais « répondeurs», alors que d'autres personnes à l'inverse régulent mal la synthèse endogène de leur cholestérol et sont beaucoup plus sensibles aux apports nutritionnels. Cependant, les risques d'hypercholestérolémie sont fortement atténués par la consommation de produits végétaux riches en fibres. N'étant pas dégradé dans l'organisme, le cholestérol est principalement éliminé tel quel par la voie digestive ou après transformation en sels biliaires. Or les fibres de nombreux produits végétaux, par exemple les pectines des fruits mais aussi les hémicelluloses des céréales, ont la propriété d'inhiber l'absorption du cholestérol et de freiner la réabsorption intestinale des sels biliaires. Si le cholestérol et ses métabolites sont facilement éliminés par la voie digestive, les risques de développer une hypercholestérolémie sont fortement réduits. Jamais de boudin sans pommes, de saucisses sans haricots ou lentilles, de viandes sans légumes, de produits laitiers sans fruits ! (et pas seulement avec les arômes !).

En maîtrisant la qualité des apports lipidiques ainsi que celle des produits végétaux riches en fibres, il est possible de diminuer efficacement les problèmes de cholestérolémie qui occupent tant nos concitoyens et occasionnent tant de souffrances et de dépenses.

DES APPORTS LIPIDIQUES DIFFICILES À MAÎTRISER

Grâce au travail acharné des nutritionnistes, on dispose à l'heure actuelle de recommandations relativement sûres concernant les apports en acides gras, mais celles-ci sont loin d'être appliquées au niveau de l'offre alimentaire, et on ne voit pas comment le consommateur pourrait corriger de lui-même les déséquilibres induits par l'offre qui lui est proposée. À l'évidence, il est nécessaire de mieux gérer ce domaine de l'alimentation, comme bien d'autres, par une politique alimentaire tournée vers des objectifs nutritionnels de santé publique.

Sur le plan diététique, on connaît maintenant les limites maximales dans la proportion d'acides gras saturés qu'il convient d'essayer de ne pas dépasser ; ces derniers devraient représenter moins de 25 % des acides gras totaux, or la plupart des produits animaux en contiennent aux environs de 40 % ou plus. La disponibilité en huiles végétales particulièrement riches en acides gras insaturés est donc précieuse pour équilibrer les besoins nutritionnels de l'homme. La nature des huiles végétales devrait aussi faciliter un bon équilibre entre les oméga-6* et les oméga-3. On sait que le rapport de ces acides gras gagnerait à être inférieur à 5 alors qu'il est de l'ordre de 10 ou 20 dans les pratiques alimentaires courantes. Pour que les oméga-3 ne soient pas dilués dans un pool excessif d'acides gras, l'apport de lipides devrait être ainsi très modéré. L'offre en matières grasses devrait être organisée pour atteindre ces objectifs d'équilibre en acides gras. En plus du

---

* Voir également le glossaire.

colza, il conviendrait de produire de nouvelles huiles naturellement riches en oméga-3 (lin, cameline, chanvre). De plus, beaucoup de légumes foliaires (épinard, céleri, chou, salade verte et
pas seulement l'excellent pourpier) sont des sources intéressantes
de ces acides gras essentiels.

Il est clair que la chaîne alimentaire n'a pas su mettre à profit les potentialités du monde végétal pour proposer à l'homme
une offre lipidique équilibrante. Les huiles végétales sont également des sources remarquables d'antioxydants liposolubles tels
que la vitamine E ; elles pourraient apporter aussi bien d'autres
micronutriments intéressants qui sont perdus lorsqu'elles sont
très fortement raffinées.

Il est difficile d'évaluer à quel point la disponibilité en
matières grasses de qualité, celles de l'huile d'olive, celles des
huiles riches en acide alpha-linolénique (colza, soja, noix), celles
des huiles de mélange équilibrées en acides gras, celles des
graisses de poisson très riches en acides gras à longue chaîne,
exercerait des effets protecteurs sur l'homme et participerait à
l'amélioration de son état de santé et de sa longévité. Inversement,
on est loin d'avoir mesuré les conséquences négatives du mauvais
statut nutritionnel en acides gras induit par la présence de
graisses cachées de mauvaise qualité dans de nombreux aliments
(viennoiseries, biscuits, glaces, plats préparés, charcuteries, produits laitiers, certaines margarines ou divers produits animaux). Il
faut souligner aussi à quel point la surconsommation lipidique
gène paradoxalement l'acquisition d'un bon statut en acides gras.

Pour conclure sur la problématique des lipides, il est vraiment regrettable que les bienfaits extraordinaires qui pouvaient
résulter du développement des huiles végétales se soient transformés en une inondation lipidique dont les hommes et les femmes
les plus exposés n'ont pas fini de pâtir.

NE PAS S'ENCOMBRER DE CALORIES LIPIDIQUES SUPERFLUES !

Aujourd'hui, mais il est un peu tard, les conséquences d'une
surconsommation de lipides pour le développement de l'obésité
et du diabète, dans de nombreux pays du monde, apparaissent
très clairement. Il existe encore un débat misérable du style « ce
n'est pas moi, c'est l'autre » de la part des lobbies des matières

grasses ou des glucides pour faire porter la responsabilité de cette épidémie aux voisins. En cas de surconsommation de lipides, les glucides jouent un rôle physiologique certain pour favoriser le stockage des graisses alimentaires, et leur disponibilité, même modérée, suffit à assurer cette fonction. De même, en cas d'ingestion trop élevée de glucides, il existe le plus souvent assez de lipides alimentaires pour entretenir une surcharge pondérale.

Dans une société fortement sédentaire, la consommation d'aliments de très forte densité calorique (lipides ou glucides purifiés) est une des causes principales de la surcharge pondérale, lorsque le contrôle de la satiété ne joue plus son rôle, que ce soit par insuffisance d'encombrement digestif ou pour d'autres causes psychophysiologiques. Le mauvais contrôle du poids corporel n'est pas seulement une affaire de déséquilibre énergétique, il est lié rapidement à des déviations métaboliques et à un mauvais contrôle de l'appétit.

L'origine du développement de la surcharge pondérale commence avec la capacité normale, physiologique des organismes à mettre en réserve une partie des lipides de la ration alimentaire pour disposer d'un stockage énergétique intéressant en cas de pénurie ou d'agression physiologique. Ce stockage des lipides fonctionne parfaitement même chez les individus maigres dont le tissu adipeux existant est suffisant pour résorber un éventuel excès de lipides ingérés. Néanmoins, chez le sujet qui a un poids stable, les graisses mises provisoirement en réserve seront restituées dans les heures, la journée ou la semaine qui suivent leur stockage. À la différence de cette régulation physiologique, heureusement effective pour une majorité d'individus, une dérive s'installe chez certains sujets du fait que les lipides stockés ne sont jamais entièrement mobilisés ultérieurement. Ainsi, progressivement les territoires adipeux se développent à la suite de la multiplication du nombre de cellules adipeuses (hyperplasie) et de leur hypertrophie pour assurer un stockage toujours plus grand. Un état de surcharge énergétique dès le plus jeune âge fait généralement le lit du développement de l'obésité chez l'adulte. On explique ce phénomène par un impact direct de certains acides gras (surtout des oméga-6) sur la formation des cellules adipeuses et aussi par une reconfiguration du système hormonal favorable au stockage des graisses. Combien de temps faudra-t-il attendre pour que nous prenions pleinement conscience des risques liés à la « malbouffe » de nos enfants gavés de produits sucrés de tout genre et du fait que le « péril gros » commence avec la télévision ? Or, une fois qu'elles ont proliféré dans l'organisme, les cellules adipeuses ne meurent jamais.

Le risque de surcharge pondérale ou d'obésité est couramment apprécié par un indice de masse corporelle (poids/taille au carré). Avec une prévalence proche de 30 %, les résultats des enquêtes aux États-Unis sont éloquents en ce qui concerne les dégâts opérés par l'agro-industrie sur le phénotype humain. De plus, il est inquiétant d'observer une augmentation très forte de l'obésité dans tous les pays où la « transition nutritionnelle » sévit.

La lutte contre la surcharge pondérale peut conduire à des excès si on ne tient pas compte de divers critères morphologiques. L'activité métabolique des divers tissus adipeux a des significations physiologiques différentes. L'accumulation de graisses dans la partie inférieure du corps, caractéristique de la morphologie féminine, est beaucoup moins dangereuse dans le cadre de la prévention des maladies cardio-vasculaires que le stockage androïde dans la région de l'abdomen. Des efforts excessifs de la part du corps féminin pour réduire au maximum le stockage de type gynoïde ont une relation plus que lointaine avec la gestion de la santé. Par contre, les conséquences pathologiques d'une surcharge pondérale avec une augmentation du tour de taille telle qu'on la rencontre chez tant d'hommes et de femmes ne sont plus à démontrer : élévation de la prévalence du diabète, de l'hypertension, de diverses dislipémies ou hypercholestérolémies et font l'objet d'un syndrome qualifié de plurimétabolique fort handicapant sur le plan de l'état de santé et de plus en plus répandu.

Le coût social de la surcharge pondérale est évidemment énorme et devrait être l'occasion d'une remise en question de notre système dominant de production alimentaire.

UNE SURCHARGE PONDÉRALE POUR UTILISER LE GRAS !

L'origine de l'obésité est certainement multifactorielle. Son développement suppose en fait que les nombreux mécanismes de stabilisation du poids corporel aient perdu leur efficacité. Il existe sans doute des facteurs multigéniques de prédisposition qu'un environnement alimentaire et un degré de sédentarité entièrement nouveaux dans l'histoire de l'humanité ont permis de révéler. Les personnes en surcharge pondérale qui mangent sans retenue souffrent sans doute à la fois d'une prédisposition génétique à l'obésité et d'une mauvaise perception de leur prise alimentaire. Diverses causes psychologiques (un besoin de combler un vide par la nourriture) ou parfois les stress de la vie peuvent aussi être responsables de l'hyperphagie. Quelle que soit l'origine des troubles du comportement alimentaire, des apports déséquilibrés en énergie (principalement glucides et lipides purifiés chez l'adulte, ainsi que des excès de protéines chez l'enfant) sont propices au développement de l'obésité. Souvent les personnes atteintes ont une prédilection pour des aliments riches en énergie et surtout en lipides, sans doute à cause des potentialités d'accumulation de leur tissu adipeux. Théoriquement, l'accumulation de graisses devrait progressivement induire des stimuli physiologiques conduisant à la réduction de l'appétit et à une certaine normalisation de l'état d'engraissement. À l'évidence, cette régulation s'effectue très mal chez l'individu en surpoids. Il semble que les obèses soient peu sensibles à la leptine, une hormone sécrétée par le tissu adipeux et qui agit directement sur les centres de la satiété de l'hypothalamus pour freiner l'appétit. Il est probable qu'il existe chez beaucoup d'obèses un polymorphisme génétique de prédisposition aux troubles du comportement alimentaire, impliquant la myriade d'hormones et de neurotransmetteurs qui contrôlent la prise alimentaire.

L'individu, prédisposé à devenir obèse, a sans doute aussi une faible capacité d'oxydation des acides gras tant que sa masse adipeuse ne s'est pas développée. Avec des aliments très digestibles et très énergétiques et un tissu adipeux très développé, aucun obstacle métabolique n'existe chez l'obèse sur la voie grande ouverte du stockage lipidique. Pire, le tissu adipeux se met à libérer des substances inflammatoires qui participent indirectement au cercle vicieux de la résistance à l'insuline.

Néanmoins, lorsque la masse du tissu adipeux s'accroît suffisamment, on assiste à un ajustement entre le niveau d'apport de lipides alimentaires et l'intensité de leur oxydation en CO_2. À la suite de diverses adaptations métaboliques, qui peuvent aller jusqu'à une résistance sévère des tissus à l'insuline, les cellules adipeuses libèrent alors plus facilement les acides gras. Ainsi, l'obésité chez l'homme peut être interprétée comme un mécanisme d'adaptation destiné à utiliser des quantités élevées d'acides gras grâce à l'hypertrophie considérable du tissu adipeux.

Comment éviter cet engrenage métabolique, cette drôle d'adaptation ? Certainement par l'exercice physique, mais aussi par la modification de l'alimentation dans le sens de l'utilisation de produits le plus naturels et le plus complexes possible ; il est à l'évidence risqué d'incorporer des matières grasses partout !, mais l'agroalimentaire ne doit pas seule être vigilante, les consommateurs ont aussi leur devenir entre leurs mains.

Il est particulièrement important de prévenir l'obésité puisqu'une fois installée la quantité de calories accumulées par les graisses corporelles est tellement élevée qu'il faut plusieurs mois, voire plus d'une année pour retrouver un poids normal, tout au moins avec des régimes hypocaloriques supportables.

S'il est important de comprendre les mécanismes physiologiques impliqués dans le développement de l'obésité, la prévention de cette pathologie ne sera jamais seulement de nature médicale : il faut avant tout créer des conditions nutritionnelles et des modes de vie qui facilitent le maintien du poids corporel et cela dès l'enfance. Tout se passe comme si un ensemble de conditions environnementales défavorables – sédentarité, très grande disponibilité de produits énergétiques, perte de repères de consommation et de contrôle individuel et social – parvenaient à dérégler les systèmes de contrôles physiologiques de la prise d'énergie. On pourrait penser que seuls les sujets qui ont une prédisposition génétique, qui sont fortement dotés de gènes d'épargne, sont susceptibles de devenir obèses dans un environnement favorable à cette pathologie. Mais, selon une hypothèse plus pessimiste, le phénotype humain évoluerait à long terme vers un état de surcharge pondérale généralisé, dans toutes les parties du monde où règnent une abondance énergétique alimentaire et une sédentarité élevée. Il s'agirait en quelque sorte de phénomènes adaptatifs banals faisant appel à des transformations épigénétiques durables. Autre phénomène inquiétant, l'obésité se développe maintenant aussi dans de nombreux pays pauvres comme conséquence de « la transition nutritionnelle » à laquelle ils sont confrontés à la suite de l'expansionnisme du système agroalimentaire imposé par les pays occidentaux.

UNE RÉACTION SALUTAIRE

S'il existe un consensus en matière de prise de conscience nutritionnelle, c'est bien la crainte que l'offre agroalimentaire actuelle ne génère de par le monde une épidémie mondiale toujours plus importante de l'obésité. Cette épidémie internationale touche plus de 300 millions de personnes dans le monde dont 5,3 millions en France où elle progresse de 6 % par an. Il est particulièrement triste d'observer que l'obésité touche plus maintenant les classes défavorisées que les classes aisées plus au fait de l'importance de la prévention. De plus, le développement précoce de l'obésité de l'enfant est assez généralisé et fort inquiétant. Dans ce domaine, la peur sera peut-être le début de la sagesse, et de nombreuses entreprises s'interrogent à l'heure actuelle sur leurs responsabilités dans cette évolution.

Ce sont bien sûr les conditions environnementales et les modes alimentaires qu'il faut changer, mais il ne suffira pas de traquer les lipides ou de développer les produits allégés pour sortir de ce piège. La prise en charge médicale du traitement de l'obésité est, de l'aveu même des médecins, majoritairement vouée à l'échec. Malgré la prescription de régimes hypocaloriques, l'utilisation de diètes hyperprotéinées, les patients qui sont finalement maintenus dans leur environnement et leurs habitudes alimentaires n'ont pas de solutions alternatives efficaces. Ils sont en particulier dans l'incapacité de supporter des régimes suffisamment restrictifs. En fait, le corps médical n'est pas en mesure de remettre en cause l'offre alimentaire ambiante des supermarchés que subissent les patients obèses et il prend peu d'initiatives pour faire évoluer cette situation. La médecine curative actuelle montre ses limites dans ce domaine de même que les politiques nationales de santé publique trop éloignées de la problématique alimentaire.

La prévention de la surcharge pondérale n'est pas seulement une affaire de bilan calorique mais est facilitée par certains modes alimentaires. Le recours à une alimentation riche en produits végétaux peu transformés (pains bis ou complets, fruits et légumes, légumes secs) complétée par des produits animaux peu gras est de beaucoup la plus adaptée à la maîtrise des apports caloriques par l'effet de satiété de ces régimes et par leur richesse en micronutriments. À la suite d'un conditionnement aux produits transformés, de la perte des repères culturels, l'adoption de régimes fort naturels est ressentie comme une contrainte, une source de privations par le patient obèse. Les médecins qui n'adoptent pas spécialement des régimes alimentaires protecteurs pour eux-mêmes ont du mal à les prescrire et à être convaincus de leur utilité. Alors que le conseil principal devrait être une incitation très forte à consommer des fruits et légumes et à délaisser une très grande diversité de produits transformés (boissons sucrées, jus de fruits, biscuits), les recommandations habituelles piétinent autour de la densité calorique des produits transformés, ce qui ne permet pas d'opérer une rupture dans les comportements nutritionnels. L'argument de la recherche du plaisir dans l'alimentation, en soi fort légitime, est souvent invoqué pour s'enfermer dans les mêmes habitudes qui se révèlent négatives sur le plan corporel. On ne répétera jamais assez qu'aucun mode alimentaire n'a le monopole du plaisir, que l'adoption de régimes sûrs est porteuse de bien-être et correspond en plus à une gestion durable du plaisir.

Pour éviter que l'épidémie d'obésité ne progresse, il faudrait que les acteurs de la chaîne alimentaire s'organisent pour délivrer au consommateur une alimentation plus favorable à son épanouissement, par la distribution d'aliments de qualité, la mise en place de services utiles et une offre de prix adaptée à l'ensemble de la population. Les géants de l'agroalimentaire, conscients du malaise ressenti par la population et de la mauvaise image véhiculée par l'état corporel d'une frange importante de leurs consommateurs, s'impliquent maintenant dans le débat sociétal de la prévention, à travers l'organisation de congrès scientifiques, ou par le biais d'actions sur le terrain, sans réellement changer la nature de leurs productions. Alors qu'ils ont une responsabilité directe dans le développement des maladies dégénératives, ils mettent en avant la nécessité de les combattre pour lancer de nouveaux produits de densité nutritionnelle pratiquement inchangée. Leur responsabilité à venir n'apparaîtra que plus grande.

SE DÉPENSER POUR BIEN SE NOURRIR

Même en pratiquant un peu d'exercice physique, la majorité de la population a un mode de vie trop sédentaire qui impose une réduction des apports caloriques. Cependant, pour bien fonctionner, notre organisme a toujours besoin d'un apport optimal de minéraux, de vitamines, de micronutriments divers. Ces éléments ainsi que d'autres nutriments essentiels sont indispensables pour assurer une bonne longévité et pour réduire l'incidence de nombreuses pathologies. Finalement, il existe des relations étroites entre un bon niveau d'exercice physique et un bon état nutritionnel puisque l'exercice physique conditionne le niveau des dépenses énergétiques qui elles-mêmes vont permettre une meilleure prise alimentaire. La problématique de la nutrition du sédentaire est de parvenir à couvrir suffisamment les besoins nutritionnels avec une consommation alimentaire relativement réduite. On comprend, dans ces conditions, que l'alimentation doit être de meilleure qualité, avoir une plus forte densité nutritionnelle, c'est-à-dire apporter plus d'éléments indispensables pour un apport calorique réduit. Paradoxalement, c'est bien l'inverse qui se produit, et, pour conserver leur ligne, nombreux sont les consommateurs qui délaissent les aliments réputés lourds tels que les produits céréaliers, le pain complet, les légumes secs, les pommes de terre, pour s'adonner à la consommation de produits emballés souvent relativement gras et sucrés, et donc de faible densité nutritionnelle.

L'exercice physique permet d'améliorer le statut nutritionnel en stimulant l'ingestion alimentaire, en favorisant l'utilisation des acides gras et du glucose, en assurant indirectement un apport accru de micronutriments. Il a, de plus, des effets extrêmement bénéfiques pour stimuler de nombreuses fonctions de l'organisme (musculaire, circulatoire, rénale, pulmonaire). On peut considérer de ce point de vue que la santé repose sur le tripode constitué par le patrimoine génétique, la nutrition préventive et l'exercice physique.

Les interactions positives entre nutrition et exercice physique sont particulièrement fortes au niveau du métabolisme des muscles et des tissus adipeux. D'une part, le développement musculaire est dépendant de l'exercice physique, d'autre part, il est tributaire d'un bon équilibre nutritionnel pour la fourniture de l'ensemble des substrats : glucose, acides gras, acides aminés. Une large partie des nutriments est donc consacrée au fonctionnement musculaire. En période de croissance, comme à l'état adulte, nous avons un besoin spécifique en acides aminés pour l'élaboration et le renouvellement des protéines musculaires. La fonte musculaire peut résulter d'une insuffisance d'exercice physique, de carences en protéines et en énergie, et ces deux causes sont souvent réunies chez la personne très âgée.

Parce qu'ils ont des caractéristiques et des localisations bien distinctes, on pourrait penser que le tissu musculaire et le tissu adipeux ont un fonctionnement indépendant. En fait, ces deux tissus interagissent fortement. En consommant avidement le glucose et les acides gras (si l'exercice physique est durable et intense), les muscles privent le tissu adipeux de substrats indispensables à la lipogenèse. De plus, de manière remarquable, l'entraînement physique va augmenter très fortement la capacité de certains tissus adipeux à délivrer des acides gras pour l'effort musculaire. L'exercice physique augmente favorablement la sensibilité des tissus à l'insuline qui est amoindrie lorsque les acides gras trouvent difficilement une utilisation énergétique. Par ailleurs, il est clair que l'entretien d'une masse musculaire suffisante permet de disposer d'une réserve d'acides aminés extrêmement précieuse en cas de jeûne, de stress ou de pathologie infectieuse. Cependant, dans les jeûnes de longue durée, la survie n'est possible que par la mobilisation des graisses. En effet, les réserves protéiques seraient vite épuisées si les acides aminés devaient assurer la totalité des dépenses énergétiques.

Qu'il soit volontaire ou induit par la vie quotidienne, un niveau d'exercice physique suffisant est indispensable au maintien de la santé et au bon statut nutritionnel. La gestion d'exercices trop intenses ou de travaux manuels trop rudes pose de nombreux problèmes nutritionnels et physiologiques, en particulier pour lutter contre le vieillissement accéléré et pour fournir les micronutriments protecteurs. Même si les besoins énergétiques diffèrent entre les individus sédentaires et les individus très actifs, la même qualité alimentaire s'impose à tous. Il est inutile de concevoir des ajustements très importants, on peut considérer que nous devons tous être nourris comme des sportifs pour être en forme et donc disposer d'une nourriture bien équilibrée en énergie et riche en micronutriments. Néanmoins, la proportion de féculents relativement énergétiques et de fruits et légumes très peu caloriques de même que les apports lipidiques doivent être adaptés à l'importance des dépenses physiques. Paradoxalement, l'homme du XXIe siècle relativement peu sollicité sur le plan des dépenses physiques devra bâtir une large partie de son équilibre alimentaire sur des aliments traditionnels tels que les fruits et légumes, ce que nos futuristes, amateurs de pilules, n'avaient guère prévu.

Les bienfaits des fibres alimentaires

Les fibres alimentaires forment la matrice dans laquelle sont répartis les substrats énergétiques assimilables des végétaux. Les transformations alimentaires ont permis de s'affranchir de cette matrice pour la production d'huile, de sucre, d'amidon ou de farines très raffinés. En conséquence, l'organisme reçoit une énergie très assimilable et souvent trop abondante ; or, paradoxalement, celui-ci est mieux armé pour épargner que pour se défendre contre les apports énergétiques pléthoriques. Ainsi, dans les pays industrialisés où l'alimentation est riche en ingrédients purifiés et relativement pauvre en produits végétaux bruts, la prévalence de maladies dites de civilisation : cancers, diabète, maladies cardio-vasculaires et inflammatoires, est très élevée.

La modification des habitudes alimentaires et le raffinage poussé des aliments ont donc contribué à diminuer la consommation de fibres. On estime qu'elle est passée de plus de 30 g par jour au début du XXe siècle à 15-20 g par jour actuellement. Initialement, le terme « fibres » désignait les glucides des parois végétales tels que la cellulose, les hémicelluloses ou la pectine, non digestibles dans l'intestin grêle, mais susceptibles d'être dégradés par la flore microbienne du gros intestin. La notion actuelle de fibres alimentaires ne se limite pas aux glucides des parois végétales, elle regroupe l'ensemble des composés non digérés dans l'intestin grêle, par exemple les sucres-alcools des fruits, les oligo-saccharides de réserve (inuline de l'oignon, de l'artichaut, de la patate douce, du topinambour), les gommes végétales, les extraits d'algue, et même la fraction de l'amidon qui résiste à l'action de l'amylase pancréatique.

Tous les produits végétaux sont riches en parois cellulaires et donc contiennent des fibres. Cependant, leurs teneurs peuvent varier fortement en fonction de leur origine végétale. 20 à 30 % de la matière sèche des légumes frais ou secs est constituée de fibres alimentaires ; selon le même mode d'expression, la teneur des céréales et des fruits se situe entre 10 à 15 %, et celle des pommes de terre riches en amidon est voisine de 9 %. Dans les céréales raffinées, le taux de fibres chute à environ 3 %. On trouve des fibres ou des glucides apparentés dans beaucoup d'autres produits végétaux (fruits secs, graines, jus de fruits natu-rels), dans le miel, mais aussi maintenant dans un très grand nombre de produits, même d'origine animale, parce que les fabri-cants d'aliments les utilisent pour alléger les produits, assurer une structure ou pour bénéficier d'une allégation santé. La pro-portion et l'efficacité de ces fibres additionnées artificiellement aux aliments demeurent toutefois modestes par rapport aux produits végétaux qui bénéficient d'une composition plus diverse de ce type de glucides complexes auxquels sont associés de nom-breux micronutriments.

Longtemps on a considéré que l'effet santé des fibres se limi-tait à leurs effets digestifs, à leur rôle indispensable pour régula-riser le transit intestinal. Dans les produits végétaux naturels, la matrice fibreuse exerce aussi un frein à la vitesse d'absorption des nutriments, elle peut protéger le grain d'amidon de l'action de l'amylase pancréatique, diminuer la digestibilité des protéines, ralentir la vitesse de digestion des glucides et des lipides. Cet effet de la matrice évite à l'organisme d'être trop rapidement inondé de nutriments énergétiques dont il doit assurer un méta-bolisme progressif. Le fait que l'énergie alimentaire puisse large-ment être extraite de sa gangue fibreuse a modifié complètement la donne de l'alimentation humaine. Il s'agit d'en tirer un certain bénéfice mais sans créer de nouveaux problèmes nutritionnels. Ce juste équilibre n'a, semble-t-il, pas encore été trouvé.

On cantonne donc fréquemment l'impact des fibres au territoire digestif, alors que leur rôle de matrice alimentaire a des répercussions sur l'absorption et le métabolisme des nutriments. Les effets des fibres au niveau digestif concernent les diverses composantes du système intestinal. Il s'agit de la paroi de l'intestin dont la finalité est de contrôler l'absorption des nutriments, voire d'assurer certaines sécrétions intestinales, du système immunitaire dont plus de 50 % est localisé dans le tube digestif, et de la flore intestinale relativement peu abondante dans l'intestin grêle et extrêmement bien développée dans le gros intestin.

Globalement, les fibres sont indispensables au bon fonctionnement du système digestif pris dans son ensemble et agissent sur toutes ses composantes. Elles exercent, par exemple, des effets trophiques directs au niveau de l'intestin grêle. Ainsi, un régime riche en fibres augmente la surface d'échange intestinale pour pallier la difficulté d'absorption des nutriments. L'impact des fibres sur la muqueuse du gros intestin est également considérable par le biais des produits de fermentation qui vont contrôler le métabolisme des cellules du côlon. Les fibres jouent aussi un rôle clé dans le fonctionnement intestinal en entretenant une flore symbiotique en équilibre avec notre organisme. L'extrême diversité et la richesse de cette microflore influencent par ailleurs les réponses immunitaires intestinales ; celles-ci modulent la tolérance aux protéines alimentaires et constituent une barrière vis-à-vis des bactéries pathogènes. De ce point de vue, il est clair que la qualité de nos réponses immunitaires s'élabore en tout premier lieu au niveau de l'intestin.

Dans l'esprit du public, le rôle des fibres est principalement d'assurer un bon transit digestif par leur effet d'encombrement, favorable au péristaltisme intestinal. Il est vrai que certaines fibres peuvent fortement s'hydrater, être peu dégradables et jouer ainsi leur rôle attendu de ballast ; cela explique en particulier l'efficacité du pain ou des produits céréaliers complets dans la lutte contre la constipation. Néanmoins, les fibres des fruits et légumes, très fermentescibles et fortement dégradées dans le gros intestin, jouent également ce rôle d'accélération du transit digestif, par l'augmentation de la masse bactérienne qu'elles induisent. Par des mécanismes divers, les régimes riches en produits

végétaux accélèrent donc toujours le transit intestinal, et les
bénéfices physiologiques à tirer de cette capacité des fibres sont
considérables compte tenu de l'importance des problèmes digestifs de nos contemporains sédentaires.

Dans le contexte alimentaire actuel, la fréquence des troubles
digestifs, des hypersensibilités et des intolérances alimentaires est
très élevée. Ces problèmes digestifs induisent souvent des comportements d'exclusion vis-à-vis de nombreux produits végétaux,
achevant ainsi de fragiliser l'écosystème intestinal. Pourtant, à la
différence de certaines protéines alimentaires, fortement immu-
nogènes, l'intestin ne présente pas d'intolérance vis-à-vis des
nombreuses sources de fibres alimentaires. Néanmoins de nombreux sujets témoignent de troubles digestifs occasionnés par la
consommation de quelques produits végétaux (oignons, pain
complet, légumes secs...), mais l'origine de ces troubles est difficile à cerner. Dans la mesure où il existe une très grande diversité
de fruits, de légumes, de produits céréaliers ou d'autres aliments
d'origine végétale, le choix est si abondant que chacun peut disposer d'une palette suffisante de ces produits pour favoriser le
bon fonctionnement de l'intestin.

UNE MICROFLORE INTESTINALE FORT EXIGEANTE

La capacité à bien tolérer les aliments et en particulier les
végétaux riches en fibres dépend fortement de la qualité de la
flore intestinale. À la naissance, le tube digestif du bébé est entièrement stérile, ce dernier acquiert une première flore digestive
rudimentaire par le contact avec la mère et son environnement.
Il est notable que rien n'est fait pour faciliter cette contamination
naturelle ; un excès d'hygiène corporelle ou d'asepsie environnante ne permettent pas au bébé de disposer d'une flore optimale
de contact. Si le lait maternel était complètement digestible dans
l'intestin grêle, la flore symbiotique débutante du côlon du nourrisson aurait bien du mal à se développer. Cela pourrait créer des
conditions favorables à la contamination intestinale par des bactéries pathogènes. Heureusement, la composition du lait maternel est propice également à l'installation de la flore colique, ce
qui facilite le transit digestif du bébé et constitue une barrière au
développement des espèces pathogènes. On trouve en effet dans

le lait maternel des glucides particuliers non digérés dans l'intestin grêle et qui font office de fibres alimentaires pour entretenir une flore de plus en plus active. Cette flore du bébé en allaitement maternel est caractérisée par sa richesse en bifidobactéries, c'est pourquoi on a qualifié de prébiotiques tous les composés tels que des fructo-oligosaccharides qui augmentent la population intestinale de bifidobactéries. Cependant, ce qui était essentiel chez le nouveau-né est sans doute beaucoup plus secondaire chez l'adulte pourvu d'une microflore extrêmement complexe et adaptée à des produits végétaux très divers. Par manque de recul et pour exploiter un nouveau filon, le secteur agroalimentaire incorpore des fructo-oligosaccharides dans beaucoup d'aliments destinés à la population générale, sous prétexte d'un effet prébiotique fort peu convaincant. Par contre, il semble logique d'essayer d'introduire dans les laits reconstitués pour 1er âge des oligosaccharides proches de ceux du lait maternel.

À l'état adulte, l'homme héberge une flore relativement stable, en équilibre à la fois avec les conditions ambiantes régnant dans le tube digestif et la nature des aliments consommés. Quel que soit l'équilibre de cette flore, le gros intestin héberge un nombre considérable de bactéries (environ 10^{12} bactéries par gramme de contenu). La qualité de la flore symbiotique que nous hébergeons dépend de la nature et de la diversité des produits végétaux consommés. La régularité dans les apports en fibres fermentescibles conditionne la stabilité de la flore et sa faculté à s'adapter ou à résister à des conditions environnementales nouvelles ou défavorables. Or, à la suite de repas déséquilibrés, combien de fois notre flore du côlon ne reçoit que les reliquats de la digestion de l'intestin grêle fort peu utiles pour son maintien et ses activités métaboliques.

ENTRETENIR LES FERMENTATIONS COLIQUES

Grâce à la complexité des produits végétaux, à leur richesse en fibres et en antioxydants, des fermentations actives peuvent se développer à des pH physiologiques tout au long du gros intestin. Cette digestion bactérienne des fibres aboutit à la production d'acides gras à chaîne courte (de type acétique, propionique ou butyrique) qui sont absorbés par la paroi du côlon. Ce mécanisme de digestion fermentaire a un caractère universel, il est présent dans toutes les espèces animales et particulièrement actif chez les herbivores. Chez l'homme, cette production d'acides gras à chaîne courte est bénéfique pour le bon état de la paroi du côlon, pour la conservation de l'eau et des minéraux et indirectement pour l'élimination de nombreux déchets. Chez nos ancêtres chasseurs-cueilleurs, la récupération de l'énergie des fibres dans le gros intestin sous forme de métabolites bactériens assimilables a dû être fort précieuse. La problématique actuelle est bien différente.

Le déroulement de la digestion microbienne du côlon est loin d'être toujours idéal chez l'homme, tout simplement parce que l'alimentation courante est riche en produits de cuisson, en résidus divers, et trop pauvre en fibres végétales. Dans cette situation, la qualité de la flore hébergée peut se dégrader, et les conditions qui règnent dans le côlon ne deviennent pas particulièrement favorables pour le maintien de la paroi digestive. Le bon fonctionnement du gros intestin peut s'en ressentir, le transit intestinal est souvent irrégulier, le changement d'environnement alimentaire est très mal toléré. Cela ne représente que la face visible de l'iceberg puisque la paroi du côlon peut réagir à des conditions fermentaires médiocres par le développement de tumeurs malignes. On sait l'importance de la prévalence du cancer du côlon dans les pays occidentaux, et il a bien été montré que ce cancer était lié aux modes alimentaires puisque les populations asiatiques, migrantes aux États-Unis, présentent une incidence élevée pour ce cancer à la deuxième génération, lorsqu'elles ont adopté la façon de s'alimenter des Américains.

On a cherché à attribuer la prévention du cancer du côlon à la fraction « fibres » avec parfois des résultats épidémiologiques peu convaincants. C'est plutôt la qualité des fermentations symbiotiques qui règnent dans le côlon qui permet une protection efficace. Pour cela, il faut que l'alimentation comporte des fibres de fermentescibilité différente bien accompagnées de micronutriments. La durée de séjour du bol alimentaire dans le côlon est très longue (souvent plus de vingt-quatre heures), or la flore bactérienne a besoin de disposer de glucides fermentescibles même dans les parties distales du côlon. Ainsi, une alimentation comprenant à la fois des produits céréaliers et des fruits et légumes

apporte cette gamme de fibres alimentaires de vitesse de dégradation variable, favorable à la physiologie du côlon. Ces aliments
riches en fibres ont aussi l'intérêt d'apporter une diversité de
minéraux et de micronutriments indispensables pour contrôler
l'activité microbienne et protéger la paroi du côlon.

Après avoir pratiqué à grande échelle l'extraction de la fraction énergétique et le rejet des fibres des aliments, les professionnels de l'alimentation, jamais à court d'imagination, ont donc
essayé de réintroduire des fibres en particulier pour bénéficier de
leur image santé. Cette démarche est peu logique, de plus elle est
peu efficace sur le plan physiologique. L'addition de fibres ne
reproduit pas une matrice naturelle. Lorsqu'il s'agit de composés
purifiés comme les oligosaccharides, ils sont trop vite fermentés
pour exercer un effet bénéfique au niveau du côlon, et, surtout,
l'impact des fibres ne peut être isolé des nombreuses substances
qui leur sont associées. Il est cocasse de noter aussi que les
industriels ont cherché à blanchir les fibres pour les débarrasser
de toute impureté.

Lorsque le côlon est bien alimenté en fibres fermentescibles
(celles des parois primaires des cellules jeunes) naturellement pré-
férées par l'homme, la prolifération bactérienne dans le contenu
digestif est considérable. Dans ces conditions, la possibilité de
bénéficier d'un apport supplémentaire de bactéries susceptibles de
transiter vivantes dans le tube digestif et de contrer par exemple
l'action des bactéries pathogènes est sans doute limitée à l'intestin
grêle. Cela n'a pas empêché le développement d'une industrie florissante de ces probiotiques avec des arguments incantatoires de
protection digestive. Si cette protection peut se manifester, il est à
craindre que l'équilibre alimentaire d'ensemble du sujet et en particulier l'apport en fibres alimentaires soient bien peu satisfaisants.

LE NATUREL DEVENU SUSPECT

Jusque vers les années 1970, le rôle des fibres dans les fermentations intestinales chez l'homme était ignoré, bien que l'on
connût leur importance pour les espèces herbivores. Dans ces
années glorieuses du développement des transformations
alimentaires et de l'extraction de l'énergie des aliments, les
fibres devinrent même suspectes d'exercer de nombreux effets

antinutritionnels, de gêner l'absorption des minéraux, voire de diminuer la digestibilité des protéines. Ainsi, l'homme avait trouvé la bonne parade en débarrassant les aliments d'une fraction sans intérêt énergétique.

Alors que les produits végétaux complexes, riches en fibres, ont une forte densité nutritionnelle en minéraux et micronutriments, diverses recherches semblaient montrer que la consommation des fibres avait un effet déminéralisant. Cela s'est avéré complètement inexact. Pourtant le discours diététique courant met encore l'accent sur ce point. Certes, l'élévation de l'absorption intestinale des minéraux n'est pas proportionnelle à l'augmentation des quantités ingérées, mais il s'agit d'une caractéristique physiologique bien classique pour ces éléments. Néanmoins, le bilan nutritionnel est en faveur des produits complets par rapport aux aliments raffinés. Des recherches récentes ont même montré que les glucides fermentescibles, en abaissant le pH intestinal, contribuaient à prolonger l'absorption des minéraux dans les parties distales de l'intestin. On est loin des effets antinutritionnels annoncés par les nutritionnistes il y a environ trente ans. Cependant, ce discours sur les effets déminéralisants des fibres alimentaires continue parfois à être enseigné, ce qui est une illustration des conséquences à long terme de résultats de recherches mal interprétés.

Bien d'autres arguments pourraient être versés pour illustrer l'intérêt nutritionnel des fibres alimentaires. Le fait qu'elles soient indispensables à l'élimination digestive du cholestérol et des sels biliaires montre également leur intérêt diététique majeur. En fait, il est important d'avoir une approche globale de la nutrition préventive. Il est remarquable que le niveau de consommation de fibres alimentaires, lorsqu'elles sont apportées par des végétaux complexes, permette de prédire la sûreté des modes alimentaires pratiqués. Le raffinage poussé des aliments a conduit à une réduction de plus de moitié de la consommation de fibres alimentaires. Cela a contribué à générer des problèmes digestifs nouveaux et surtout à développer dans certains cas une sorte d'intolérance aux fibres auxquelles l'homme était habitué depuis toujours. Voulons-nous devenir des sortes de mutants entièrement inadaptés à des aliments naturels ?

Des minéraux pour accompagner l'énergie

S'il suffisait d'apporter de l'énergie en proportion équilibrée pour résoudre les problèmes nutritionnels, la problématique de l'alimentation humaine serait fort simple. Or la fraction non énergétique des aliments, et en particulier l'apport des minéraux, joue un rôle fondamental dans les équilibres physiologiques et le maintien de la santé. Théoriquement, il serait possible d'ajuster la composition des aliments en minéraux pour obtenir les apports souhaités, d'ailleurs cette approche est couramment utilisée en nutrition animale.

En alimentation humaine, la gestion des apports en minéraux est plus difficile à maîtriser. En effet, une utilisation élevée de matières grasses et de glucides purifiés diminue fortement la densité nutritionnelle des régimes en minéraux. Quelques aliments particuliers sont supplémentés en minéraux, c'est le cas des farines pour bébés, de quelques boissons ou produits laitiers. Cependant l'enrichissement de quelques aliments ne permet pas de pallier les conséquences négatives de l'abondance des calories vides. Cette situation ne se traduit pas nécessairement par des carences fortes et facilement décelables en minéraux ; toutefois l'organisme est contraint à s'adapter à ce manque, ce qui le fragilise et le rend plus sensible à certaines pathologies en amoindrissant ses défenses immunitaires.

Sur le plan de la vulgarisation, l'attention du public est attirée sur le déficit en certains minéraux pour favoriser la consommation des aliments qui en sont riches. Ainsi, il existe un discours très incitatif pour la consommation des produits laitiers en vue de satisfaire les besoins en calcium ou pour la consommation de viandes en vue d'apporter du fer très disponible. D'autres minéraux moins identifiés à des aliments particuliers ne bénéficient pas du même soutien diététique. En fait, cette approche centrée sur un minéral particulier est insuffisante puisqu'il est nécessaire de couvrir au mieux les besoins d'un ensemble de minéraux par la diversité alimentaire. Une des premières conditions pour assurer un bon statut en minéraux est aussi d'éviter de les perdre au cours des transformations alimentaires.

Pour une majorité de minéraux, les apports sont plutôt insuffisants par rapport à l'abondance énergétique des régimes à l'exception de deux minéraux qui se révèlent souvent en excès dans l'alimentation humaine, il s'agit du phosphore très abondant dans les viandes, les poissons et les produits céréaliers, et du sodium apporté par le sel.

LES PIÈGES DU SEL

Un des progrès majeurs de la nutrition minérale serait de mieux assurer l'équilibre des deux minéraux essentiels à l'organisme : le sodium présent dans le sang et le secteur extracellulaire, et le potassium concentré dans les cellules. Pour bien fonctionner, l'organisme aurait besoin d'un apport plus élevé de potassium que de sodium ; le non-respect de cette règle a des conséquences considérables sur la prévalence de l'hypertension et des maladies cardio-vasculaires dans le monde.

Le geste du médecin qui place son stéthoscope sous un brassard gonflable pour mesurer notre tension nous est familier. Les deux chiffres qu'il nous annonce sont ceux de la pression artérielle. Le rôle de cette dernière est de maintenir un débit sanguin adéquat garant de la bonne oxygénation des organes et des tissus. La pression artérielle oscille au rythme de la pulsation cardiaque entre une valeur minimale, diastolique qui correspond à la relaxation du cœur, et une valeur maximale, systolique correspondant à la contraction cardiaque. Ces valeurs ne sont pas constantes, elles fluctuent continuellement au cours de la journée autour d'une valeur moyenne, pour permettre à l'organisme de s'adapter aux circonstances de la vie quotidienne (exercice physique, stress, sommeil...).

Néanmoins, pour un individu donné, les deux valeurs au repos de la pression artérielle, mesurées à chaque visite médicale, sont relativement constantes. Dans la population générale, ces valeurs se distribuent selon une courbe en cloche. Les études épidémiologiques révèlent clairement que plus la pression artérielle est élevée (systolique ou diastolique), plus le risque est grand de développer des maladies cardio-vasculaires comme l'infarctus du myocarde et les accidents vasculaires cérébraux.

L'hypertension peut être largement prévenue par un mode de vie sain avec de bonnes habitudes alimentaires et la pratique d'un exercice physique suffisant. Les principaux facteurs alimentaires responsables de l'hypertension sont : une consommation excessive de chlorure de sodium (sel de table), un apport insuffisant de potassium et de fruits et légumes, une consommation excessive d'alcool. Au contraire, contrôler son poids, faire de l'exercice physique et consommer en abondance des produits végétaux complexes, manger peu salé sont parmi les moyens les plus sûrs pour prévenir l'hypertension ou en retarder son apparition chez les sujets à risque.

Un très grand nombre d'enquêtes épidémiologiques ont permis de montrer que l'excès de sel et le relatif déficit des aliments en potassium avaient une influence déterminante dans le développement de l'hypertension. L'origine d'un tel phénomène est à rechercher dans l'histoire de l'humanité. Les primates comme les autres mammifères ont évolué pendant plusieurs dizaines de millions d'années dans un environnement particulièrement pauvre en sel. C'est seulement depuis dix mille ans environ que l'habitude d'ajouter de grandes quantités de sel dans la nourriture s'est répandue dans l'espèce humaine. Cette habitude a été adoptée au commencement de l'agriculture et de l'élevage avec la nécessité de conserver la nourriture pendant de longues périodes. De nos jours, la consommation individuelle moyenne de sel dans les pays industrialisés est d'environ 10 g par jour et celle de potassium d'environ 3 g. On estime que la consommation de sel chez les chasseurs-cueilleurs était inférieure à 1 g et celle du potassium supérieure à 10 g. Ainsi, le rapport de ces deux minéraux a complètement changé en faveur du sodium.

En parallèle de ces changements alimentaires, nos gènes n'ont pas beaucoup évolué depuis dix mille ans. Notre patrimoine génétique est encore adapté aux apports bas en sodium et élevés en potassium qui ont prévalu pendant les dizaines de millions d'années d'évolution des mammifères. Durant cette immense période, les espèces y compris l'espèce humaine ont accumulé des mutations et des polymorphismes génétiques leur permettant de survivre avec un régime pauvre en sodium et riche en potassium. Les organismes ont acquis ainsi une capacité étonnante de conservation du sodium afin de lutter contre les fuites possibles par les voies urinaire, sudorale et digestive. Cette inadéquation entre nos gènes et notre alimentation actuelle expliquerait l'impact des régimes riches en sodium et pauvres en potassium dans la survenue de l'hypertension et des maladies cardiovasculaires associées.

La relation entre l'apport journalier en sel et la pression artérielle a pu être mise en évidence par l'absence quasi complète d'hypertension chez les populations qui absorbent moins de 3 g de sel par jour et par personne, et par la forte incidence de l'hypertension chez les populations qui en consomment plus de 20 g. L'exemple du Japon est très instructif ; entre 1950 et 1960, la prévalence des hémorragies cérébrales avait une distribution régionale qui corrélait remarquablement à la fois l'apport alimentaire de sel et la fréquence de l'hypertension. À partir d'un nombre important d'études portant sur une grande diversité de populations, il a pu être montré que la pression artérielle était bien corrélée à l'apport de sel. Le niveau de consommation de sel est donc essentiel pour prédire le risque d'hypertension au sein d'une population, mais, cependant, tous les sujets n'y sont pas également sensibles.

Puisqu'il existe une relation entre le développement de l'hypertension et les risques cardio-vasculaires comme l'infarctus du myocarde ou l'accident vasculaire cérébral, la réduction du sel à l'échelon d'une population est une des mesures qui peuvent contribuer à diminuer l'incidence de ces pathologies. De plus, il apparaît que les personnes en surpoids ou obèses sont beaucoup plus sensibles à l'apport de sel que les personnes ayant un poids corporel normal. Les bénéfices en termes de pression artérielle et de fréquence des accidents cardio-vasculaires induits par une diminution du sel ingéré peuvent s'additionner aux effets bénéfiques de la diminution du poids corporel confirmant ainsi la nature multifactorielle du déterminisme de ces pathologies. La réduction des apports de sel aurait plusieurs autres effets bénéfiques sur le système cardio-vasculaire qui semblent indépendants du niveau de pression artérielle.

Bien que la réduction des apports de sel constitue un facteur important, voire déterminant pour la prévention des maladies cardio-vasculaires et également de l'ostéoporose (le sel accroît les pertes de calcium urinaire), la décision d'œuvrer clairement dans ce sens ne fait pas toujours consensus. Pour justifier cette réticence, le secteur de production alimentaire s'appuie sur le fait que la nocivité du sodium n'est pas la même chez tous les sujets. La nutrition préventive s'attache au contraire à mettre à la disposition de l'organisme des apports alimentaires optimaux pour faciliter le fonctionnement de l'organisme, et cela est la seule méthode rigoureuse et efficace pour une bonne gestion de la santé.

En pratique, il est important de réduire en particulier le sel caché des aliments, celui du pain, des fromages, des conserves, de nombreux produits transformés. Il faut noter que la recherche du goût salé dépend du niveau d'apport quotidien en sel, c'est pourquoi il est possible dans ces conditions de se déshabituer progressivement et très fortement du sel. De plus, il serait judicieux que le consommateur puisse utiliser le sel à bon escient en association avec les autres condiments. À cette fin, la richesse en sel dans les aliments transformés devrait être plus clairement indiquée et surtout réduite au maximum.

Cependant, pour obtenir la meilleure efficacité préventive, la baisse de consommation du sel ne suffit pas si elle n'est pas accompagnée d'une augmentation des apports en potassium. Cet élément, très abondant dans les cellules, en permanence échangé avec du sodium pour rester dans le contenu cellulaire, est un véritable antidote au sodium. La participation du potassium à la prévention de l'hypertension et des maladies cardio-vasculaires peut sembler plus indirecte que celle du sodium. Pourtant, augmenter l'apport en potassium permet non seulement de réduire la pression artérielle, mais aussi le besoin de médicaments anti-hypertenseurs. Il est probable que l'effet hypotenseur des régimes riches en fruits et légumes résulte pour une bonne part de leur richesse en potassium.

Le potassium présent dans les produits végétaux tels que les fruits, les légumes et les pommes de terre se trouve essentiellement sous forme de sels de citrate, malate ou d'autres acides organiques et non de chlorure de potassium. Ces sels naturels de potassium présentent l'avantage d'être des éléments alcalinisants (ils sont transformés en équivalents bicarbonate dans l'organisme) qui ont pour effet de réduire les pertes urinaires de calcium, en particulier celles qui sont induites par les apports excessifs de chlorure de sodium et de protéines. Longtemps, le potassium alimentaire, largement éliminé dans les urines, a été considéré comme un élément en excès. Cela est surprenant puisqu'il est certain que les organismes ont été adaptés à des apports de potassium élevés et de sodium faibles. L'effet bénéfique d'un apport élevé en potassium sur la morbidité et la mortalité cardio-vasculaire a d'ailleurs pu être confirmé par plusieurs grandes études épidémiologiques. Paradoxalement ce minéral ne bénéficie pas d'apports nutritionnels conseillés au même titre que tous les autres éléments. Or notre organisme a sans doute besoin d'une abondance de potassium pour bien fonctionner, pour que les cellules fassent le plus facilement possible le plein de ce minéral, ce qui a certainement de nombreux impacts cellulaires favorables telle la sensibilité des tissus à l'insuline.

Dans les pays industrialisés, le régime alimentaire est caractérisé par de faibles apports de potassium (de l'ordre de 2 à 3 g par jour). Il est fort probable que les résultats d'enquêtes épidémiologiques sur les effets délétères du sodium auraient été encore plus nets si on avait considéré la valeur du rapport potassium/sodium. On pense que le potassium permettrait d'augmenter l'excrétion rénale de sodium et réduirait celle du calcium et du magnésium, deux minéraux également favorables au maintien de la tension artérielle.

Le discours sur la prévention de l'hypertension ne doit pas être limité à la seule réduction du sodium, et il faudrait mettre plutôt l'accent sur l'équilibre du rapport potassium/sodium. Pour être vraiment efficace en matière de conseils diététiques, il est intéressant de souligner l'intérêt des bonnes associations alimentaires. On peut recommander ainsi de toujours associer à un aliment salé un produit riche en potassium. Par exemple : du jambon avec du melon, des charcuteries avec des pommes de terre ou des légumes secs, du fromage avec de la salade ou des pommes de terre, des viandes avec des légumes, etc. À l'inverse, il est peu judicieux d'associer deux produits salés ou pauvres en potassium : pain-fromage, pain-charcuterie, pâtes-fromage sans y ajouter un produit végétal complexe naturellement riche en potassium. Ces conseils diététiques sont bien sûr à apprécier également à l'échelon d'un repas entier. Ils constituent une méthode didactique simple et efficace pour lutter contre l'hypertension. La maîtrise du rapport potassium/sodium constitue une bonne stratégie à la fois pour guider les comportements alimentaires individuels et améliorer sensiblement l'état de santé des populations.

Calcium et société de consommation

Avec le vieillissement de la population, l'ostéoporose est devenue une maladie grave, très répandue. La déminéralisation osseuse, de l'ordre de 30 à 40 % à l'âge de quatre-vingts ans chez beaucoup de femmes, provoque des tassements vertébraux ou est à l'origine de fractures osseuses (col du fémur, poignet) avec des séquelles graves ou invalidantes.

C'est pourquoi le calcium est doté d'un statut particulier en tant qu'élément majeur du squelette qui en accumule environ un kilo. L'os est un tissu vivant, siège d'un perpétuel remaniement osseux par le biais de deux types cellulaires, les ostéoblastes pour la fixation du calcium et les ostéoclastes pour sa libération.

Le rôle des facteurs impliqués dans l'acquisition d'un maximum de masse osseuse autour de vingt-cinq ans a été très bien étudié. L'apport calcique doit être suffisant, mais il faut que son absorption digestive et sa fixation dans l'os soient favorisées par la vitamine D. L'exercice physique ainsi qu'une alimentation équilibrée en énergie et en protéines sont aussi des éléments importants pour assurer une bonne croissance et une bonne minéralisation osseuses. En faisant l'hypothèse qu'il faut vingt ans pour stocker un kilo de calcium osseux, il suffit d'en fixer environ 140 mg par jour pour aboutir à ce capital osseux. Cela signifie que l'ordre de grandeur du calcium stocké par rapport à celui qui est ingéré varie sans doute de 15 à 30 % selon que l'apport alimentaire est voisin de 1 g ou 0,5 g. En période de croissance, l'intestin a la capacité d'absorber très activement le calcium alimentaire. Il est clair qu'une alimentation complexe et équilibrée, comportant un apport suffisant de produits laitiers ou d'autres sources de calcium (légumes, eaux minérales), est nécessaire à la formation osseuse. Dans la mesure où tout le calcium n'est pas entièrement digestible, qu'il existe également des pertes urinaires, que certaines formes de calcium dans quelques produits végétaux sont peu assimilables, il est prudent de recommander une consommation suffisamment généreuse de calcium, largement supérieure à 500 mg par jour (les ANC* actuels chez les adolescents sont de 1 200 mg par jour, ce qui donne une marge de sécurité considérable). On peut comprendre que le rôle des produits laitiers dans les pays occidentaux ait pu être mis en avant pour disposer d'une large disponibilité en calcium. Il faut reconnaître aussi que bien des peuples ne bénéficient pas de ces aliments sans que cela altère la formation de leur squelette.

Il est par contre surprenant que les recommandations concernant les apports calciques demeurent très élevées chez les adultes (900 mg par jour). À partir de l'âge de trente ans, le réservoir en calcium se vide inexorablement pour atteindre une valeur critique en deçà de laquelle les risques de tassements vertébraux ou de fractures osseuses sont accrus. Durant cette deuxième partie descendante de la vie, l'organisme n'a plus la possibilité d'assurer une fixation nette du calcium ingéré. La possibilité de réduire les pertes osseuses de calcium par un apport élevé de calcium alimentaire est très limitée. D'ailleurs, au niveau mondial, on observe la plus grande prévalence de l'ostéoporose dans les pays occidentaux qui ingèrent pourtant les plus fortes quantités de calcium et de produits laitiers. Il est évident que d'autres facteurs nutritionnels et environnementaux sont à prendre en considération dans la prévention de l'ostéoporose. Pourtant, le discours nutritionnel dominant incite à une consommation le plus élevée possible de produits laitiers. Cette attitude est exemplaire d'une société de consommation où il est important de consommer abondamment sans nécessité avérée alors qu'il serait aussi raisonnable d'éviter certaines pertes.

---

* Voir également le glossaire.

Sur le plan physiologique, la recommandation d'élever les apports en calcium sans faire attention aux pertes (qui sont principalement urinaires) équivaut à augmenter le débit d'apport d'eau dans un bassin qui fuit sans se préoccuper nullement de la fuite. Or le niveau des pertes de calcium urinaires chez l'homme est fortement dépendant de l'équilibre acidobasique de l'alimentation et de l'apport en sodium et potassium. Ces pertes sont accrues par une consommation très élevée de sel ou de protéines, et on comprend ainsi que les habitudes alimentaires des pays occidentaux sont peu favorables à la prévention de l'ostéoporose malgré les apports très élevés de produits laitiers.

Dans la pratique, la nature des régimes alimentaires est plus ou moins favorable au maintien de l'équilibre acidobasique. Il existe en effet des régimes relativement acidifiants abondants en viandes ou fromages salés ou plutôt alcalinisants du fait de leur richesse en fruits, légumes ou pommes de terre. Tous ces produits végétaux contiennent des acides organiques de potassium métabolisés en équivalent bicarbonate de potassium. Ainsi, les sulfates générés par le métabolisme des acides aminés soufrés des protéines peuvent être neutralisés par les sels organiques de potassium d'origine végétale. Sans un équilibre suffisant, entre viandes et fruits et légumes, le métabolisme osseux délivre du calcium pour assurer l'équilibre acido-basique. Il n'existe certainement pas de consommateur qui ait échappé au message calcium-produits laitiers, par contre, la plupart ignorent l'importance de bien associer la consommation de produits animaux et végétaux pour assurer la conservation du calcium. Pourtant l'intérêt de la consommation de fruits et de légumes afin de maintenir la minéralisation osseuse a pu être mis en évidence dans des enquêtes épidémiologiques récentes. Ces produits végétaux pourraient agir par leurs effets alcalinisants mais aussi par l'apport de micronutriments favorables au métabolisme osseux.

Le fait de réduire la prévention de l'ostéoporose à l'apport de calcium laitier, au moins dans la vulgarisation la plus courante, est caricatural d'un esprit réducteur et du peu d'efficacité des politiques de prévention nutritionnelle.

APPORT D'ÉNERGIE ET DENSITÉ MINÉRALE, LE JUSTE ÉQUILIBRE

La présence de minéraux est nécessaire à l'entretien de la vie cellulaire végétale ou animale. L'organisme humain trouve aisément les minéraux dont il a besoin dans les aliments naturels. Cependant, plusieurs facteurs contribuent à rendre difficile une bonne nutrition minérale. L'intensification des productions agricoles, en augmentant les rendements, peut se traduire par une baisse sensible de la teneur en minéraux des produits surtout si les sols sont épuisés en matières organiques. Le facteur le plus fortement responsable de la déminéralisation de l'alimentation humaine provient en fait des transformations alimentaires. En extrayant avidement l'énergie des aliments, en produisant du sucre, de l'amidon, des matières grasses, en raffinant très fortement les céréales, l'homme dispose d'une alimentation appauvrie en minéraux, ce qui est paradoxal dans un contexte d'abondance alimentaire. La différence de densité minérale entre les divers ingrédients ou aliments est considérable surtout lorsque l'on exprime les teneurs en minéraux en fonction des apports caloriques ou de la matière sèche. Une farine blanche ne contient que 0,6 % de minéraux (par rapport à la matière sèche) contre 2 % dans une farine complète, 3 % dans les fruits et les légumes secs et 6-10 % dans les autres légumes. Les apports en minéraux des légumes sont donc en moyenne dix à vingt fois plus élevés que ceux des farines blanches. Chaque fois qu'une mère de famille prépare généreusement un gâteau riche en sucre, en matières grasses et en farine blanche, elle ignore sans doute à quel point cet aliment est pauvre en minéraux. Si, en plus, le dessert est accompagné de boissons sucrées ou d'alcool, les déséquilibres entre les apports de minéraux et d'énergie deviennent très élevés.

Par ailleurs, la teneur des divers minéraux majeurs (potassium, magnésium, calcium) et des oligo-éléments (fer, zinc, cuivre, manganèse, sélénium, molybdène, cobalt, chrome, iode, fluor) présents en quantité beaucoup plus faible diffère selon la nature des aliments, et seul un apport alimentaire bien diversifié permet d'assurer une nutrition minérale d'excellente qualité. Les produits animaux, viandes, œufs, produits laitiers, poissons, produits de la mer ont souvent une composition complémentaire de celle des produits végétaux. Cependant, le monde végétal est en soi suffisant pour couvrir tous les besoins en minéraux dont la biodisponibilité n'est pas toujours complète parce qu'ils peuvent être liés à des éléments qui empêchent leur absorption intestinale. Néanmoins, ces problèmes de biodisponibilité ont souvent été fortement surévalués pour justifier la consommation de produits animaux. Curieusement, les risques liés à l'utilisation de calories vides sont par contre bien plus ignorés.

LE SAVOIR FER DES VÉGÉTAUX

La carence en fer est souvent redoutée parce qu'elle est à l'origine, à un stade avancé, d'une anémie invalidante. Par ailleurs, à côté des anémies ferriprives avérées (avec réduction du taux de l'hémoglobine), il existe souvent des carences modérées en fer dont on connaît encore mal les conséquences sur l'état de santé. La carence en fer est particulièrement fréquente dans certaines tranches de la population comme les étudiantes (elle pourrait toucher environ 15 % de ces jeunes filles) qui, à l'évidence, se nourrissent mal. Les spécialistes estiment que ce mauvais statut en fer induit une baisse de la forme et aussi des performances intellectuelles.

À l'opposé, dans certaines maladies génétiques telles que l'hémochromatose ou même au cours du vieillissement chez certaines personnes souvent en surcharge pondérale, le fer s'accumule et peut exercer des effets délétères en particulier par ses propriétés pro-oxydantes génératrices de radicaux libres. Cet élément est donc loin d'être neutre.

En fait, le métabolisme de ce minéral est fort bien régulé compte tenu de son caractère indispensable mais aussi des risques biologiques liés à ses propriétés. L'originalité du métabolisme du fer tient au fait qu'il s'effectue quasiment en circuit fermé. Son pool dans l'organisme est de l'ordre de 2 à 4 g, et il suffit que l'intestin en absorbe 1 mg par jour pour compenser les pertes qui sont du même ordre de grandeur. Les femmes sont plus sujettes au risque de carences en fer selon l'importance de leurs pertes menstruelles ; en conséquence chez elles, l'absorption intestinale de cet élément est souvent accrue, de 50 à 100 %, pour atteindre 1,5 à 2 mg par jour. Dans la majorité des cas, l'absorption intestinale est bien régulée, proportionnelle aux pertes ou aux besoins nouveaux (grossesse), mais les régulations ne sont pas toujours parfaites vu la fréquence élevée des anémies ferriprives.

Le discours habituel sur la couverture des besoins en fer est exemplaire d'une vision réductrice de la problématique fer et santé puisqu'il ne met l'accent que sur la faible biodisponibilité du fer végétal en comparaison du fer héminique des viandes (celui des pigments rouges du sang et de la viande). Dans une alimentation naturelle équilibrée, constituée d'un mélange de produits animaux (viande, charcuterie, poisson, œuf) et de produits végétaux complexes (céréales complètes, légumes secs, tubercules, fruits et légumes), les apports de fer sont particulièrement élevés de l'ordre de 20 à 30 mg par jour, soit vingt à trente fois plus que l'absorption nette intestinale. Ainsi, il n'est pas étonnant que le coefficient d'absorption digestive de cet élément soit très faible, c'est une adaptation de l'organisme pour prévenir les risques de toxicité du fer absorbé en excès. Il n'y a pas lieu de s'en lamenter ! L'apport alimentaire en fer héminique, celui des abats ou des viandes rouges, représente en moyenne 1 à 2 mg par jour, et l'absorption intestinale de ce type de fer est particulièrement forte, de l'ordre de 25 %. Le revers de la médaille provient du fait qu'une ingestion trop élevée de fer héminique peut contribuer à favoriser la surcharge en fer. Par ailleurs, la disponibilité du fer non héminique peut être modulée par divers facteurs qui favorisent sa solubilité (acides organiques des fruits et légumes) ou qui la gênent (polyphénols, acide phytique). De plus, divers facteurs nutritionnels liés à la complexité du repas (vitamine C, viandes, poissons) peuvent également jouer un rôle favorable pour l'absorption du fer.

Une nourriture équilibrée plutôt riche en produits végétaux complexes et comprenant un apport modéré de viandes semble la meilleure situation alimentaire pour disposer d'un bon statut en fer, cependant l'apport de viandes n'est pas en soi indispensable. Pourtant le public continue d'avoir une vision plutôt déformée des besoins en fer. Par exemple, dans le discours nutritionnel classique, le fer végétal est quasi systématiquement dévalorisé au profit du fer héminique, et les régimes végétariens sont associés à des situations à risque, alors que c'est l'abondance des ingrédients purifiés qui crée des risques de carences.

Les pertes de densité nutritionnelle de nombreux aliments sont aggravées par la diminution des quantités ingérées, en particulier chez la femme. Si la consommation alimentaire est faible et si les aliments sont plutôt pauvres en fer, il y a bien sûr un risque de carences. La meilleure façon pour une femme de se carencer est de disposer d'une nourriture monotone à base de céréales raffinées, de produits laitiers, de yaourts ou de produits sucrés. À l'inverse, les produits végétaux complexes, en particulier les fruits et les légumes riches en vitamines C (et en acides organiques), constituent une garantie remarquable de lutter contre de nombreuses carences, y compris la carence en fer. Lorsqu'il y a risque d'anémie, une consommation plus fréquente de viandes rouges, d'abats, de boudin avec un accompagnement de lentilles, de légumes, de fruits s'impose de même que la réduction du grignotage de produits sucrés et autres calories vides.

LES RISQUES DE LA MONOTONIE ALIMENTAIRE

Lorsque des modes alimentaires monotones, riches en produits de faible densité minérale sont bien installés, un mauvais statut nutritionnel se développe, peu favorable à un bon état de forme et de santé. Il existe ainsi une frange importante de la population qui présente des carences en de nombreux minéraux. La tentation est grande dans ces conditions de recourir à des compléments riches en minéraux, une fois pour lutter contre la carence en magnésium, une autre fois pour combler un manque de zinc ou de fer, au gré d'impressions ou de diagnostics rapides. À l'évidence, dans la majorité des cas, il n'existe pas une seule carence mais un statut insuffisant dans un ensemble de minéraux et vitamines. Ces problèmes nutritionnels seraient plus sûrement résolus par l'adoption de comportements alimentaires équilibrés. La couverture des besoins en magnésium ou d'autres oligo-éléments nécessite de consommer suffisamment de pain ou de produits céréaliers peu raffinés en complément des autres aliments. En fait, il y a peu de risques, sauf dans les cas pathologiques avérés, qu'une alimentation complexe ne puisse satisfaire tous les besoins nutritionnels en minéraux.

La consommation de diverses eaux dont certaines sont bien minéralisées (les eaux chargées en sodium ne doivent pas être conseillées vu la richesse de beaucoup d'aliments en sel) joue également un rôle non négligeable pour assurer le bon statut en minéraux dont nous avons tous besoin. Cependant, l'impact de ces eaux est sans doute amélioré par l'équilibre alimentaire lui-même et le contenu en fruits et légumes des régimes. Ainsi, il n'est jamais possible de faire l'économie d'un régime équilibré.

Le monde des micronutriments

La perception que nous avons des aliments est globale, elle met en jeu des circuits de reconnaissance complexes mais limités. En fait, notre capacité de perception des aliments concerne essentiellement la matrice alimentaire, sa texture, sa couleur, son goût. Finalement, la composition fine d'un aliment nous échappe même si notre palais est capable de déceler les caractéristiques organoleptiques des produits. À côté des composés énergétiques et minéraux, il existe un monde particulier, celui des micronutriments d'une très grande complexité et que les nutritionnistes s'efforcent d'explorer. Le fait que la perception des micronutriments échappe à nos sens a entraîné de nombreuses dérives dans l'élaboration de la qualité nutritionnelle des aliments. Seule la reconnaissance de la face cachée des aliments permettra d'améliorer leur valeur nutritionnelle. Cela est un enjeu nouveau très important pour caractériser la qualité des fruits et légumes ou des produits laitiers, pour comprendre l'influence des modes de culture sur la composition des produits végétaux ou pour assurer le suivi des micronutriments durant les étapes de conservation et de transformation des aliments.

Longtemps, les aliments ont été décrits dans les tables alimentaires en fonction de mêmes critères : nature des apports énergétiques, présence de fibres alimentaires, teneur en minéraux et vitamines. Néanmoins cette approche ne rend pas compte de la spécificité et de la complexité des divers aliments (particulièrement pour le monde végétal). En effet, en plus des vitamines, les

végétaux comprennent une très grande diversité de microconstituants susceptibles d'être absorbés et d'exercer des effets biologiques divers. Certains de ces composés tels que les polyphénols,
les caroténoïdes, les phytostérols sont retrouvés dans de nombreux produits végétaux, d'autres micronutriments sont spécifiques des espèces botaniques particulières : les isoflavones du
soja qui jouent un rôle de phyto-œstrogènes, les glucosinolates
des crucifères tels que le chou, les composés soufrés des alliacés.

De nombreuses enquêtes épidémiologiques ont montré
l'importance de la consommation des fruits et légumes ou de
céréales peu raffinées dans la prévention des pathologies majeures
telles que les cancers, les maladies cardio-vasculaires, l'ostéoporose ou les maladies neurodégénératives. Pour comprendre l'effet
de ces produits végétaux sur la santé, il est nécessaire de connaître
leur composition fine.

Les vitamines ne suffisent donc pas à décrire l'ensemble des
biomolécules présentes dans les aliments, et les nutritionnistes
regroupent aujourd'hui les vitamines et ces diverses molécules
naturelles susceptibles d'exercer un effet sur l'organisme sous le
terme de micronutriments ou de phytomicronutriments pour
spécifier leur origine végétale. La notion de micronutriments fait
donc référence à un ensemble très hétérogène et très complexe
de composés, dont la biodisponibilité et les mécanismes d'action
ne sont pas toujours également connus.

À la différence des vitamines et des oligo-éléments pour lesquels il existe des apports nutritionnels conseillés bien définis, les
autres phytomicronutriments ne bénéficient pas de recommandations bien précises. Pourtant, il convient de maîtriser l'apport de
ces biomolécules pour améliorer l'efficacité de l'alimentation dans
la prévention des pathologies. Cette maîtrise de la densité en
micronutriments est largement facilitée par une alimentation
équilibrée et riche en produits végétaux.

LA CHAÎNE BIOLOGIQUE DES VITAMINES

La chaîne de production alimentaire a cherché à satisfaire
les besoins énergétiques sans prendre suffisamment en compte la
complexité et la disponibilité en micronutriments, or l'énergie

peut devenir toxique pour l'organisme lorsqu'elle est mal environnée en facteurs de protection.

Le métabolisme cellulaire est contrôlé par une multitude d'enzymes dont le fonctionnement nécessite des « cofacteurs » provenant des vitamines, principalement celles du groupe B. Les organismes animaux empruntent donc au monde végétal, aux champignons, aux levures ainsi qu'aux bactéries, les vitamines indispensables au bon fonctionnement des enzymes qui orchestrent la vie cellulaire. La teneur en vitamines B des produits animaux et végétaux est très variable, et la complémentarité de ces produits permet de satisfaire largement les besoins. Curieusement, les produits végétaux permettent de couvrir tous les besoins en vitamines sauf la vitamine B12 que l'on peut trouver par ailleurs dans certains produits fermentés et surtout dans les produits animaux.

Les aliments purifiés dans notre alimentation (sucre, matières grasses, farine blanche) privent l'organisme de ces micronutriments parce qu'ils ont été éliminés au cours du raffinage. On trouve, par exemple, trois à quatre fois plus de vitamines du groupe B dans la farine complète que dans la farine blanche. De plus, toutes ces vitamines ne sont pas entièrement stables et peuvent être détruites ou perdues au cours des procédés de fabrication ou des traitements culinaires. Même si un déficit d'apport en vitamines ne s'extériorise pas par des signes cliniques particuliers, on ne peut exclure que cet appauvrissement des aliments ait des conséquences sur l'organisme, sur le vieillissement cérébral ou sur le développement des maladies cardio-vasculaires par exemple. Plutôt que de supplémenter les produits alimentaires en vitamines B pour restaurer les pertes (la plupart de ces vitamines ont une très faible toxicité), il est sans doute préférable d'essayer de préserver la complexité des aliments naturels pour disposer de la plus grande panoplie possible de micronutriments.

Les vitamines, que l'on peut considérer comme des micronutriments indispensables au métabolisme cellulaire, peuvent aussi jouer des rôles complexes, à la façon des hormones ou des médiateurs cellulaires, pour réguler le fonctionnement de l'organisme. C'est le cas, par exemple, de la vitamine A qui assure la protection et la différenciation des épithéliums ou de la vitamine D qui favorise l'absorption, le transport ou la fixation du calcium dans les os. Par le biais de leurs métabolites spécifiques, ces vitamines modulent le fonctionnement cellulaire comme d'autres effecteurs (hormones, facteurs de croissance, médiateurs lipidiques).

Un faible apport alimentaire de vitamine D ainsi qu'un ensoleillement insuffisant pour la synthèse cutanée de cette vitamine peuvent avoir des répercussions négatives non seulement sur la fixation du calcium osseux, mais aussi sur la prévention des cancers. De même, une alimentation pauvre en vitamine A (manque de lait, beurre, œufs, poisson, foie), en produits végétaux colorés (riches en caroténoïdes précurseurs de la vitamine A) peut altérer des fonctions aussi fondamentales que la vision, la croissance ou les défenses immunitaires. Par ses puissants effets de différenciation cellulaire (une cellule qui acquiert sa fonction spécifique ne deviendra pas cancéreuse), la vitamine A *via* ses métabolites constitue un facteur de protection pour de nombreux tissus (peau, poumons). Les impacts physiologiques des vitamines A et D sont certainement renforcés par d'autres micronutriments, en particulier ceux qui neutralisent diverses molécules agressives. Puisque ces vitamines exercent des effets protecteurs puissants au sein de l'organisme, leur apport en quantité élevée pourrait sembler intéressant, mais il existe des risques de toxicité en cas d'administration trop élevée.

Dans les pays occidentaux, les carences sévères en vitamines sont donc devenues très rares, mais cela ne signifie pas que leur apport soit optimal pour la santé. La stratégie la plus sûre est de conserver la richesse naturelle des aliments en vitamines. Ni l'appauvrissement des aliments dans une chaîne alimentaire productiviste, ni leur enrichissement artificiel ne constituent une approche sûre pour bien traiter la problématique des apports en vitamines comme celle des autres micronutriments.

Longtemps le public a été sensibilisé à l'importance des vitamines, sachant que ce sont des molécules entièrement indispensables au fonctionnement de l'organisme. Cependant, le concept de vitamines étant trop réducteur, il tend à être remplacé par le terme de micronutriments. Néanmoins, beaucoup de micronutriments qui s'avèrent utiles dans la nutrition préventive ne revêtent pas les mêmes caractères essentiels spécifiques aux vitamines. Les nutritionnistes ont eu une grande difficulté à faire admettre l'importance de nombreux microconstituants dont la fonction ne pouvait être identifiée à des vitamines, pourtant ces composés sont largement responsables de l'effet santé des produits végétaux.

BIEN SE PROTÉGER POUR VIVRE PLEINEMENT SA VIE

La découverte de l'importance des agressions dues aux divers radicaux libres ou au métabolisme oxydatif caractéristique de la vie cellulaire a permis d'élucider le rôle protecteur de nombreux micronutriments et leur importance dans le maintien de la santé. Si la respiration est étroitement associée à la vie, paradoxalement le simple fait de respirer, d'oxyder des substrats dans la mitochondrie entraîne une production d'espèces oxygénées réactives et par la suite de radicaux libres potentiellement délétères pour de nombreux constituants cellulaires. Ces molécules réactives sont susceptibles de jouer divers rôles physiologiques en particulier comme médiateurs cellulaires. Elles peuvent également participer aux systèmes de défense en détruisant des agents pathogènes ou être directement impliquées dans le développement normal d'un processus inflammatoire. De plus, il existe aussi des sources exogènes de radicaux libres, liées au tabagisme, à la pollution, à l'utilisation de diverses drogues, à la contamination par des pesticides, qui nécessitent un renforcement des défenses de l'organisme afin d'éviter le développement de processus pathologiques. Les effets délétères de ces molécules réactives peuvent conduire à la désorganisation des structures membranaires, à l'oxydation de certaines classes de lipides impliqués dans le développement de l'athérosclérose, à l'altération de certaines protéines, ou même de l'ADN, ce qui est souvent une étape importante du processus cancéreux.

Sans des systèmes efficaces de détoxification des radicaux libres et des espèces oxygénées réactives, la vie cellulaire serait impossible. Heureusement, les organismes vivants disposent de ces systèmes de défense, principalement des enzymes fonctionnant avec des oligo-éléments (zinc, sélénium, cuivre, fer, manganèse) ou des molécules protectrices synthétisées par les cellules. De plus, les cellules possèdent des mécanismes de réparation de l'ADN très efficaces. Certes, les organismes ont acquis des systèmes de défense de base, mais le monde animal a également emprunté au monde végétal (particulièrement exposé aux radicaux libres) une large gamme d'antioxydants (vitamine C, E, polyphénols, caroténoïdes...). Ainsi, l'homme est devenu tributaire pour sa longévité de ces antioxydants d'origine végétale. La diversité des micronutriments du monde végétal permet d'élargir la gamme de protection possible contre un très grand nombre d'espèces moléculaires. Chaque micronutriment peut lui-même épargner un autre antioxydant ou renforcer son action.

Il y a ainsi dans l'organisme un savant équilibre entre, d'un côté, la production de radicaux libres par diverses activités cellulaires et, d'un autre côté, les systèmes de protection. Cette balance dite du « stress oxydant* » peut être déséquilibrée par un excès de production radicalaire et/ou par une protection insuffisante. Lorsque les systèmes de défense antioxydante ne suffisent pas à maîtriser la production de radicaux libres, les risques d'altération cellulaire, de vieillissement sont fortement accrus. Néanmoins une certaine usure cellulaire est inévitable, de plus le vieillissement lui-même contribue à diminuer l'efficacité des systèmes de défense. Ainsi, il existe des situations où les diverses lignes de défense sont dépassées face à une production anormale de radicaux libres.

On observe donc que le stress oxydant est impliqué dans le développement d'un très grand nombre de pathologies (inflammatoires, cardio-vasculaires, neurodégénératives, rénales, oculaires, respiratoires, cancers). Cependant, même si les radicaux libres sont responsables d'un des facteurs initiaux de déclenchement, l'origine de la plupart des maladies n'en demeure pas moins multifactorielle. De plus, de nombreuses maladies, en particulier inflammatoires, induisent elles-mêmes le développement d'un stress oxydant.

La protection oxydante est donc une problématique complexe, et il ne s'agit pas de vouloir expliquer l'entière origine des pathologies par un concept réducteur. Le paradoxe est également que les radicaux libres font partie intégrante du

---

* Voir également le glossaire.

fonctionnement cellulaire, en particulier comme source de médiateurs divers. Par ailleurs, les micronutriments qui ont des vertus antioxydantes n'exercent pas seulement leurs effets bénéfiques en empêchant la production radicalaire, ils peuvent agir par bien d'autres mécanismes d'action. Alors que la protection antioxydante a une réalité physiologique essentielle, il est très difficile de mettre en évidence les effets bénéfiques de l'administration d'antioxydants isolés. Ainsi, bien que les fruits et légumes soient une source essentielle d'antioxydants, on ne peut réduire leur rôle à cet apport. L'intérêt d'une alimentation naturelle n'est pas de bloquer au maximum la production radicalaire, mais d'assurer une sécurité antioxydante et de faciliter le fonctionnement de l'organisme par les effets cellulaires d'un grand nombre de micronutriments.

LE PARADOXE DES ANTIOXYDANTS

Parce que les vitamines C et E ont des atouts considérables, les chercheurs ont essayé d'inonder l'organisme avec des doses vingt à cinquante fois plus élevées que les apports naturels sans résultats physiologiques significatifs. Cela montre à quel point l'organisme possède des systèmes de régulations complexes (et il est sans doute heureux que l'homme ne puisse pas disposer de leviers puissants pour contrôler ses propres processus de vieillissement). Néanmoins, le rôle de la vitamine E est loin d'être négligeable puisqu'elle est indispensable à une bonne fertilité et qu'elle joue un rôle fondamental pour le maintien de l'intégrité des membranes cellulaires. Cette vitamine E est absorbée et transportée avec les lipides et elle protège ainsi les structures riches en lipides de l'organisme et donc le cerveau ou les lipoprotéines circulantes. Cependant, il ne suffit pas d'administrer des doses élevées de vitamine E pour prévenir sûrement les pathologies cardio-vasculaires ou neurodégénératives. C'est bien là le paradoxe des antioxydants qui concerne également les effets de la vitamine C.

L'acide ascorbique est essentiel à la neutralisation des radicaux libres dans les milieux intracellulaires et il aide ainsi à la régénération des antioxydants liposolubles. Lorsque l'on absorbe, à trop forte dose, de la vitamine C en comprimés, l'absorption intestinale est vite saturée, et les reins accélèrent son élimination.

Ayant conservé l'équipement génétique de notre ancien statut de chasseurs-cueilleurs, nous avons un besoin très élevé de vitamine C (de plus de 100 mg par jour), que seule une consommation généreuse de fruits et légumes peut satisfaire. La diversité des effets biologiques de la vitamine C est considérable. Elle participe à la synthèse du collagène et à la production de neurotransmetteurs, elle exerce aussi un rôle favorable sur l'ossification, améliore la digestibilité du fer d'origine végétale, stimule le métabolisme énergétique et facilite l'élimination du cholestérol. Ses divers effets métaboliques, son pouvoir antioxydant lui confèrent une activité protectrice primordiale au niveau cardio-vasculaire. Son effet protecteur vis-à-vis du cancer provient non seulement de son pouvoir antioxydant, mais aussi de sa capacité – qu'elle partage avec les polyphénols de divers fruits et légumes – à inhiber la formation endogène de nitrosamines (à partir des nitrates et des nitrites), l'un des agents cancérigènes les plus puissants de l'estomac.

Bien que la vitamine C naturelle ou de synthèse ait, à dose identique, sensiblement les mêmes biodisponibilités, la vitamine C ajoutée dans certains aliments stérilisés tels que le lait contribue à la formation de produits indésirables par réaction avec divers constituants. Les enfants et les adolescents ont tendance à délaisser les fruits et légumes frais, et la tentation est donc grande de leur proposer des aliments enrichis comme les jus de fruits industriels, les céréales de petit déjeuner ou encore les produits laitiers, ce qui ne leur apportera pas les mêmes bienfaits que la vitamine C naturelle consommée avec les fruits et les légumes frais, et associée à d'autres micronutriments protecteurs.

DE L'UTILITÉ D'UN TEINT CAROTTE

Les caroténoïdes sont, avec la chlorophylle et les anthocyanes, les pigments les plus répandus dans la nature. Ils sont présents dans tous les organes des végétaux. Ainsi, on les trouve dans les feuilles (chou, épinard, salade, persil), dans les racines ou tubercules (carotte, patate douce), dans certaines graines (maïs), dans divers fruits (tomate, poivron, potiron, pastèque, melon, abricot, mangue, goyave, etc.). On a longtemps cru que leur rôle se limitait à la synthèse de la vitamine A dont on

connaît le rôle indispensable. Effectivement, certains caroténoïdes (comme le bêtacarotène de la carotte) servent à la synthèse
de cette vitamine, et l'efficacité de cette conversion est d'autant
plus importante que l'ingestion de vitamine A est faible. Par
ailleurs, les caroténoïdes ont l'avantage de ne pas être toxiques,
et une consommation équilibrée de fruits et légumes diminue les
besoins en vitamine A ou peut même la remplacer. Des études
épidémiologiques montrant l'influence favorable de la consommation de fruits et légumes riches en caroténoïdes pour la prévention de certaines pathologies dégénératives ont relancé l'intérêt porté à ces phytomicronutriments. En effet, les caroténoïdes
exercent des effets spécifiques différents de ceux de la vitamine
A. En association avec d'autres micronutriments, le lycopène,
abondant dans la tomate, pourrait jouer un rôle dans la prévention du cancer de la prostate. D'autres caroténoïdes tels que la
lutéine sont des pigments indispensables pour la prévention de la
dégénérescence maculaire à l'origine de beaucoup de cécités.
Une alimentation très riche en caroténoïdes contribue à protéger
la peau des risques du cancer induit par l'exposition au soleil.
Les capacités d'absorption des caroténoïdes peuvent différer fortement selon les individus, et la possibilité de développer un
«teint carotte» est sans doute très variable. Afin que la chaîne de
protection complexe exercée par les caroténoïdes et la vitamine A
puisse se manifester de façon optimale, il est donc important de
disposer d'un large éventail de ces micronutriments. Cependant,
l'administration à dose élevée de bêtacarotène s'est révélée plutôt
dangereuse pour la santé, ce qui est une nouvelle illustration du
paradoxe des antioxydants. Par contre dans les fruits et légumes,
les caroténoïdes ne présentent aucun risque de toxicité, bien au
contraire. La recherche de la pilule miracle est encore présente
dans beaucoup d'esprit. Quelle naïveté d'essayer de reproduire,
par exemple par un seul caroténoïde, la complexité d'un légume
vert riche de ses chloroplastes équipés d'une batterie impressionnante de micronutriments pour assurer la photosynthèse. En
plus des caroténoïdes, ces chloroplastes sont riches en vitamine
E et en chlorophylle dont on n'a pas suffisamment exploré l'intérêt nutritionnel. Dans les légumes foliaires, la vitamine B9 ou
acide folique vient renforcer les effets protecteurs des autres

phytomicronutriments. Ainsi, une bonne alimentation passe par une utilisation généreuse de fruits et de légumes réellement colorés (autrement que par l'apparence extérieure), et cela constitue un enseignement simple et fort utile.

LES POLYPHÉNOLS EN PLEINE LUMIÈRE

Avec plus de 5 milles molécules, le monde des polyphénols est parmi le plus extraordinaire dans le domaine des micronutriments. Ces polyphénols qui caractérisent la diversité du vin, du chocolat, du thé, sont en fait répandus dans tout le règne végétal mais ne sont pas nécessairement visibles au premier aspect. Quand une tranche d'avocat, de pomme ou de pomme de terre brunit lentement à l'air libre, cela permet de mettre en évidence la présence de polyphénols fraîchement oxydés.

Avant leur récente notoriété, l'intérêt nutritionnel des polyphénols a longtemps été négligé. Ce sont pourtant les antioxydants les plus abondants des aliments. De plus, l'homme en consomme environ 1 g par jour, soit dix fois plus que la vitamine C et cent fois plus que la vitamine E ou les caroténoïdes. Les polyphénols sont présents dans toutes les plantes, mais leur nature et leur teneur varient fortement d'une espèce à l'autre.

Les acides phénoliques, dont le plus célèbre a conduit à la synthèse de l'aspirine, sont largement distribués dans les aliments et les boissons (tel l'acide caféique du café), de même que les flavonoïdes qui ont une structure moléculaire plus complexe. Certains de ces flavonoïdes sont spécifiques des diverses espèces botaniques ou variétés, présents principalement dans les agrumes, le thé ou les produits du soja par exemple. Les anthocyanes de couleur bleue, rouge, violette, si abondantes dans divers fruits et quelques légumes, ne font pas que barbouiller les joues des enfants ou tacher les vêtements, elles exerceraient des effets très bénéfiques sur le système circulatoire et même sur la protection du cerveau. D'autres molécules (tanins), au joli nom scientifique de proanthocyanidines, sont responsables du goût amer et astringent retrouvé dans un très grand nombre de produits : kakis, pommes à cidre, vin, thé, chocolat.

Afin d'explorer le rôle protecteur des polyphénols, présents en quantités très variables dans les produits végétaux et les boissons, il est nécessaire de comprendre leur devenir dans l'organisme. En effet, le niveau d'absorption intestinale, le métabolisme et les propriétés biologiques varient très largement d'un polyphénol à l'autre, et les composés les plus abondants dans les régimes ne sont pas nécessairement les plus actifs dans l'organisme. Les effets biologiques des divers polyphénols et notamment des flavonoïdes ne peuvent être réduits à leur rôle antioxydant. Ainsi, les produits du soja sont riches en isoflavones qualifiées de phyto-œstrogènes parce qu'elles présentent des propriétés qui s'apparentent lointainement à celles des œstrogènes naturels. Ces phyto-œstrogènes pourraient jouer un rôle intéressant pour la prévention de l'ostéoporose et du cancer du sein. Les populations asiatiques, grandes consommatrices de soja, semblent beaucoup moins sujettes à ce type de cancer. D'autres produits végétaux (céréales complètes, légumes secs, graines de lin) contiennent d'autres sources de phyto-œstrogènes (appelées lignanes). Plusieurs types de polyphénols peuvent avoir des propriétés anti-inflammatoires, antivirales, anticarcinogènes, modifier l'activité d'enzymes cellulaires, affecter les mécanismes de division cellulaire. Ces micronutriments forment, pour l'organisme, une sorte de pharmacopée nutritionnelle dont il est difficile d'apprécier le bénéfice, compte tenu de la diversité de leurs actions, à l'inverse d'un médicament qui a une action bien ciblée. En attendant d'en savoir plus, ne nous privons surtout pas de fruits rouges pour leur richesse en anthocyanes, de thé vert, de chocolat noir, de cidre ou de vin (avec modération) pour leur richesse en tanins, de pommes rustiques plus riches en polyphénols que certaines variétés récentes, de fruits et légumes.

Bien d'autres micronutriments (composés soufrés, terpènes, saponines, phytostérols) sont susceptibles d'avoir des rôles biologiques intéressants. Les épices, les herbes, les aromates dont l'intérêt n'est pas seulement de donner du goût aux aliments, sont particulièrement riches en micronutriments. Par ailleurs, il ne faut pas oublier que les produits comestibles contiennent aussi des substances potentiellement toxiques, mais l'organisme semble maîtriser leur neutralisation. Chaque famille botanique apporte des micronutriments spécifiques dont il est difficile de faire une description exhaustive. Assumer sa condition d'omnivore consiste donc à opérer des choix alimentaires variés en produits animaux et végétaux complémentaires pour l'apport d'énergie ou la fourniture d'une large gamme de micronutriments. Cela correspond d'ailleurs à la culture nutritionnelle d'un grand nombre de peuples autour du Bassin méditerranéen et dans de nombreuses régions du monde.

Cette condition d'omnivore, ce contact, cette imprégnation naturelle des organismes avec la diversité moléculaire des aliments naturels est de plus en plus mal assurée par l'écran de l'offre agroalimentaire, riche en produits énergétiques, en arômes de synthèse. Il y a donc une nécessité à faire évoluer la chaîne alimentaire vers la distribution le plus complète possible de tous les aliments naturels dans leur complexité.

La nutrition préventive à l'échelle d'une vie

Grâce aux avancées scientifiques dans le domaine épidémiologique et à la compréhension du rôle des nutriments et des micronutriments, notre vision de l'alimentation a fortement changé. Nous sommes passés en vingt ans d'une discipline élémentaire dont le but était de satisfaire les besoins nutritionnels par des apports alimentaires appropriés à une discipline complexe dont les pages ne sont pas encore entièrement écrites puisqu'il s'agit de comprendre comment et pourquoi l'alimentation joue un rôle essentiel dans le maintien de la santé. La nutrition préventive, en plus de son impact pour aider à bien vieillir, pour réduire les risques de survenue de maladies chroniques, a certainement un effet intéressant sur le bien-être, et ce type de bénéfice doit également être mieux cerné. Ainsi, les liens entre nutrition et médecine préventives sont loin d'avoir été bien explorés et pourraient prendre une place majeure dans la gestion à venir des problèmes de santé. Dans les approches actuelles les plus courantes, le maintien d'un clivage entre les recherches concernant l'alimentation et celles du domaine de la santé ne permet pas de progresser avec le maximum d'efficacité pour exprimer le potentiel de la nutrition préventive.

Bien s'alimenter pour bien se porter, cela revient à assurer le bon fonctionnement de l'ensemble des organes par un apport de nutriments et micronutriments appropriés et à prévenir ainsi l'apparition des pathologies. Cependant, une des erreurs les plus classiques est de réduire la nutrition à la satisfaction des apports de chacun des nutriments et des micronutriments sans comprendre la dynamique inhérente à l'effet des aliments et des régimes alimentaires. En effet les divers modes alimentaires exercent des effets santé spécifiques qu'il est difficile d'expliquer par des analyses trop simplificatrices des apports nutritionnels. Néanmoins la connaissance des divers besoins s'est révélée utile à la gestion générale de l'alimentation humaine. Il est nécessaire cependant que le consommateur ne soit pas guidé seulement par des indications descriptives. Il devrait pouvoir bénéficier de recommandations alimentaires d'ensemble avec des règles et des explications compréhensives.

UN CAPITAL SANTÉ À ACQUÉRIR PRÉCOCEMENT

L'impact de la nutrition sur la santé se décline à l'échelon de la vie entière, mais il est facile de comprendre l'importance de certaines étapes clés dans le devenir de l'homme. Sans que nos connaissances soient suffisamment précises, la fertilité humaine et le développement fœtal sont très dépendants d'un bon environnement nutritionnel. De nombreuses observations ont fait état d'une baisse sensible de la densité en spermatozoïdes chez l'homme ; est-ce lié au mode de vie, à la nutrition, à l'environnement ? Cette question est ouverte, l'abondance des calories vides est sans doute peu favorable à une bonne spermatogenèse. De plus la pollution environnementale exerce peut-être des effets néfastes à long terme sur la reproduction encore insoupçonnés.

Autant il est facile de montrer les effets négatifs de la malnutrition, de l'alcool, du tabagisme, de l'obésité sur le devenir du fœtus, autant il est difficile de mettre en évidence la totalité des effets bénéfiques exercés par une nutrition adaptée à l'état de gestation (dans tous les cas, l'organisme maternel se mobilise au maximum pour satisfaire les besoins du fœtus). Il est frappant que la malnutrition fœtale conduisant à des bébés de très faible poids à la naissance puisse induire une prédisposition chez l'adulte à la survenue de l'obésité et du diabète dans un nouvel environnement trop riche en énergie. Le déterminisme d'une telle influence n'est pas connu, une hypothèse probable serait l'implication de facteurs épigénétiques, aboutissant à la modulation durable de l'expression des gènes vers une plus forte sensibilité aux maladies dites de civilisation. Il est notable que l'essentiel des recherches en nutrition préventive ait porté sur l'influence de l'alimentation dans les processus de vieillissement durant l'âge adulte alors que l'avenir de nos cellules se construit plus précocement.

Les bienfaits de l'allaitement maternel pour la physiologie du bébé n'ont plus à être démontrés, cependant la qualité de cette nutrition infantile est fortement tributaire de la bonne alimentation de la mère. Sans un apport équilibré en acides gras essentiels dans son régime, l'organisme maternel a de la difficulté à fournir les acides gras indispensables au développement cérébral du bébé. C'est ainsi qu'on a pu noter l'influence des matières grasses consommées sur la qualité du lait maternel. Même si sa composition n'est pas toujours idéale du fait des déséquilibres éventuels de l'alimentation de la mère, le lait maternel demeure dans la majorité des cas mieux adapté à la physiologie du nourrisson que les laits 1er âge, pourtant élaborés en vue de reproduire le lait maternel. De plus l'allaitement au sein contribue à prévenir la prévalence des allergies alimentaires qui est très fréquente durant les quatre premières années de la vie.

Le capital santé des enfants et adolescents s'élabore à partir d'une multitude de facteurs génétiques, nutritionnels, affectifs, sociaux que l'on a coutume de considérer séparément alors qu'ils forment un tout fort complexe et intimement imbriqué. Parce que le goût des jeunes est loin d'être formé, parce qu'ils ont besoin de vaincre leur néophobie alimentaire, parce qu'ils sont attirés facilement par des aliments riches en calories vides, parce qu'ils ont des besoins très élevés, l'alimentation actuelle des jeunes générations pose de graves problèmes en termes d'élaboration de la santé sur le long terme. Certes, les conséquences de mauvais régimes alimentaires sont déjà visibles avec l'augmentation de la surcharge pondérale qui touche plus d'un enfant sur dix, mais, dans la majorité des cas, une certaine malnutrition n'est pas facile à détecter et ne se traduira que quelques dizaines d'années plus tard par une plus forte propension à diverses pathologies. Si l'adolescent s'expose au tabagisme et consomme fort peu de fruits et légumes, il est bien probable que cela ait des répercussions très négatives sur son état de santé ultérieur. Il est remarquable aussi que l'abondance alimentaire ait contribué à améliorer sensiblement la taille des nouvelles générations. En fait l'impact des facteurs environnementaux sur l'élaboration de la santé durant la jeunesse est encore bien peu étudié. Même s'ils veulent parfois se démarquer de leurs parents et s'ils ont des besoins différents, les enfants et les adolescents ont un comportement alimentaire fortement dépendant de l'environnement familial, lequel d'ailleurs les imprégnera longtemps. Encore une lourde responsabilité à assumer de la part des parents qui doivent aussi assurer la santé à venir de leur progéniture par des choix alimentaires éclairés.

ADOPTER UN RÉGIME DE CROISIÈRE

Même si la santé se construit dès le jeune âge et durant toute la jeunesse, il est important de comprendre le rôle considérable de la nutrition dans le vieillissement et la survenue des pathologies. Nous réagissons aux facteurs environnementaux en fonction de nos équipements génétiques. L'importance des facteurs génétiques dans la survenue des pathologies ou dans le vieillissement pourrait conduire à minimiser l'influence des facteurs nutritionnels. Cet argument est souvent donné, dans un esprit de facilité, pour s'abstraire des contraintes liées aux recommandations nutritionnelles. Il est possible et parfois prouvé qu'en fonction de leur équipement génétique les hommes sont plus ou moins aptes à utiliser fortement les protéines, à détoxifier l'alcool ou d'autres drogues telles que le tabac, à digérer le lait, à consommer abondamment certains aliments tels que des produits à base de soja. Toutefois il est inutile de mettre l'accent sur les différences génétiques dans les réponses digestives ou métaboliques de l'homme alors que par ailleurs une très large majorité de populations présente les mêmes réponses favorables à une alimentation équilibrée. Par contre, il est compréhensible que les populations soient mieux adaptées aux ressources agricoles présentes dans leur région d'origine.

Qu'est-ce qui cause le vieillissement ? On ne le sait pas exactement, et les théories prolifèrent sur ce sujet pour montrer les limites de la vie ou des divisions cellulaires. Le rôle des facteurs génétiques dans le fonctionnement de l'horloge biologique, déterminant la longévité humaine, ne fait aucun doute, mais il existe bien d'autres facteurs capables d'accélérer le vieillissement. On confond souvent le vieillissement normal avec les maladies liées à l'âge, les seules qui posent problème. En vieillissant, l'efficacité des organes diminue, mais avec des vitesses variables selon les individus. Néanmoins nous sommes de plus en plus sujets aux maladies qui accompagnent le vieillissement (maladies cardiovasculaires et arthritiques, cancers, ostéoporose, pathologies neurodégénératives). On pourrait considérer que ces pathologies sont la rançon de la longévité, en fait leur prévalence augmente fortement en fonction de la présence de conditions de vie ou de facteurs nutritionnels défavorables. Même si l'efficacité des systèmes de défense diminue en vieillissant, il n'est pas inéluctable d'être atteint d'un cancer ou de souffrir d'un diabète en devenant vieux, la vieillesse est sûrement un naufrage de beaucoup de fonctions, ce qui est fort éloigné de l'étiologie de nombreuses pathologies.

En raison de la longévité humaine, le métabolisme énergétique est plus ou moins directement à l'origine de nombreuses maladies métaboliques. Une des clés de la prévention est sûrement de ne pas mettre l'organisme en position de lutter contre les excès d'énergie, ce qu'il ne sait pas bien faire et pour quoi il n'a pas été sélectionné. L'évolution a favorisé la sélection des gènes qui maintenaient la survie et préservaient les capacités de reproduction dans des conditions difficiles, de privation alimentaire par exemple, et ces gènes d'épargne pourraient jouer maintenant un rôle néfaste en favorisant un stockage effréné des substrats énergétiques. L'espèce humaine n'a jamais été placée durablement dans la nécessité de s'adapter à des apports énergétiques excessifs ; il est compréhensible que cela lui occasionne beaucoup de troubles. Une des recommandations les plus sûres pour prévenir les pathologies liées au vieillissement concerne donc une certaine sobriété énergétique, ce qui n'exclut pas d'avoir une alimentation très abondante en volume par le biais des fruits et légumes peu caloriques. Cependant, il existe une inégalité patente dans les réponses individuelles aux excès alimentaires et leurs conséquences sur la santé.

La seconde clé pour la prévention des maladies du vieillissement concerne la qualité de la fraction non énergétique qui doit accompagner les apports caloriques. Or la maîtrise de la densité en micronutriments est le maillon faible de la chaîne alimentaire des pays occidentaux. Si les hommes et les femmes, adaptés à la sédentarité, mangent peu et si leur nourriture est riche en composés purifiés, un tel état de pauvreté nutritionnelle ne peut suffire à la gestion de la santé. Manger peu et consommer des aliments appauvris en micronutriments n'est pas une solution pour assurer un bon état nutritionnel.

Cependant la pire des situations est de soumettre l'organisme à des excès caloriques sans une protection par un ensemble équilibré de micronutriments. Avec une absorption trop forte d'énergie, la glycémie est en permanence trop élevée même si cela ne se traduit pas par un diabète avéré. L'obligation faite à l'organisme de brûler le glucose en compétition avec les acides gras entretient une sorte de gluco- et lipo-toxicité favorable au vieillissement. Cependant, il est également préjudiciable, pour être en forme et en bonne santé, de maintenir l'organisme en situation d'hypoglycémie par un état de sous-nutrition énergétique. Une restriction énergétique sévère, imposée chez les sportives ou résultant de phobies alimentaires chez d'autres femmes, contribue souvent à perturber les cycles sexuels, ce qui est une démonstration de la nécessité d'un certain bien-être énergétique. La conduite de la nutrition préventive exige donc un juste équilibre pour éviter les répercussions négatives des excès ou des carences énergétiques. Les conséquences des déséquilibres de la balance énergétique, quel que soit leur sens, sont aggravées par une mauvaise disponibilité en micronutriments ou en divers facteurs de protection (acides gras ou acides aminés essentiels).

Si le domaine de la nutrition préventive ne s'est pas encore suffisamment développé, c'est pour les nombreuses raisons déjà évoquées, principalement liées à la difficulté d'intégrer et de relier à long terme les connaissances en nutrition et l'évolution des processus pathologiques, mais aussi de faire la part entre l'influence des facteurs génétiques et celle des facteurs environnementaux dans notre devenir. Malgré ces difficultés et la très grande diversité des polymorphismes génétiques qui singularisent nos réponses physiopathologiques, il ressort qu'il n'y a pas une bonne façon de bien se nourrir pour prévenir le diabète et les maladies cardiovasculaires, une autre pour diminuer les risques de cancer et encore une autre pour réduire l'incidence de l'ostéoporose. Cependant, il existe des spécificités pour chaque pathologie avec des circonstances étiologiques qui peuvent sembler particulières. Cela permet de souligner que la composante nutritionnelle n'est pas le seul élément dans le développement et la prévention de beaucoup de pathologies d'organes. Il n'en demeure pas moins que les bases d'une bonne nutrition restent communes à la prévention de nombreuses pathologies. Cependant, parmi la multitude des facteurs nutritionnels, la nature des facteurs de protection directement impliqués dans la prévention des processus pathologiques peut varier selon le type de maladies.

La maîtrise de tous les éléments de la nutrition préventive peut sembler très difficile ; cependant, nous avons à notre portée une parade nutritionnelle d'une efficacité reconnue, parfois étonnante, pour réduire l'incidence des pathologies majeures. Et il est heureux qu'une même et bonne façon de s'alimenter convienne à la prévention d'un ensemble de maladies !

NOURRITURE ET CŒUR, UNE HISTOIRE D'AMOUR

Les maladies cardio-vasculaires constituent la première cause de mortalité dans les pays industrialisés. Après avoir été longtemps un problème de riches, l'athérosclérose (sclérose de la paroi artérielle) touche largement les couches défavorisées des pays développés, comme la population des pays en voie de développement. Les facteurs de risque sont bien connus (hypercholestérolémie, hypertension, tabagisme, diabète, obésité, inactivité physique). L'alimentation est de toute évidence un facteur déterminant pour la prévention de ces maladies. D'ailleurs, c'est pour cette pathologie que les études de prévention nutritionnelle ont été les plus approfondies. Le succès de cette prévention a été révélé par l'efficacité des régimes méditerranéens et présenté initialement comme un « paradoxe français ». De quoi s'agit-il : malgré une forte consommation de matières grasses, une partie de la population française était mieux protégée des pathologies cardio-vasculaires que les peuples du nord de l'Europe ou les Américains. Curieusement dans un premier temps, l'accent fut mis sur l'efficacité de la consommation de vin rouge et d'huile d'olive plutôt que sur celle des fruits et légumes. En fait, les facteurs de protection impliqués sont nombreux (fibres alimentaires, oméga-3, antioxydants, phytomicronutriments, etc.), et les diverses populations du Bassin méditerranéen en bénéficient. Le respect de la pyramide alimentaire de type méditerranéen permet de retarder les accidents coronaires vers les phases les plus avancées du vieillissement. Ce modèle d'alimentation utilise une très grande diversité de produits végétaux, relativement peu de viandes ; la consommation de poissons est plutôt élevée, l'apport en acides gras est équilibré, et les apports globaux en micronutriments sont abondants et diversifiés. Il est évidemment possible de s'appuyer sur ce type d'alimentation ou d'autres modèles tout aussi protecteurs, en Asie par exemple, pour l'adapter aux ressources alimentaires disponibles dans les diverses régions et généraliser ainsi une prévention nutritionnelle efficace. Il est évident que des modèles de prévention peuvent être élaborés avec des ressources alimentaires bien différentes ; l'huile d'olive, le vin, les poissons ne sont pas en soi indispensables à la prévention dans la mesure où un ensemble d'autres produits peut fournir une gamme similaire de facteurs de protection. (Il vaut mieux, par prudence, ne pas négliger la consommation de poissons pour se protéger du risque cardio-vasculaire.) Il est important de bien comprendre les mécanismes du développement de l'athérosclérose afin de les contrer au mieux par des mesures nutritionnelles appropriées.

De très nombreuses études ont cherché à mettre en lumière les mécanismes sous-jacents de l'évolution des maladies cardio- et cérébro-vasculaires. Historiquement, les recherches ont été centrées sur le rôle des acides gras et du cholestérol. La théorie lipidique a permis de mettre en évidence le rôle athérogène des acides gras saturés joints au cholestérol, engendrant des dérives vers une phobie du cholestérol alimentaire alors que ce composé est largement synthétisé par l'organisme. En opposition à cette dérive, certains acteurs de la santé, encouragés par les lobbies, en arrivent à marginaliser des mesures diététiques de base pourtant efficaces contre le risque de surconsommation de produits animaux riches en graisses saturées ou en cholestérol. Des conseils diététiques de modération sont d'autant plus efficaces qu'ils sont relayés par des recommandations positives sur l'apport d'huiles végétales pour équilibrer la nature des acides gras et la consommation de produits végétaux riches en fibres indispensables à l'élimination du cholestérol.

À l'exception de quelques cas d'hypercholestérolémie d'origine génétique, il est relativement facile de contrôler la cholestérolémie, de disposer d'une répartition équilibrée du cholestérol dans les lipoprotéines par une alimentation de type méditerranéen ou qui peut être assimilée à ce modèle. Manger en abondance des fruits et légumes, consommer du pain complet plutôt que du pain blanc, cuisiner avec des huiles végétales sélectionnées pour l'équilibre des acides gras et l'apport en micronutriments (huiles vierges), modérer la consommation de sucres et de produits animaux riches en acides gras saturés, ne constitue pas une ligne de conduite alimentaire bien difficile ou compliquée. Pourtant une approche médicamenteuse s'est largement développée sur le principe un peu simple qu'il était plus facile et plus sûr d'intervenir par la pharmacologie plutôt que par la nutrition. On oublie simplement dans ce raisonnement que la nutrition préventive résout bien d'autres problèmes que l'homéostasie du cholestérol. Même si la nature du cholestérol circulant intervient dans les dépôts lipidiques présents sur la paroi de certaines artères, cela ne suffit pas à enclencher le processus pathologique aboutissant aux accidents circulatoires.

Une autre théorie complémentaire de la théorie lipidique a attribué un rôle clé à l'oxydation de certaines lipoprotéines qui a lieu au sein de la paroi artérielle lorsqu'elle est le siège d'une production d'espèces oxygénées réactives. L'altération des acides gras insaturés analogue au rancissement des graisses (intitulé peroxydation) joue effectivement un rôle très dommageable pour la paroi artérielle. Ce processus contribue à mobiliser certains types de cellules sanguines afin qu'elles jouent un rôle d'éboueur vis-à-vis des lipoprotéines altérées riches en cholestérol. Cette voie d'élimination des lipoprotéines oxydées revêt un rôle déterminant dans la formation de la plaque d'athérome. Ces peroxydations sont fortement favorisées par le tabagisme et/ou le manque d'antioxydants, cependant la simple administration médicamenteuse d'antioxydants ne suffit pas à assurer une bonne prévention des maladies cardio-vasculaires.

Patiemment les chercheurs ont élaboré une théorie plus globale qui permet de mieux relier l'étiologie des pathologies cardio-vasculaires aux modes alimentaires. D'après les théories actuelles, ces pathologies correspondent à un dysfonctionnement global de la paroi (endothéliale) des vaisseaux en relation avec la complexité des éléments du système circulatoire. Les lipides ingérés sont susceptibles d'agresser l'endothélium vasculaire, or, dans une journée, les périodes d'absorption lipidique sont plus longues que celles où nous sommes à jeun. Finalement, pour protéger la paroi des vaisseaux, pour prévenir à la fois les peroxydations lipidiques, les processus inflammatoires et diverses dysfonctions endothéliales, l'apport de substrats énergétiques en glucose, en acides gras, en certains acides aminés doit être équilibré et accompagné d'un bon environnement de minéraux et de micronutriments protecteurs.

Il est important aussi d'agir sur les facteurs nutritionnels susceptibles de prévenir la thrombose pour éviter la formation des caillots sanguins à l'origine des accidents circulatoires. Un rôle particulièrement protecteur est attribué aux acides gras à très longue chaîne présents dans la chair des poissons gras pour prévenir les infarctus du myocarde et les risques de survenue de mort subite par troubles du rythme cardiaque.

Progressivement le développement des connaissances scientifiques a donc permis d'avoir une vision beaucoup plus intégrée des liens entre nutrition et pathologie cardio-vasculaire. La prévention de ces pathologies implique la quasi-totalité des facteurs nutritionnels même si certains d'entre eux agissent plus indirectement sur la fonction endothéliale. Dans ces conditions, il est permis d'émettre quelques doutes sur la portée de la gestion de la santé par une approche principalement centrée sur la pharmacologie trop éloignée de la maîtrise des facteurs nutritionnels. Il est même surprenant de constater que des médicaments anticholestérol (de la famille des statines) peuvent être distribués sans preuve avérée d'hypercholestérolémie.

Il est remarquable d'observer à quel point l'alimentation présente deux facettes par rapport au bon fonctionnement vasculaire. D'un côté, une alimentation riche en acides gras saturés et indigente en facteurs de protection peut être notre pire ennemie, contribuer à abréger prématurément la vie d'une personne par l'accident cardiaque, lui faire perdre son autonomie, sa raison par l'accident cérébro-vasculaire ; d'un autre côté, une bonne alimentation est indispensable à la protection de nos vaisseaux sanguins, à la dynamique du cœur et des autres organes induisant ainsi un bien-être extraordinaire, une envie de bouger, de vivre, un bon état de forme. La diversité des facteurs de protection vasculaire présents dans les aliments est étonnante, et il semble que l'homme s'acharne à mal se nourrir si l'on en juge par l'incidence si élevée des pathologies vasculaires.

Les produits végétaux sont particulièrement abondants en facteurs de protection. Dans les fruits et légumes, par exemple, il semble que la quasi-totalité de leurs composés exerce des effets bénéfiques : les fibres alimentaires facilitent l'élimination du cholestérol, le potassium est un élément clé pour prévenir l'hypertension, certaines vitamines comme l'acide folique diminuent la teneur d'un facteur athérogène (homocystéine), les antioxydants participent à la prévention des peroxydations lipidiques, d'autres micronutriments protègent directement l'endothélium vasculaire, favorisent la vaso-dilatation des vaisseaux. Ces aliments permettent aussi de bien réguler le métabolisme énergétique, ce qui est favorable à la protection cardio-vasculaire. Les fruits et légumes n'ont pas le monopole de la protection, et bien d'autres aliments d'origine végétale ou animale sont de véritables amis du cœur. Il est difficile d'imaginer par exemple à quel point les légumes secs sont des aliments hypocholestérolémiants et efficaces pour la couverture des besoins nutritionnels. Il y a aussi une belle logique de protection dans la chaîne alimentaire : les céréales pourvues de la complexité de leurs fibres, minéraux et micronutriments sont plus protectrices que les céréales raffinées, les huiles vierges meilleures que les huiles raffinées, les graisses des animaux terrestres moins athérogènes lorsque ceux-ci ont bénéficié d'une alimentation naturelle de qualité, la chair des poissons sauvages bien plus bénéfique que celle des poissons d'élevage nourris avec des succédanés de nourriture marine.

L'ALIMENTATION AU SECOURS DU CERVEAU

Parce que le fonctionnement du cerveau conditionne le comportement humain, cet organe est souvent perçu comme relativement indépendant du reste de l'organisme et moins tributaire des facteurs environnementaux que les autres tissus. Sa position hiérarchique de chef d'orchestre le soustrairait à des influences nutritionnelles relativement triviales. Cependant, on sait que les carences majeures en vitamines B et E se traduisent par des signes neurologiques particuliers, et il est possible qu'avec certains régimes les apports alimentaires puissent être limitants pour le fonctionnement optimal du cerveau.

Par ailleurs, la spécificité de l'homme est de développer une activité intellectuelle, et il semble bien qu'il puisse l'assurer même dans des conditions de vie extrêmes. Le développement des maladies mentales relève d'un déterminisme particulier souvent fort éloigné de quelconques problèmes nutritionnels. Néanmoins, la qualité de l'alimentation est-elle si étrangère à la bonne marche du cerveau ? On peut en douter, le fonctionnement de l'organisme dans son ensemble ne peut être réduit à la somme des organes qui le composent, il résulte d'une dynamique interactive entre les organes, et le cerveau n'échappe pas à ces interrelations et ainsi aux diverses influences environnementales.

L'organisme humain possède la capacité de réparer les dommages subis par certains tissus. En revanche, les tissus tels que le tissu cérébral, la rétine, le cristallin ne peuvent pas être régénérés à la suite d'une lésion, ce qui conduit à une perte irréversible de leurs fonctions. Néanmoins, il a été montré récemment que certains neurones du cerveau conservaient une capacité de division, ce qui pourrait expliquer quelques processus de régénération ou de maintien cérébral. Surtout, il y a dans le cerveau humain une très grande densité de cellules, nommées les astrocytes, chargées de protéger les neurones et sur lesquelles il est sans doute possible d'agir par la nutrition. Malgré ces cellules protectrices et une certaine plasticité cérébrale, divers processus de vieillissement peuvent altérer plus ou moins irrémédiablement des fonctions du cerveau. Ainsi, l'augmentation de la longévité entraîne une élévation de la prévalence des maladies neurodégénératives (maladie d'Alzheimer, de Parkinson, dégénérescence maculaire). Ces pathologies provoquent des troubles intellectuels, visuels ou cognitifs qui sont à l'origine d'incapacités de communication, de locomotion, voire de démence. Elles constituent de lourds handicaps pour la qualité de vie de ceux qui en sont affectés et de leur entourage.

Une nourriture bonne pour le cœur est-elle bonne pour le cerveau ? Cela semble plus que souhaitable, et il s'agit en fait d'une réalité physiologique remarquable. La modification des habitudes alimentaires vers une consommation accrue de fruits et légumes, un meilleur apport d'acides gras polyinsaturés de type oméga-3, accompagnée d'une hygiène de vie générale, pourrait aider à prévenir ou à retarder l'apparition des pathologies dégénératives comme celle des maladies cardio-vasculaires.

Le vieillissement de l'individu et de son cerveau s'accompagne de modifications du comportement psychique, intellectuel et moteur dont il est parfois difficile de préciser si elles résultent d'une évolution naturelle liée à l'âge ou de maladies neurodégéneratives intercurrentes telles qu'une démence de type Alzheimer ou une maladie de Parkinson.

La maladie d'Alzheimer est la forme de démence la plus répandue, elle est caractérisée par des lésions histologiques particulières du cerveau. Au départ, des troubles de mémoire ou d'autres altérations intellectuelles propres au vieillissement sont difficiles à différencier des symptômes de cette pathologie qui affecte progressivement la mémoire, le langage, les capacités de reconnaissance, la coordination des mouvements et qui induit des troubles graves du comportement. Évidemment, on aimerait bien connaître les causes psychophysiologiques d'un tel naufrage pour essayer de le prévenir. On attribue à l'heure actuelle un rôle majeur à l'apport d'antioxydants pour la prévention de cette pathologie, ce qui pourrait expliquer une efficacité notable de certains extraits végétaux riches en polyphénols antioxydants de type ginkgo biloba. Parmi les facteurs de risque, une absorption anormale d'aluminium (peut-être due aux instruments de cuisine ou à l'eau du robinet) a été évoquée sans preuve certaine. Bien sûr on est loin de connaître, avec la même précision que pour les maladies cardio-vasculaires, les mécanismes de la prévention de la maladie d'Alzheimer. Il est fort probable que la consommation régulière d'un régime alimentaire sain, comprenant une grande diversité de fruits, de légumes, de céréales, de poissons ou de produits animaux de qualité soit la meilleure source possible de facteurs de protection. Alors que la protection antioxydante est déterminante pour le maintien des tissus cérébraux, il est inutile d'espérer une prévention complète de cette pathologie par la seule administration d'antioxydants. Ce potentiel limité des antioxydants peut paraître paradoxal, cela ne fait que confirmer la complexité des facteurs de prévention et permet de mettre l'accent une fois de plus sur les risques liés à des apports d'énergie mal environnés par des composés non énergétiques.

La maladie de Parkinson affecte 1 % des personnes de plus de soixante-cinq ans, cette pathologie se caractérise par la destruction massive des neurones qui fonctionnent avec de la dopamine, entraînant une difficulté gestuelle, une rigidité, des tremblements. Les facteurs de risque n'ont pas encore été complètement définis ; la prédisposition génétique et la répétition de traumatismes cérébraux semblent avoir une incidence sur la survenue de cette pathologie. Des phénomènes inflammatoires au niveau cérébral et des contacts fréquents avec certains pesticides (paraquat et manèbe) semblent aussi influer sur la survenue de la maladie de Parkinson. Un excès de radicaux libres a été mis en évidence au niveau des neurones affectés, mais cela peut n'être que la conséquence d'un processus inflammatoire. L'implication du fer, grand catalyseur de la production de radicaux libres, dans cette pathologie semble probable et montre une possible participation du stress oxydant. Les études actuelles laissent donc supposer que la consommation d'une alimentation riche en molécules antioxydantes (consommation de fruits, légumes, céréales complètes) pourrait freiner l'évolution de la maladie de Parkinson. Finalement, le régime alimentaire à recommander aux parkinsoniens ressemble étrangement aux mesures diététiques concernant la prévention nutritionnelle des maladies cardio-vasculaires. Ce régime devrait être pauvre en acides gras saturés et en viandes rouges (qui constituent une source de protéines limitant l'action de la L-dopa administrée aux malades), et riche en fruits, légumes et céréales entières qui fournissent les fibres alimentaires nécessaires au fonctionnement du transit intestinal, très affecté chez le parkinsonien.

Le développement de la cécité lié à la dégénérescence de la macula de l'œil est également une pathologie neurodégénérative fort répandue dans les pays industrialisés où elle représente à elle seule 50 % des cas de cécité après quarante-cinq ans. Cette dégénérescence maculaire est une affection multifactorielle dont les causes et les mécanismes ne sont pas totalement élucidés. On retrouve les mêmes facteurs de risque que pour les maladies cardio-vasculaires, auxquels il faut ajouter des facteurs spécifiques à la préservation de l'œil (couleur de l'iris, opacité du cristallin, exposition prolongée aux rayons de lumière bleus et ultraviolets). Les études épidémiologiques ont permis de montrer, plus clairement que pour les autres maladies neurodégénératives, le rôle protecteur des vitamines antioxydantes et des caroténoïdes vis-à-vis de ce type de perte de vision. Les caroténoïdes composent d'ailleurs les pigments maculaires permettant d'améliorer la représentation visuelle en absorbant la lumière bleue et les ultraviolets, et en jouant un rôle direct d'antioxydant. Une alimentation riche en choux et en épinards, par exemple, permet d'accroître l'épaisseur du pigment maculaire, renforçant ainsi la protection de l'œil. De même, d'autres micronutriments tels que la vitamine E, le zinc ou des polyphénols peuvent freiner la détérioration de la macula ou améliorer la circulation microcapillaire.

Même si la nature des mécanismes de protection est loin d'être comprise, l'affaire semble entendue, il devient prudent et urgent de prévenir au maximum les pathologies neurodégénératives cérébrales et oculaires par une meilleure utilisation du potentiel protecteur inhérent au monde végétal. Cette logique de protection peut être prolongée en recommandant la consommation de produits animaux qui ont bénéficié également d'une alimentation végétale de qualité optimale pour disposer d'un meilleur apport en acides gras essentiels (oméga-3) et en micronutriments.

Le fait que l'alimentation puisse avoir un effet favorable dans le retard ou l'atténuation des maladies liées au vieillissement est maintenant bien reconnu. Par contre les liens entre alimentation et fonctionnement du cerveau sont encore bien peu explorés. On oublie en effet que le plaisir de la prise alimentaire, souvent répété trois fois par jour, a un impact de régénération sur tout l'organisme ainsi que sur le cerveau. Cependant, l'homme est confronté au paradoxe de l'alimentation, d'un côté extrêmement bénéfique pour l'organisme (y compris le système nerveux) lorsqu'elle est bien adaptée à ses besoins, d'un autre côté source de perturbations métaboliques lorsque les apports d'énergie et de micronutriments sont déséquilibrés. Parfois même, des molécules alimentaires se retrouvent directement dans la circulation sanguine malgré le filtre intestinal, ce qui montre que l'intestin est loin d'exercer un effet barrière complet. Ainsi, il a été montré que des perturbations digestives ont des retentissements directs sur le fonctionnement du cerveau et sur l'état de bien-être.

La capacité de l'homme à se ressourcer infiniment par la nutrition participe sans doute efficacement au maintien de sa bonne santé mentale. Les chocs affectifs peuvent perturber profondément l'envie de vivre et de manger, et réciproquement la reprise d'une nourriture normale participe à la restauration d'une dynamique vitale. Sans que cela soit facile à apprécier et à détecter, une certaine difficulté de vivre peut avoir des répercussions sur l'envie de s'alimenter, et en retour le fait de moins bien se ressourcer par des bons repas contribue probablement à entretenir un certain mal-être. Il est difficile de savoir à quel point cela peut favoriser l'apparition de certaines névroses qui se développent par ailleurs à partir de causes bien étrangères à l'alimentation. La dépression est une maladie insidieuse qui frappe beaucoup d'hommes et de femmes, parfois de façon inattendue. De même que l'efficacité d'une aide extérieure médicamenteuse peut s'avérer utile pour atténuer les symptômes de la maladie, il ne faut absolument pas négliger le bénéfice d'un bon régime alimentaire, surtout s'il est source de convivialité. Or combien de personnes déprimées se retrouvent livrées à elles-mêmes, non seulement pour la préparation des repas, mais aussi pour leur partage ! Certains chercheurs attribuent des propriétés remarquables à l'administration d'oméga-3 dans le fonctionnement cérébral et préconisent ainsi de véritables cures de ces acides gras. Cela n'implique pas nécessairement que la déficience en oméga-3 soit un facteur de risque pour la dépression. Cependant des corrélations géographiques internationales montrent une relation inverse entre la consommation de poissons (une des sources les plus abondantes de ces acides gras) et l'incidence de la dépression majeure. Il serait logique que l'apport en oméga-3 soit le plus efficace chez les sujets dont l'alimentation est particulièrement déséquilibrée en acides gras essentiels depuis longtemps ; cependant ce type de preuve fait encore défaut. En l'absence d'une compréhension plus nette, l'intérêt d'un traitement à base d'oméga-3 demeure aléatoire, mais peut être tenté, vu son innocuité. Cependant, l'efficacité de la nutrition pour prévenir la dépression ne peut reposer à long terme que sur un comportement alimentaire équilibré, porteur d'un ensemble complexe de facteurs de protection.

Finalement, la vie est toujours un combat entre des forces d'usure et des possibilités de ressourcement, et il y a un risque, pour beaucoup de consommateurs emportés par le stress et le tourbillon de la vie moderne, de sous-estimer l'appui d'une alimentation protectrice ou le bénéfice de l'exercice physique au même titre que les autres activités humaines qui renforcent l'unité et le dynamisme d'une personne.

LE PARADOXE DE L'ALIMENTATION ET DU CANCER

Le rôle paradoxal de l'alimentation, potentiellement si bienfaisante mais aussi porteuse de risques, s'illustre particulièrement en matière de cancer. Le cancer est un problème majeur de santé publique, cette maladie est responsable d'environ 30 % des décès et constitue la première cause de mortalité avant soixante-cinq ans. En France, les cancers les plus meurtriers sont, en ordre décroissant, ceux du poumon, du côlon-rectum, des voies aérodigestives, du sein et de la prostate. Avec le vieillissement de la population, mais aussi sous l'influence de facteurs environnementaux défavorables (tabagisme, pollution environnementale, alimentation, pesticides), l'incidence des cancers avec son cortège de souffrances prend une forte extension dans les pays occidentaux, gâchant ainsi le plaisir de vieillir paisiblement à beaucoup de personnes et à leur entourage. En France chaque année, 150 000 personnes meurent d'un cancer, soit plus que le double de l'immédiat après-guerre. Les cancers semblent se développer dans les pays industrialisés plus que dans les pays pauvres, et cette différence ne pourrait s'expliquer entièrement par le vieillissement. Ainsi, dans un pays comme la France, l'incidence globale de cancers a crû en vingt ans d'environ 30 % à âge égal (ce chiffre masque beaucoup de disparités dans l'évolution des divers types de cancer). Lorsque nous aurons suffisamment de recul sur ce fléau, le cancer apparaîtra comme la rançon à payer pour le développement d'un certain style de vie, caractéristique des sociétés industrielles. Était-ce une fatalité ? Certainement pas puisque nous pourrions disposer de véhicules peu polluants, de demeures saines faites avec des matériaux sûrs, d'aliments produits sans pesticides ou avec des produits phytosanitaires sans risques avérés.

Parce que les facteurs génétiques jouent un rôle fondamental dans la survenue de ces pathologies, parce que le cancer provient d'un dérèglement de la division et de la différenciation cellulaire, le rôle de l'alimentation, de la pollution ou d'autres facteurs environnementaux dans l'apparition de divers cancers a semblé longtemps marginal. Pourtant, dans la mesure où elles peuvent être responsables de la première mutation indispensable au processus cancéreux, les substances toxiques si abondantes dans notre environnement pollué pourraient en partie expliquer la prévalence actuelle de nombreux cancers, à l'instar du cancer du poumon.

Notre vision sur l'origine des cancers, et donc notre vigilance, a profondément changé, et il est probable que l'impact des facteurs environnementaux apparaîtra plus déterminant au fur et à mesure des progrès de la recherche. Cela ne signifie pas que le développement du cancer ne résulte pas aussi d'une logique de dysfonctionnement interne (responsable de l'apparition de nouvelles mutations dans les cellules préalablement transformées), avec des causes complexes difficiles à analyser mais qu'il faudrait mieux comprendre. De plus, il n'existe pas un cancer mais des cancers avec des circonstances d'apparition extrêmement diverses.

Il y a à l'évidence une nécessité d'agir sur les facteurs qu'il serait possible de contrôler tels que l'exposition aux cancérigènes (tabac, alcool, pollution, pesticides), mais également le mode de vie et la qualité de l'alimentation. Dès à présent au niveau alimentaire, il est prudent d'éviter d'ingérer fréquemment des quantités trop importantes de substances cancérigènes. Mais comment les repérer ? La contamination par les pesticides est passée sous silence pour ne pas décourager les consommateurs. Cependant elle est bien réelle (on peut même parfois la percevoir sur les raisins de table par exemple), même si les résidus de pesticides présents dans les produits sont très rarement supérieurs aux limites réglementaires (qui sont sans doute assez arbitraires). Pour certains aliments tels que les fruits et légumes, une indication de la date et de la nature du dernier traitement serait bienvenue, même si nous sommes plus résistants que les abeilles. Bien des substances naturelles présentes dans les aliments comestibles et les boissons peuvent théoriquement exercer des effets cancérigènes, mais, comme elles ne sont pas absorbées isolément ou sont présentes en faible quantité, elles sont normalement neutralisées ; en tout cas, il y a fort longtemps que les hommes les absorbent. Une recommandation de bon sens consiste à varier ses habitudes de consommation pour éviter à l'organisme d'être toujours en contact avec les mêmes facteurs de risque. En effet, la durée d'exposition à un facteur cancérigène prime sur la dose ingérée.

Le paradoxe de l'alimentation est de pouvoir créer un environnement favorable ou défavorable à la cancérogenèse. Être directement responsable du cancer par la présence de divers cancérigènes (pesticides, pyrolysats, mycotoxines), jouer un rôle prédisposant par un environnement nutritionnel déséquilibré (excès d'énergie, de graisses, d'alcool, de sel) ou exercer un rôle protecteur par l'apport de micronutriments, de fibres alimentaires, par l'équilibre des acides gras, par l'effet spécifique de certains aliments tels que les fruits et légumes.

L'impact et le mécanisme d'action des facteurs alimentaires sont plus ou moins établis selon le type de cancer. Les données épidémiologiques et expérimentales sont convaincantes et concordantes concernant le rôle protecteur des fruits et légumes vis-à-vis des risques de cancers de la bouche, du pharynx, de l'œsophage, du poumon, de l'estomac et sans doute du gros intestin (rôle assez net des légumes). La proportion des cancers qui pourraient être évités par voie nutritionnelle demeure difficile à chiffrer, sans doute de l'ordre de 30-40 % tous cancers confondus. La prévention nutritionnelle est plus élevée pour les cancers de l'estomac et du côlon-rectum que pour ceux du sein, de la bouche, du larynx, du pharynx et du poumon. En fait, les potentialités de prévention sont certainement beaucoup plus élevées que les estimations actuelles assez fluctuantes parce qu'il est rare que les comportements alimentaires aient été optimaux à l'échelle d'une vie. De plus, un très grand nombre de cas de cancers ont été prévenus grâce à l'alimentation sans qu'ils aient pu être comptabilisés.

L'organisme est exposé à de nombreux facteurs qui peuvent favoriser la cancérogenèse. Le temps de latence entre la première lésion de l'ADN et l'apparition d'une tumeur est souvent très long (de dix à quinze ans), et les tumeurs peuvent se développer à partir d'une seule cellule normale transformée ! Les événements impliqués dans la cancérogenèse sont très complexes et liés au fait que certains accidents peuvent survenir lors de la division des cellules et plus particulièrement au cours du vieillissement de l'organisme. Les études expérimentales sur les animaux de laboratoire ont permis de mettre en évidence le fait que le processus cancéreux procède par étapes, où de nombreux facteurs de protection peuvent avoir un rôle à jouer.

L'étape d'initiation correspond à une première lésion génotoxique provoquée par des cancérigènes d'origine exogène ou produits dans l'organisme. Quelles que soient leurs origines, les radicaux libres ou les espèces oxygénées réactives sont fortement impliqués dans les lésions et les mutations de l'ADN. Les facteurs alimentaires peuvent contribuer à prévenir cette étape d'initiation du processus cancéreux en empêchant la formation de métabolites toxiques, en favorisant leur détoxification et leur expulsion de la cellule, en neutralisant les radicaux libres ou les espèces oxygénées réactives, en protégeant les sites sensibles de l'ADN vis-à-vis des molécules génotoxiques, en modifiant l'expression de certains gènes clés de la division cellulaire et enfin en activant la réparation des lésions de l'ADN. Chez l'homme, il est possible de se rendre compte de l'importance des lésions génotoxiques par l'élimination urinaire de produits d'oxydation de l'ADN. Ainsi a-t-on pu observer que la consommation de fruits et légumes contribuait à diminuer cette excrétion.

Le processus de cancérogenèse nécessite aussi l'intervention de divers facteurs qui stimulent la division des premières cellules transformées (promotion tumorale). Les facteurs nutritionnels et les réponses de l'organisme peuvent ainsi contribuer soit à limiter, soit à amplifier les conséquences des premières mutations cellulaires. Lorsque la cellule acquiert un potentiel toujours plus élevé de division cellulaire en sécrétant ses propres facteurs de croissance, le processus cancéreux est bien enclenché. Cependant, pour que les tumeurs deviennent malignes, il est nécessaire que d'autres stades, permettant la progression et l'invasion tumorale, soient franchis.

Les facteurs nutritionnels peuvent donc exercer un rôle préventif sur les processus cancéreux, mais les connaissances concernant les mécanismes d'action sont loin d'être suffisantes pour essayer d'agir au mieux par les facteurs nutritionnels. À partir d'un grand nombre d'études épidémiologiques, le rôle protecteur global des fruits et légumes a été mis en évidence dans les cancers digestifs mais aussi dans ceux du poumon, de la vessie et même dans les cancers hormonodépendants. Cependant, il est probable qu'il y ait des produits végétaux plus ou moins efficaces selon la nature des micronutriments qu'ils apportent. En l'absence de connaissances suffisamment précises, une recommandation sûre est de bien diversifier les espèces botaniques de fruits et légumes de qualité dans le cadre d'une alimentation bien équilibrée en énergie et de bonne densité nutritionnelle.

Le risque de développement d'une épidémie d'obésité, parce qu'elle touche précocement les jeunes, parce qu'elle est bien visible, est parfaitement perçu alors que la progression de l'incidence du cancer est encore trop analysée comme la rançon à payer du vieillissement. Cette analyse s'applique relativement bien au cancer de la prostate qui est quasiment inhérent au vieillissement, mais cela ne signifie pas que les possibilités de prévention nutritionnelle soient faibles.

L'augmentation de l'incidence de beaucoup d'autres cancers ne semble pas dépendre de l'élévation de la longévité. La progression fulgurante du cancer du poumon est liée au développement du tabagisme, et, avec un certain décalage, ce cancer frappe maintenant la population féminine. De même, l'incidence du cancer de la peau est liée à une exposition inconsidérée au soleil de la part de sujets relativement sensibles. La prévalence du cancer du sein ne cesse d'augmenter dans les pays européens, et cela ne peut s'expliquer seulement par un dépistage précoce. Au début des années 1990, on répertoriait 25 000 nouveaux cas de cancers du sein par an en France, l'incidence actuelle serait de l'ordre de 42 000 cas par an. Ainsi, on peut estimer qu'une femme sur dix développera un cancer du sein durant sa vie. L'échec des médecins dans l'éradication du cancer du sein est en grande partie due à l'absence d'identification d'un agent étiologique spécifique et à notre ignorance de l'initiation tumorale. Cette maladie cancéreuse semble dans tous les cas multifactorielle, et aucun facteur étiologique, pris isolément, ne peut expliquer la maladie. Certains facteurs de risque héréditaires sont très forts, mais des observations ont mis en évidence que l'environnement pouvait amplifier les conséquences des prédispositions génétiques. Parmi les facteurs de risque on peut citer l'impact à long terme des œstrogènes (règles précoces, ménopause tardive, première grossesse tardive, utilisation prolongée de contraceptifs oraux à base d'œstrogènes), et parmi les facteurs nutritionnels, la surcharge pondérale, la prise d'alcool et une alimentation trop pauvre en facteurs de protection (acides gras polyinsaturés, micronutriments, phyto-œstrogènes d'origine alimentaire). La nutrition peut avoir une influence sur l'imprégnation hormonale ou agir sur le métabolisme cellulaire. L'exemple du cancer du sein illustre parfaitement la difficulté de cerner le rôle des facteurs nutritionnels dans la forêt des autres facteurs génétiques, physiologiques et environnementaux impliqués.

Le cancer du côlon est un exemple particulier où les facteurs nutritionnels peuvent revêtir une influence déterminante, bien qu'il existe des facteurs génétiques de prédisposition également très importants. Une forte proportion de cancers du côlon se développent à partir d'une tumeur bénigne lorsque les cellules de la paroi de cet organe prolifèrent anormalement. Le contrôle de cette prolifération est influencé à la fois par l'état nutritionnel et métabolique du sujet et par la composition du contenu intestinal. La prévention nutritionnelle est loin d'être limitée aux apports de fibres alimentaires qui vont conditionner la qualité des fermentations symbiotiques développées dans le gros intestin. Une ingestion de graisses et de protéines animales associée à une surcharge pondérale est un facteur de risque pour le cancer du côlon *via* des déviations métaboliques ou *via* des facteurs présents dans le contenu du côlon. À l'inverse, une consommation diversifiée de produits végétaux complexes (céréales complètes, légumes secs, fruits et légumes), une nutrition lipidique de qualité riche en oméga-3 créent un terrain favorable à la prévention de ce type de cancer. Il est intéressant de noter qu'un même type d'alimentation protectrice, par le biais de la qualité du contenu intestinal, peut à la fois contribuer à optimiser le métabolisme de la paroi digestive et créer un milieu digestif environnant très favorable à la différenciation des cellules du côlon qui perdent ainsi la possibilité de se diviser anormalement.

Pour aboutir à ce fonctionnement optimal, les fibres alimentaires jouent un rôle fondamental par leur rôle sur le transit digestif et par la production d'acides gras à chaîne courte qui auront un impact très fort sur la différenciation des colonocytes. Il est compréhensible ainsi qu'il soit nécessaire de disposer d'une gamme suffisante de fibres de fermentescibilités différentes pour maintenir des fermentations équilibrées tout au long du gros intestin. Les produits végétaux exercent également des effets protecteurs par leur richesse en micronutriments, et ces composés pourront agir par voie générale (apportés par le sang) ou par leur présence dans le contenu intestinal. Ainsi, les nombreuses substances associées aux fibres telles que les polyphénols et les caroténoïdes partiellement absorbées dans l'intestin grêle se retrouvent fort utiles pour la protection de la paroi du côlon. Les fermentations intestinales, selon la nature des apports végétaux et des autres apports alimentaires, vont donc constituer un milieu plus ou moins génotoxique pour la paroi du côlon, et il est surprenant que, malgré cette exposition si particulière, une large majorité d'individus échappe à la cancérogenèse colique, ce qui montre la puissance des facteurs de protection. Une prudence élémentaire est de ne pas s'exposer inutilement à des facteurs de risque par une alimentation désordonnée quant à l'apport régulier de fibres alimentaires, et déséquilibrée sur le plan général. Il est notable d'observer que des facteurs de protection aussi généraux que la vitamine D ou l'acide folique, voire les oméga-3, s'avèrent utiles pour parfaire la prévention du cancer du côlon.

De manière générale, il semble exister des liens entre le bon état nutritionnel et métabolique (voire psychologique) d'une personne et sa capacité à résister au développement potentiel de divers cancers. N'oublions pas que nous sommes tous porteurs de cellules transformées qui, heureusement, seront maîtrisées par nos systèmes de défenses métaboliques et immunitaires. Il est compréhensible dans ces conditions que la surcharge pondérale puisse être aussi un facteur de prédisposition à la genèse de certains cancers tels que ceux du sein ou du côlon.

LA COMPLEXITÉ DES SYSTÈMES DE DÉFENSE

Il semble bien difficile de maîtriser parfaitement tous les éléments de la nutrition préventive ; cependant, nous avons à notre portée une parade nutritionnelle d'une certaine efficacité pour réduire l'incidence des cancers comme celle de bien d'autres pathologies. Comme pour le vieillissement, ou pour certaines maladies, un apport raisonné d'énergie bien environné de micronutriments favorise le fonctionnement optimal de l'organisme et facilite l'action des différents systèmes de défense.

Les relations entre immunité et nutrition sont particulièrement intéressantes à considérer, qu'il s'agisse des défenses de l'organisme contre les agents pathogènes ou de la lutte contre les cancers, mais cette dernière problématique est encore mal connue. On a pu observer depuis longtemps que les phases de sous-alimentation s'accompagnent d'une surmortalité importante, notamment infectieuse. Il est bien établi par exemple que des déficiences protéiques dépriment la réponse du système immunitaire. La nature et la quantité des lipides ingérés qui influencent la fluidité membranaire ou la production de médiateurs sont directement impliquées dans les processus inflammatoires ou dans la qualité des réponses immunitaires. Des apports déséquilibrés en acides gras essentiels peuvent ainsi altérer les réponses immunitaires.

Depuis environ vingt ans, les recherches ont été focalisées sur l'influence de certains micronutriments spécifiques. Il a été démontré que des déficits spécifiques en vitamines B6, B9 et B12 entraînent des déficiences immunitaires importantes, portant surtout sur l'immunité à médiation cellulaire. Un bon statut en vitamine A conditionne la résistance aux infections mais influence aussi la réponse immunitaire tumorale. Les effets généraux de la vitamine C sur le renforcement du système immunitaire sont reconnus et sans doute potentialisés par l'apport de vitamines E ou d'autres phytomicronutriments. On comprend très bien que les oligo-éléments (fer, cuivre, zinc, sélénium) qui jouent un rôle dans la lutte contre les radicaux libres ou dans le métabolisme cellulaire soient impliqués dans le fonctionnement des réponses immunitaires.

Une alimentation de qualité, avec une composition en énergie et en micronutriments équilibrée, exerce de nombreux effets protecteurs en optimisant le métabolisme cellulaire et le fonctionnement des organes. Ce rôle de facilitation de la nutrition sur l'organisme n'a pas été assez mis en valeur dans nos sociétés modernes ou a été détourné au profit d'intérêts mercantiles à l'aide de messages réducteurs. Malgré la très grande diversité de nos patrimoines génétiques et les inégalités qui en résultent devant la nourriture et les risques de pathologies, la nutrition préventive offre de toute façon un bénéfice réel même s'il ne peut être complet.

Bien que la nature et les effets des divers éléments impliqués dans la prévention nutritionnelle ne soient pas toujours bien définis, nous avons un recul suffisant pour émettre des recommandations sûres. Les consignes nutritionnelles ne sauraient être perçues comme une contrainte, l'équilibre alimentaire étant basé sur des choix complémentaires plutôt que sur des restrictions. Les risques entraînés par le discours des nutritionnistes doivent aussi être pris en considération : s'il provoque des perturbations psychiques (obsession des calories, de la prise de poids, de la diététique, recherche systématique d'une protection), s'il entraîne des bouleversements culturels inutiles, s'il est à l'origine du développement peu justifié de certains produits. À côté de ces risques inhérents à tout progrès humain, combien d'hommes et de femmes verraient leurs conditions de vie et de santé améliorées par une meilleure alimentation. Pour beaucoup, la malnutrition est surtout induite par le sous-développement ou la précarité. Dans les pays occidentaux, il est regrettable que les problèmes nutritionnels puissent résulter d'une approche trop mercantile. Il est dommage que les politiques nutritionnelles de santé publique souvent trop débutantes ne permettent pas de contrecarrer efficacement certaines dérives de la chaîne alimentaire.

CHAPITRE III

Adapter l'alimentation aux besoins de l'homme

La pyramide alimentaire

La diversification de l'alimentation est certainement un des progrès majeurs de la chaîne alimentaire actuelle. Cependant, le consommateur est confronté à la nécessité de faire des choix parmi une multitude de produits. Or l'impact des choix alimentaires effectués est très important pour prévenir l'apparition des pathologies et lutter contre les processus de vieillissement. La compréhension du consommateur (dans l'ensemble mal informé) des bases de la nutrition préventive est souvent insuffisante. Par ailleurs, l'offre alimentaire de nos supermarchés étant très peu équilibrée, le consommateur est confronté à des influences de nature très diverse (culture, goût, publicité, allégations santé, facilité d'emploi, contraintes budgétaires) qui ne l'orientent pas nécessairement vers les meilleurs choix nutritionnels.

Souvent, le consommateur ne dispose pas de repères clairs pour comprendre la complémentarité des aliments, pour percevoir le fait qu'un aliment gagne toujours à être associé à un ou plusieurs produits de composition complémentaire pour exercer des effets pleinement bénéfiques. Le concept de bonnes associations alimentaires n'est pas aussi présent dans la vulgarisation que celui de l'équilibre alimentaire, finalement souvent trop vague pour éclairer le comportement nutritionnel.

La description de la pyramide alimentaire est un des procédés pédagogiques efficaces pour bien présenter la diversité alimentaire nécessaire au développement d'une bonne nutrition préventive. Dans cette pyramide, la base des apports énergétiques (environ 60 % des apports totaux) est constituée par des produits végétaux complexes (produits céréaliers, légumes secs, pommes de terre, féculents divers, fruits et légumes, fruits secs...). Ces aliments servent à satisfaire les besoins en glucides mais apportent également des protéines végétales, complémentaires des protéines animales, et une très grande diversité de composés non énergétiques (fibres alimentaires, minéraux, micronutriments). Un apport de produits animaux (représentant 20 à 25 % des besoins énergétiques totaux) sous forme de viandes, d'œufs, de charcuterie, de produits de la mer, convient parfaitement pour équilibrer les apports énergétiques d'origine végétale. Les matières grasses d'ajout doivent être constituées principalement d'huiles végétales équilibrées en acides gras essentiels. La part de calories qui doit être le plus réduite possible est située au sommet de la pyramide. Il s'agit des calories vides de type sucres, alcool, matières grasses saturées, amidons purifiés... Cela ne signifie pas qu'il faille supprimer systématiquement toutes sources de calories vides et se refuser de menus plaisirs, l'essentiel étant de disposer d'un régime de base de bonne densité nutritionnelle.

À l'échelle de la journée ou de la semaine, l'alimentation devrait respecter ce type de répartition en produits et en ingrédients alimentaires. Cependant à l'échelle du repas, il est important de bien associer les aliments puisque chacun d'entre eux a une composition particulière qui mérite d'être équilibrée par l'ajout de produits complémentaires. La nature des complémentarités ou des synergies d'action entre aliments n'a pas été suffisamment mise en relief dans les recommandations actuelles. Par contre, beaucoup de plats ou de modes alimentaires traditionnels, élaborés empiriquement, mettent à profit le caractère bénéfique des associations alimentaires.

QUELLES SONT LES BONNES ASSOCIATIONS ALIMENTAIRES ?

La complémentarité la plus importante en termes d'alimentation humaine, à l'échelon mondial, concerne les céréales et les légumes secs. Cette association permet de couvrir correctement les besoins en protéines puisque la composition en acides aminés des protéines céréalières (pauvres en lysine et riches en acides aminés soufrés) est complémentaire de celle des légumes secs (riches en lysine et pauvres en méthionine). Les céréales ont de plus un taux de protéines modeste (10 à 14 % de la matière sèche) alors que celui des légumes secs est très élevé (aux environs de 20 %). Les apports glucidiques de ces deux types de produits végétaux sont également complémentaires. L'amidon des produits céréaliers est très facilement digestible après cuisson, pouvant même conduire, dans certains cas, à des index glycémiques trop élevés (pain, riz blanc). Par contre, les légumes secs ont une teneur plutôt faible en amidon (environ 50 % de la matière sèche), et cet amidon fortement enchâssé dans un réseau fibreux et protéique est relativement résistant aux attaques pancréatiques.

Les produits céréaliers à base de riz et le blé (blé tendre ou blé dur) sont souvent très raffinés et bénéficient ainsi fortement d'un apport complémentaire de fibres en provenance des légumes secs. Par contre, certaines céréales (seigle, avoine, orge) naturellement riches en fibres solubles fermentescibles ne nécessitent pas un apport supplémentaire en fibres de légumes secs.

Les produits céréaliers raffinés sont peu riches en potassium, en oligo-éléments, en vitamines B alors que les légumes secs ont des teneurs beaucoup plus élevées en ces éléments. On peut donc recommander dans les pratiques culinaires d'associer le plus fréquemment possible produits céréaliers et légumes secs comme cela s'est toujours fait de par le monde sous la forme de plats à base de maïs-haricot, riz-soja, riz-lentille, couscous-pois chiches. Il serait même utile, pour aller au-devant des consommateurs, de disposer de davantage de préparations associant produits céréaliers et légumes secs. Il faut reconnaître que la culture culinaire française est relativement limitée dans l'utilisation des céréales (à part les produits classiques tels que le pain, les pâtes, le riz et le couscous venu plus récemment du Maghreb). Nous consommons très peu de maïs, d'avoine, d'orge, de mil, céréales qui font partie de la culture de nombreux peuples. Notre savoir-faire dans la préparation des légumes secs est également limité, notamment pour diversifier les modes de consommation des haricots, des pois chiches, des fèves.

L'association céréales-légumes secs intéresse beaucoup les végétariens soucieux de diminuer leur consommation de produits animaux. En fait, cette excellente association concerne l'ensemble des consommateurs puisqu'elle permet un apport remarquable de glucides lents et une excellente couverture d'un très grand nombre de besoins nutritionnels. Elle est particulièrement utile dans une optique de prévention primaire ou secondaire du diabète et des maladies cardio-vasculaires. Une utilisation courante de céréales et légumes secs est également une solution intéressante pour réduire le coût du budget alimentaire tout en disposant d'un bon statut nutritionnel. Il est grand temps de corriger les excès de l'alimentation occidentale actuelle par un retour à des bases nutritionnelles plus saines et plus durables. Un effort de vulgarisation conséquent devrait être entrepris dans ce sens pour valoriser les légumes secs plutôt que de mettre toujours en relief les mêmes produits transformés.

De nombreux produits animaux (viandes, œufs et charcuterie) sont consommés avec du pain ou d'autres produits céréaliers. Ce type d'association permet évidemment de disposer d'un bon apport protéique, de pallier le déficit complet des produits animaux en glucides, d'apporter des fibres alimentaires. Cependant un usage trop courant d'une association viandes-produits céréaliers, surtout si ces derniers sont trop raffinés, n'est pas satisfaisant au niveau nutritionnel. En effet, les viandes de par leur richesse en acides aminés soufrés ont des effets acidifiants au niveau de l'organisme qui peuvent se traduire par une augmentation de la calciurie et à long terme favoriser le développement de l'ostéoporose. Les produits céréaliers, beaucoup trop riches en phosphore et en acides aminés soufrés, ne peuvent pas contrecarrer l'effet acidifiant des viandes, si bien que la consommation de pain, pâtes, riz n'est pas un accompagnement suffisant pour les produits animaux, surtout si ces derniers sont consommés en quantité élevée.

Les produits céréaliers avec ou sans accompagnement de viandes méritent d'être complémentés par un apport de fruits et de légumes. La part respective des produits céréaliers par rapport aux fruits et légumes peut être très variable en fonction des besoins énergétiques de l'individu et donc du degré de sédentarité. Dans de nombreux plats, les céréales peuvent être associées à des légumes, ce qui permet de diminuer la densité énergétique de la préparation. Cette association a l'avantage d'accroître la quantité des fibres bien tolérées au niveau digestif, d'augmenter la densité nutritionnelle en minéraux et micronutriments. De plus, une préparation de céréales-légumes est relativement équilibrée en minéraux (calcium, magnésium) avec un apport de sels organiques de potassium suffisant pour exercer un effet alcalinisant. À l'évidence, l'association viandes-produits céréaliers-légumes constitue une complémentarité idéale, et l'équilibre de cet ensemble justifie qu'il soit placé au cœur du repas.

Les pommes de terre sont trop souvent considérées comme des féculents de faible intérêt nutritionnel. Pourtant ce tubercule peut avoir un rôle majeur dans notre alimentation s'il est associé avec des aliments suffisamment riches en protéines. L'association viandes-pommes de terre présente une excellente complémentarité à condition de ne pas surcharger la préparation en matières grasses. La pomme de terre est très riche en sels organiques de potassium avec un pouvoir alcalinisant susceptible de neutraliser l'effet acidifiant des viandes.

La pomme de terre a parfois un statut de légume lorsqu'elle est nouvelle. Arrivée à maturité, lorsqu'elle a réalisé son plein d'amidon, elle gagne à être associée avec d'autres légumes, ce qui permet théoriquement de diminuer la densité énergétique et d'accroître la densité nutritionnelle en micronutriments de cet ensemble. Pour une population végétarienne, l'association pommes de terre-légumes est toutefois insuffisante pour couvrir les besoins protéiques. Par contre, une association pommes de terre-légumes frais-légumes secs devient une préparation très intéressante au niveau nutritionnel largement utilisée autrefois dans les soupes par les populations rurales. Ces ingrédients sont retrouvés dans beaucoup de tajines marocains et même dans certains couscous du Maghreb ainsi que dans la soupe provençale au pistou. Que d'excellentes préparations qu'il conviendrait de réhabiliter au niveau à la fois gastronomique et nutritionnel.

POURQUOI FAUT-IL MARIER PRODUITS ANIMAUX ET VÉGÉTAUX ?

La consommation de viandes dans leur diversité, qu'il s'agisse de viandes de ruminants, de volailles, de poissons, de lapins, de gibiers mais aussi d'œufs et de charcuteries, ne doit pas être dissociée d'un apport complémentaire de produits végétaux pour équilibrer la prise alimentaire en glucides mais aussi en fibres, minéraux et micronutriments. Il en va de la maîtrise de l'effet acidifiant des viandes mais aussi de leurs effets métaboliques, de la protection cardio-vasculaire, et sans doute de la prévention d'autres pathologies. Une des recommandations les plus fortes en nutrition pourrait être : « Jamais de viandes sans légumes. » En pratique, il est même utile de cuisiner le plus possible les légumes et les viandes simultanément plutôt que de les préparer séparément. Il en va de la saveur des légumes mais aussi de la protection contre les oxydations des viandes par les micronutriments d'origine végétale. Épices, herbes et aromates peuvent également contribuer à parfaire le goût et à préserver les composés alimentaires. Les fruits peuvent indifféremment être utilisés à la place des légumes en association avec les viandes. La culture culinaire française associe fréquemment un seul légume à une viande ; associer une plus grande diversité de légumes aux viandes peut être justifié pour accroître la diversité des micronutriments.

Dans une optique de nutrition préventive et de lutte contre l'hypertension, il faut limiter les apports de sel, mais aussi augmenter sensiblement les apports de potassium. C'est pourquoi les charcuteries, les fromages ou les autres produits animaux salés devraient être consommés avec des produits végétaux riches en potassium (pommes de terre, légumes secs, légumes, fruits) plutôt que seulement avec du pain déjà riche en sel et pauvre en potassium. Jamais de jambon sans pommes de terre ou melon, de boudin sans pommes, de fromages sans légumes ou fruits.

La consommation de produits laitiers est l'objet de recommandations très fortes, notamment pour l'apport en calcium. Il est particulièrement étonnant que ces conseils diététiques soient le plus souvent déconnectés de l'environnement alimentaire, si bien que le consommateur est encouragé à consommer un produit laitier par repas quelle que soit la nature de celui-ci. Cet objectif d'une couverture maximale des ANC en calcium par le recours systématique à une même classe d'aliments est critiquable du point de vue nutritionnel. Le lait est un aliment relativement équilibré au niveau de ses effets acido-basiques, ce qui est indispensable à la fixation du calcium. Par contre, les fromages salés sont des aliments acidogènes, peu favorables à la fixation du calcium. Ainsi, ces fromages mais aussi les autres produits laitiers gagnent à être associés aux fruits et légumes qui ont des propriétés alcalinisantes favorables à la réduction des pertes de calcium urinaire.

La base de nombreux petits déjeuners est composée de produits céréaliers et de produits laitiers. L'index glycémique de ce type d'association est plutôt amélioré par la présence de lactose. L'équilibre protéines-glucides de cet ensemble est satisfaisant pour induire une protéosynthèse postprandiale. Les carences respectives du lait et des céréales en minéraux et micronutriments sont corrigées par leur association. Le lait compense la pauvreté en calcium des céréales, et celles-ci la carence en fer du lait. Il est clair que ce sont les céréales peu raffinées qui complètent le mieux la composition du lait. La consommation de céréales raffinées, de biscuits ou de viennoiseries ne suffit pas à équilibrer les apports nutritionnels du lait et des yaourts ; cette association est trop pauvre en oligo-éléments, l'apport de fibres dans cet ensemble est trop faible, la teneur en acides gras saturés trop élevée. Même l'association produits laitiers et céréales complètes relativement satisfaisante sur de nombreux plans (qualité des protéines, teneur en fibres, en calcium, magnésium, vitamines) gagne à être enrichie par des sources d'antioxydants ou par des éléments alcalinisants. C'est pourquoi l'association plus large céréales-fruits-lait-yaourt constitue une complémentarité très satisfaisante, largement utilisée dans les populations végétariennes. Elle constitue une bonne formule de petit déjeuner. Il est évident par contre que la consommation de yaourts ou de desserts lactés au cours d'un repas chargé en viandes et pauvre en crudités ou en fruits est relativement peu justifiée, en particulier pour l'excès final de protéines et de lipides que la réunion de ces aliments entraîne. Dans ce sens, la recommandation diététique classique visant à consommer un produit laitier à chaque repas devrait être revue. Il faut noter que la tradition juive interdit les associations viandes-produits laitiers ; une recommandation laïque pourrait être : pas deux sources d'acides gras saturés au même repas. Notons que, dans de nombreux restaurants, on atteint très facilement plus de trois sources.

Il est particulièrement important de maîtriser l'environnement alimentaire des fromages pour atteindre un bon équilibre acido-basique et fournir les minéraux et micronutriments complémentaires de ceux du fromage. Dans la pratique, une préparation de pâtes alimentaires ou de pizza avec du fromage et un faible accompagnement en légumes n'est pas satisfaisante sur le plan nutritionnel. D'ailleurs, dans les régions telles que l'Auvergne, où le fromage est consommé en quantité très importante, sans un environnement alimentaire suffisamment riche en produits végétaux, la prévalence des maladies cardio-vasculaires semble plutôt élevée. À l'inverse, les Crétois, grands consommateurs de feta, utilisent ce produit avec une alimentation végétale suffisamment diversifiée et complémentaire, ce qui se traduit par une faible incidence des pathologies cardiaques.

Les produits laitiers sont donc par essence des aliments peu équilibrés pour l'adulte qui nécessitent d'être associés avec des produits complémentaires. Dans les populations occidentales, fortes consommatrices de produits laitiers, c'est certainement l'excès de consommation des autres produits animaux souvent salés et l'insuffisance d'apport de fruits et légumes qui expliquent l'inefficacité de ces régimes dans la prévention de l'ostéoporose. De ce point de vue, la population lacto-végétarienne, lorsqu'elle consomme également des céréales complètes et des fruits et légumes en abondance, utilise les produits laitiers dans les meilleures conditions nutritionnelles possibles. Les produits laitiers doivent retrouver une juste place dans l'alimentation et ne pas être survalorisés et utilisés systématiquement.

L'impact des boissons est également dépendant de l'accompagnement alimentaire. Il est trivial d'observer que le vin à table modifie peu le métabolisme, alors que, pris en apéritif, il a des effets hypoglycémiants très marqués. De nombreuses eaux sont riches en minéraux et en particulier en sulfates. La biodisponibilité du calcium et du magnésium de ces boissons, riches en sulfate, peut être faible avec des régimes acidogènes, riches en protéines, ou excellente lorsque leur consommation est associée à des aliments alcalinisants.

En conclusion, la nature des complémentarités et des synergies entre aliments et composés alimentaires est loin d'avoir été bien explorée. Trop souvent des aliments présentant les mêmes ingrédients et des compositions voisines sont associés dans le même repas ; c'est en particulier le cas de nombreux produits issus de l'industrie agroalimentaire. Ainsi, malgré un contexte d'abondance, l'offre alimentaire actuelle ne favorise pas l'utilisation d'une gamme suffisante d'aliments peu transformés, en particulier dans le domaine des produits végétaux. Pourtant il y a un réel intérêt à diversifier la consommation de fruits, de légumes, de céréales, de fruits secs, de fruits et de graines oléagineuses plutôt que de multiplier à l'extrême l'offre en produits transformés de composition voisine. L'adoption d'un comportement nutritionnel de prévention repose sur une diversification alimentaire réelle et sur des règles simples d'associations d'aliments complémentaires. De plus, cette diversité, avec toutes les associations possibles ou souhaitables, gagne à être déclinée principalement à l'échelon de la semaine.

SI TU VEUX QUE JE T'AIDE, DIS-MOI CE QUE TU MANGES

L'origine des déséquilibres alimentaires peut être extrêmement diverse, provenir principalement de typologies alimentaires très accentuées, d'aliments peu équilibrés sur le plan des apports énergétiques et de leur densité nutritionnelle en micronutriments. L'ensemble de ces déséquilibres potentiels est accentué lorsque les aliments sélectionnés ont été transformés, ont perdu de leur complexité et lorsque les repas ne sont pas confectionnés avec des aliments suffisamment complémentaires. Les repères de consommation correspondant à des objectifs de la nutrition préventive sont pourtant très simples. Il est recommandé de consommer une source de glucides complexes à chaque repas (pain, céréales, pommes de terre, légumes secs) et à l'échelon d'une journée au moins cinq fruits ou légumes différents. Cet ensemble de produits végétaux et d'autres aliments tels que le miel, les fruits secs et diverses graines ou les jus de fruits (à condition qu'ils soient de qualité, de composition le plus proche possible des fruits d'origine et sans ajout de sucre, ce qui réduit fortement le choix) devrait contribuer à fournir plus de 60 % de l'énergie. La fréquence de consommation de produits animaux tels que viandes diverses, œufs ou charcuteries ne devrait pas dépasser deux portions par jour pour les personnes sédentaires, et, selon les avis du PNNS, les produits laitiers peuvent être consommés à chaque repas, ce qui ne signifie pas que cette recommandation soit adaptée à tous les consommateurs. Au total beaucoup de personnes n'imaginent pas que la contribution énergétique des produits animaux dans un régime équilibré est modeste et ne dépasse pas 25 % des apports caloriques totaux. La consommation de produits riches en calories vides, de matières grasses et de produits sucrés ou très salés devrait être fortement limitée (beurres et margarines riches en acides gras saturés, fromages salés, biscuits courants, viennoiseries, glaces, chocolats pauvres en cacao, nombreux hors-d'œuvre, sauces et charcuteries grasses, desserts industriels fortement aromatisés, sodas, nectars, plats préparés riches en énergie, chips, pains de mie, biscottes, produits de snacking, barres énergétiques, etc.).

À partir de ces recommandations très simples, mais pas toujours faciles à contrôler dans la vie de tous les jours, il est possible d'évaluer la validité ou les défauts de diverses typologies alimentaires.

Si le consommateur utilise en quantité suffisante une large gamme de produits céréaliers (ou apparentés) peu raffinés (pains bis ou complets, pâtes, couscous, boulgour ou riz semi-complets, flocons de céréales, quinoa, sarrasin), ainsi que d'autres produits végétaux complémentaires (féculents divers, fruits et légumes, mais aussi noix, amandes, noisettes, fruits secs), il y a relativement peu de risques que l'alimentation ne soit pas protectrice. Produits animaux et végétaux se complètent alors parfaitement, au moins dans le cadre des recommandations qui viennent d'être décrites, et ce large choix alimentaire laisse peu de place aux calories vides. Le fait d'être plus ou moins végétarien ne modifie pas fondamentalement la donne nutritionnelle à condition que les produits animaux délaissés ne soient pas remplacés par d'autres aliments sources de calories vides.

Lorsqu'elle est plutôt systématique, la consommation de produits céréaliers très raffinés (riz et pain blancs, pâtes classiques, céréales de petit déjeuner sucrées-salées, biscottes courantes) contribue à diminuer très fortement la densité nutritionnelle des régimes. Si, en plus de cette habitude, le consommateur réduit les quantités de pain, de pommes de terre, de fruits et légumes, l'alimentation devient très déficiente en un très grand nombre d'éléments. Lorsqu'elle reste modérée, la consommation des produits animaux n'est pas directement responsable de mauvais équilibres alimentaires (elle peut même être une source d'équilibre précieuse). Cependant il ne faut pas négliger les conséquences négatives de l'abus de viandes, de fromages ou de charcuteries. En dehors de ces excès bien fréquents, une mauvaise couverture des apports nutritionnels est majoritairement induite par un apport trop élevé en aliments ou boissons riches en calories vides qui prennent la place des produits végétaux complexes.

Il existe souvent des avis divergents concernant l'intérêt d'être végétarien. À ce sujet, il faut noter que nous sommes tous végétariens dans le sens où notre alimentation doit être majoritairement composée de produits végétaux. Il est clair que la qualité d'une alimentation végétarienne ne peut se définir par le seul respect de la non-consommation de viandes, mais beaucoup plus par la qualité de la gamme des produits végétaux consommés. Une typologie alimentaire paradoxale et bien peu valable consiste à se priver de viandes tout en consommant de nombreux produits riches en calories vides (biscuits, viennoiseries, yaourts, jus de fruits sucrés et autres produits riches en ingrédients purifiés). Dans ce cas-là, le risque de déséquilibres nutritionnels est particulièrement élevé, plus grave que chez le consommateur traditionnel, bénéficiant au moins des nutriments d'origine animale pour pallier en partie les déficits induits par les sources de calories vides.

S'il ne commet pas d'erreurs alimentaires graves en ayant recours à une gamme de produits transformés peu complémentaires, le végétarien a souvent un excellent statut nutritionnel, il est plutôt mieux protégé du risque cardio-vasculaire compte tenu d'une moindre consommation d'acides gras saturés et d'un rapport sodium/potassium favorable. Il est moins sujet à un apport excessif de fer, il évite d'être exposé à certains produits de cuisson présents dans les viandes rôties et surtout grillées.

L'alimentation végétarienne permet de disposer d'un apport en protéines plutôt modéré, ce qui peut être très satisfaisant pour l'organisme. Cependant, dans la mesure où les ingrédients énergétiques purifiés (sucre, matières grasses) ont envahi toutes les préparations alimentaires, il est nécessaire que les produits complexes de base permettent un apport de protéines suffisant. Lorsque les végétariens consomment aussi des produits laitiers, des œufs, voire du poisson, un bon équilibre protéique peut être atteint par cette diversité alimentaire. Pour les végétaliens qui excluent par conviction idéologique tous produits animaux, l'utilisation des légumes secs, des protéines de soja, des produits fermentés devient entièrement indispensable. Cependant, il faut souligner que la vie est possible sans la consommation de produits animaux ; c'est ce que nous imposons, depuis l'interdiction des farines animales, aux volailles ou aux porcs, pourtant plutôt omnivores, avec des résultats de croissance corporelle satisfaisants. Il est souhaitable de rester dans la logique du comportement omnivore des anciens chasseurs-cueilleurs que nous sommes, mais on ne peut exclure une évolution souhaitable de l'homme vers plus de végétarisme dans un esprit de développement durable et d'une meilleure utilisation des ressources végétales sans abuser de l'intermédiaire animal.

Quelques conseils très utiles peuvent être prodigués pour aller dans le sens d'une alimentation saine et protectrice, riche en produits végétaux : par exemple celui de consommer le plus souvent possible des crudités variées (ou des fruits) en début de repas plutôt qu'en fin de repas. Elles seront mangées ainsi avec plus d'appétit et pourront contribuer à réduire la prise des autres aliments plus énergétiques. De même, l'assiette principale du déjeuner gagne, en accompagnement de la viande ou du poisson, à contenir à la fois une source de féculents et de légumes variés.

Beaucoup de comportements alimentaires sont relativement caricaturaux, et leur modification en profondeur nécessiterait une véritable révolution personnelle. De nombreuses personnes, confrontées à la maladie après une longue période d'alimentation hasardeuse, ont su opérer une véritable conversion diététique. Avec un état de santé retrouvé, ces hommes et ces femmes sont souvent les plus convaincants au sujet du caractère bénéfique d'une alimentation équilibrée. Dans bien des cas, la majorité des consommateurs reste enfermée dans des comportements types qu'il est illusoire d'espérer modifier en profondeur. En attendant un changement durable et souhaitable de la chaîne alimentaire, il est cependant important de faire des propositions utiles aux divers types de consommateurs, en fonction des défauts les plus criants des modes alimentaires pratiqués. Cela revient à faire prendre conscience de l'importance relative des diverses classes d'aliments (pain et autres sources de glucides complexes, viandes, produits laitiers, matières grasses, fruits et légumes), à veiller à la bonne densité nutritionnelle des produits transformés et à mettre l'accent sur la nécessaire diversité alimentaire principalement dans le domaine des produits végétaux. Sur le terrain, il faudrait accomplir un travail d'accompagnement nutritionnel considérable : donner des conseils utiles à ceux qui cuisinent peu, à ceux qui mangent souvent des sandwichs, à ceux qui sautent souvent des repas, à ceux qui vont souvent au restaurant ou au fast-food, à ceux qui adorent viandes, fromages et charcuteries, à ceux qui aiment faire la fête, à ceux qui mangent peu et qui manquent d'idées de menus. Ce type de conseils est l'objet du fascicule « La santé vient en mangeant » édité par le PNNS. Après les déformations induites par notre chaîne alimentaire, la valeur de l'acte de bien se nourrir sera fort difficile à réhabiliter dans toutes les couches de la société.

Enfin de bons produits céréaliers !

La culture des céréales a probablement démarré dix mille ans avant J.-C. sur la bordure orientale de la Méditerranée. Au départ, les céréales n'étaient que de vulgaires graminées sauvages dont certaines présentaient des grains de taille intéressante pour se nourrir. Mais, comme bien des herbes sauvages, ces graminées avaient une fâcheuse tendance à laisser échapper leurs grains, compromettant ainsi toute récolte durable. Seuls, çà et là, quelques épis solides conservaient leur trésor par un caprice de la nature, et c'est sûrement ainsi que les meilleurs épis furent conservés et reproduits autour des campements humains. Le blé primitif, appelé encore engrain ou petit épeautre, avait un seul génome, comme la plupart des espèces botaniques. Sans que l'on sache le rôle exact de l'homme, une deuxième espèce unissant deux génomes naquit ultérieurement dont on cultive encore les descendants sous la forme du blé dur. Quant au blé tendre qui s'est répandu partout dans le monde et dont il existe plus de dix mille variétés, il est fort de trois génomes donc de la réunion de trois graminées. Même si l'homme n'a pas directement conçu ces unions génétiques, il est certain que le blé comme les autres céréales — orge, riz, maïs, avoine, seigle, millet, mil, sorgho — ne seraient pas disponibles avec leurs caractéristiques nutritionnelles et leurs diversités variétales sans l'intervention humaine qui a toujours veillé au grain.

Il existe donc actuellement une diversité très importante de variétés de céréales qui ont été acclimatées dans beaucoup de régions, si bien que le maïs s'est largement répandu en Europe du Nord, que le riz est cultivé en Europe du Sud, que l'Amérique ou l'Asie ont adopté le blé né dans le berceau de la Méditerranée. Dans la plupart des pays occidentaux et en particulier en France, la disponibilité en céréales est extrêmement importante, et pourtant leur consommation est loin d'être optimale au niveau nutritionnel. Le problème de l'utilisation des céréales en alimentation humaine provient du fait qu'elles doivent subir plusieurs transformations avant d'être consommables. Selon les peuples et les régions, les hommes ont développé un savoir-faire alimentaire correspondant à l'utilisation d'une ou deux céréales majeures produites localement. C'est ainsi que les céréales ont été consommées depuis l'Antiquité en Europe principalement sous forme de pain, de galettes ou de bouillies, et il a fallu le développement actuel de l'agroalimentaire pour diversifier d'autres formes d'utilisation des céréales (grande diversité de céréales à cuire, de riz, de pâtes, de cous-cous, de semoule, de flocons, de céréales de petit déjeuner). Cependant, malgré cela, il est rare que le consommateur utilise une gamme suffisante de produits céréaliers ou de produits assimilés aux céréales (sarrasin, quinoa). De plus, les aliments proposés sont pour la plupart trop raffinés ou même parfois enrichis en sucre, en matières grasses et en sel, ce qui aboutit à des produits peu satisfaisants sur le plan nutritionnel.

Pourtant les potentialités nutritionnelles des céréales sont extrêmement intéressantes à bien des égards, pour leur contenu en amidon, en protéines, en fibres, en minéraux (surtout en magnésium), en vitamines B, ou en micronutriments spécifiques. De plus, et cela peut paraître paradoxal, des céréales telles que le blé ont été sélectionnées sur des critères d'efficacité agrono-mique, de rendement et de valeur boulangère plutôt que de qua-lité nutritionnelle. On cultive ainsi des blés avec un taux de pro-téines proche de 10 % alors qu'en alimentation humaine les glucides du pain gagnent à être mieux environnés de protéines pour réduire l'index glycémique.

La composition des diverses espèces de céréales est très variable en particulier en fibres alimentaires, en micronutri-ments, et il est bien dommage de ne pas profiter de cette diver-sité naturelle pour davantage bénéficier des fibres solubles de l'avoine, de l'orge, du seigle, des caroténoïdes et des antioxy-dants du maïs, des polyphénols du sarrasin (une pseudo-céréale). En fait, ce qui limite l'utilisation de tous ces produits est souvent le savoir-faire culinaire ou plus généralement la pauvreté du patrimoine culturel des peuples. Certes, on ne peut goûter à tout, mais il n'y a aucune raison de ne jamais consom-mer des flocons d'avoine, du couscous, des galettes de blé dur, du boulgour, de la polenta ou des tortillas, du pain de seigle, des semoules d'orge, du sarrasin sous forme de crêpes ou de graines cuites. Malgré l'utilisation courante de certains produits céréaliers tels que les pâtes et le riz, le pain est resté longtemps en France la principale source de glucides ; or sa consomma-tion a fortement diminué, contribuant à réduire dangereuse-ment les apports de glucides, pourtant indispensables à l'équili-bre alimentaire.

UN NOUVEL AVENIR POUR LE PAIN

Depuis longtemps dans beaucoup de pays, l'homme entretient avec le pain des relations fortes et complexes de désir, de manque, de rejet, de doute, de plaisir, de peur et le plus souvent d'amour paisible. Vers les années 1960, la peur de manquer de pain, si importante durant les périodes de privation, avait curieusement laissé place à un sentiment de désarroi face à un produit d'une blancheur extrême, un avatar de l'histoire de la mécanisation. Pourtant les boulangers avaient fait tout leur possible pour satisfaire toutes les aspirations des consommateurs, ils avaient pétri intensément un pain toujours plus blanc et plus levé. Les Français en particulier avaient tout pour être comblés ; même le prix n'était jamais tombé aussi bas ; néanmoins, un sentiment de désamour entra progressivement dans les cuisines où le pain, vite rassis, finit pour la première fois de l'Histoire dans les poubelles.

Le corps médical avait également contribué à faire douter les hommes et les femmes, soucieux de leur santé, des vertus d'un aliment aussi trivial. Beaucoup de consommateurs avaient ainsi progressivement manifesté leur désintérêt : pourquoi donc acheter un produit instable, doté d'un vague goût salé et devenu très secondaire pour satisfaire les besoins nutritionnels ? Il était devenu évident qu'on ne comptait plus sur le pain pour faire le plein de minéraux, de vitamines ou d'énergie. Dans le pire des scénarios on aurait assisté, à l'aube du XXIe siècle, à la quasi-disparition d'un produit alimentaire ancestral remplacé par un foisonnement de produits céréaliers emballés prêts à être consommés et pourvus d'étiquettes flatteuses sur la valeur nutritionnelle des portions, et enfin libérés d'une étape de fermentation rendue désuète par le génie technologique agroalimentaire.

De nombreux facteurs ont contribué à inverser cette tendance, à faire évoluer vers le « bon goût » les critères de qualité du pain, à stabiliser la consommation de cet aliment. Dans cette évolution, il faut souligner le rôle pionnier de certains boulangers qui continuèrent à produire un pain au levain le plus proche possible de celui qui était fabriqué par leurs aînés. D'autres initiatives furent prises par les acteurs de la filière blé-pain pour faire face au désintérêt du consommateur pour ce produit. Les meuniers se mirent en devoir de prodiguer des conseils aux boulangers, de proposer de nouvelles formules pour améliorer la panification. On demanda également aux nutritionnistes et aux médecins de bien vouloir s'exprimer sur ce sujet, de rappeler que les glucides étaient indispensables à notre équilibre alimentaire et que le pain était par excellence le meilleur glucide d'accompagnement de nos repas.

Le brassage mécanique intensif de la pâte, largement responsable de l'altération du pain, fit l'objet de critiques de plus en plus fortes et fréquentes. À partir des années 1990, le pain très blanc ayant perdu un peu de terrain, les meuniers se mirent à délivrer des farines un peu moins raffinées. Par imitation de nos voisins suisses ou allemands, boulangers et grandes surfaces proposèrent davantage de pains multicéréales pour diversifier le choix des consommateurs et mieux répondre à leurs goûts. Une émulation typiquement parisienne permit aux meilleurs boulangers d'exprimer leur talent, de redorer l'image d'une baguette avec une mie de couleur crème, de belle allure alvéolée et riche en composés aromatiques.

Le développement de produits issus de l'agriculture biologique, à la suite des crises sanitaires et de la crainte d'un avenir tout OGM, permit aussi de sortir des sentiers battus du pain blanc en mettant en valeur la qualité nutritionnelle des pains confectionnés avec des farines bises ou complètes beaucoup plus riches en minéraux et vitamines. La fermentation au levain, particulièrement adaptée à ces types de farine, combla la frange des consommateurs avertis, longtemps frustrés par la fadeur des pains courants. La renommée de « bonnes boulangeries » se bâtit rapidement de bouche à oreille, et ces boutiques florissantes desservirent une clientèle toujours plus nombreuse et souvent fort éloignée du lieu de vente. Dernière embellie, et non des moindres, l'excès de sel présent dans le pain français courant a été dénoncé par l'Agence française de sécurité sanitaire des aliments en 2001. Une grande partie de la profession en prit acte, se déclara d'accord pour adapter des pratiques plus conformes à une bonne nutrition et promit de baisser progressivement d'au moins 25 % la teneur en sel dans les cinq ans à venir.

Aucun doute, une large dynamique en faveur de l'amélioration du pain s'est développée, elle concerne autant les boulangeries parisiennes les plus huppées que certaines boulangeries de campagne reculée, les grandes surfaces ou les particuliers qui font eux-mêmes leur pain, les villages et les hameaux dont beaucoup ont leur fête annuelle du pain, en un mot la plupart des couches de la population. Cependant, beaucoup de consommateurs et de restaurateurs ont bien des progrès à faire ; certains sont restés des inconditionnels du pain très blanc ; parmi ceux-ci se trouvent les personnes traumatisées par l'image de la guerre, la rareté d'un pain souvent de mauvaise qualité ou par d'autres cortèges de privations. Face au développement du diabète, les chercheurs nutritionnistes mettent également l'accent sur l'intérêt de consommer du pain de meilleure valeur nutritionnelle et tentent de faire évoluer le comportement des consommateurs les moins avertis. Il est urgent d'intervenir, les enquêtes épidémiologiques montrent bien les risques d'une alimentation trop riche en glucides raffinés ou purifiés, en particulier dans le développement du diabète.

Tous les acteurs vont-ils donc dans la bonne direction ? Peut-on pour autant considérer que la bataille du bon pain est gagnée, que la situation est devenue satisfaisante, que la chaîne alimentaire du blé au pain fonctionne dans le but d'assurer la production du meilleur pain possible pour le bien-être et la santé de tous? Malheureusement non, et sans une approche de fond le plus large et le plus collective possible, la situation actuelle risque d'évoluer bien lentement. Le fonctionnement actuel de la filière blé-pain demeure fortement imprégné par l'image du blanc, symbole d'abondance et de pureté. Par rapport à d'autres secteurs alimentaires ou économiques, on rencontre beaucoup de pesanteur et de cloisonnement dans la chaîne alimentaire du pain, et seule une meilleure prise en compte des objectifs nutritionnels à atteindre permettra enfin d'évoluer vers de bonnes pratiques.

LE CHOIX DES FARINES

Le premier problème concerne le choix des farines. Pour le lecteur non initié il faut rappeler que le grain de blé a la particularité d'accumuler les trois-quarts des minéraux et des vitamines dans le tégument externe et le germe qui sont éliminés (sous forme de son) dans les procédés de mouture classiques. D'ailleurs, le législateur, soucieux d'assurer la pureté de la farine blanche, définissait les farines par un taux de minéraux qu'il ne fallait pas dépasser. Cette réglementation, heureusement rendue caduque en matière de pain, était la meilleure façon de pénaliser sa valeur nutritionnelle. Rappelons qu'une farine de type 55 contient 0,55 g de minéraux par 100 g ; une farine de type 110 en contient 1,10 g par 100 g, et une farine intégrale est de type 150-180. Certes, les boulangers ont maintenant la liberté d'utiliser les farines de leur choix, mais on sait à quel point il est difficile de faire changer les habitudes, celles des consommateurs comme celles des artisans.

L'amélioration de la valeur nutritionnelle du pain n'est pas un luxe, d'autant que notre chaîne alimentaire délivre beaucoup trop de produits riches en ingrédients purifiés. À moins de vouloir le marginaliser définitivement, il n'y a aucune raison de maintenir le pain dans la catégorie des aliments de faible intérêt nutritionnel. Encore faut-il informer le consommateur des différences de valeur nutritionnelle des farines de type 45, 55, 80. Non seulement la signification de ces indices n'est pas claire, mais la désinformation sur ce sujet est allée même jusqu'à attribuer une propriété déminéralisante aux pains complets (pourtant trois à quatre fois plus riches en minéraux que les pains blancs), au point qu'il fallait se garder d'en donner aux enfants, aux femmes enceintes ou aux sujets fragiles. Pour déconseiller la consommation de pains complets, les effets délétères d'un composant abondant dans les farines complètes, l'acide phytique, piégeur de minéraux, était mis en avant alors qu'au contraire la panification, surtout celle au levain, contribue à le détruire, ce qui constitue un des bienfaits de la fermentation. L'intérêt reconnu de la fermentation du pain n'empêcha pas le développement en parallèle d'une industrie des céréales de petit déjeuner avec leur plein de fibres et d'acide phytique non dégradé. Évidemment, les approches scientifiques actuelles ont permis de balayer les attitudes les plus obscurantistes. De plus, il ne s'agit pas de proposer seulement du pain complet mais d'utiliser, en fonction des goûts de chacun, une large gamme de farines de meilleure valeur nutritionnelle correspondant à des pains blanc crème ou plus complets et plus foncés.

Le choix de farines blanches, fortement raffinées, a généré à la longue bien des pratiques incohérentes tout au long des étapes de l'élaboration du pain. Une minorité de pains est confectionnée seulement avec de la farine, de l'eau, du sel, de la levure ou du levain. Les farines sont enrichies assez systématiquement avec du gluten pour pallier le déficit en protéines, avec de l'amylase pour accélérer la fermentation et avec de l'acide ascorbique pour améliorer l'élasticité du gluten. Finalement ces adjuvants renchérissent le prix des farines alors qu'il serait possible de produire d'excellents pains directement avec du blé de grande qualité et de mieux rémunérer à cette fin l'agriculteur.

Ces pratiques ont un ancrage très fort auprès des professionnels concernés, et il ne sera pas facile d'opérer des changements profonds dans la filière blé-pain. Ainsi, le fait que la majorité de la chaîne alimentaire soit élaborée vers un même produit standard a entravé les possibilités de diversification en amont de la production de blé. Où en serait notre vignoble si on s'était acharné à produire partout le même vin rosé débarrassé des constituants qui font la typicité des vins rouges ? Pourrait-on faire du bon vin sans la passion des vignerons ? Pourquoi les producteurs de blé ne pourraient-ils pas se sentir impliqués par la qualité du pain, son goût, sa couleur en fonction du choix des variétés et de la culture de leurs champs ?

Puisqu'on utilisait seulement l'amande du grain, la plus pauvre en micronutriments, aucun effort de sélection n'a été fait pour en contrôler la valeur nutritionnelle ; on a même laissé disparaître des pigments naturels (caroténoïdes) toujours abondants dans des espèces voisines (blé dur, petit épeautre). Plus de cinquante ans de recherche ont été bien peu valorisés par les agronomes pour améliorer la valeur nutritionnelle du blé. La sélection a été dirigée vers le rendement en farine blanche et l'amélioration de la valeur boulangère. Cependant il est probable que la valeur nutritionnelle du blé sera à l'avenir mieux prise en considération dans les procédures d'évaluation des variétés. Il faut remarquer qu'il n'y a aucune logique à produire autant de grains à l'hectare (en moyenne 70-80 quintaux) pour ensuite éliminer les trois quarts des minéraux et vitamines avec à la fin un rendement en composés nutritionnels indispensables pour l'homme (en magnésium, fer, vitamines B) relativement faible compte tenu du gâchis opéré au cours de la transformation. Actuellement, le coût du blé ne représente que 5 % du prix final du pain. Cela permet donc d'envisager une segmentation de la production de blé en fonction d'un usage boulanger mieux défini, avec la possibilité de valoriser les nouvelles variétés de blé selon leurs qualités nutritionnelles.

La filière majoritaire blé-pain blanc a grandement favorisé une attitude productiviste en matière de conduite culturale du blé et a contribué à maintenir une faible différence des prix entre les blés destinés à l'alimentation humaine ou à l'alimentation animale. En fait, cette approche productiviste n'a pas obligé les agriculteurs à produire avec peu de pesticides par le choix de variétés ou de techniques agronomiques appropriées. Certes, nous avons une filière d'agriculture biologique active mais qui se développe trop lentement. De plus, il serait logique de disposer de filières du blé au pain bien tracées, le mieux conduites possible et pas seulement selon les critères d'une agriculture raisonnée* encore bien trop tournée vers l'utilisation de produits phytosanitaires.

Il faut donc s'orienter vers la sélection de nouvelles variétés de blé intéressantes pour leur aptitude à la panification complète ou semi-complète (les tests de valeur boulangère ne reposent que sur des farines blanches), vers des conduites culturales et des procédés de stockage propre (il est déjà possible, mais pas encore généralisé, de stocker le grain en silo sans pesticide). Pour diversifier l'offre en pain bis, les meuniers devraient produire plus couramment des farines bises de type 80 telles qu'on les trouve dans les circuits d'agriculture biologique. Il faut noter également que la technique ancestrale de mouture à la meule de pierre garde tout son intérêt pour augmenter la proportion de germes présente dans les farines, pour mieux écraser les enveloppes et libérer ainsi les minéraux qui y sont piégés. Dans la filière conventionnelle, il est possible d'éviter des contaminations éventuelles par les pesticides en abrasant les grains pour enlever la couche la plus externe (péricarpe), donc la plus exposée aux pesticides. Pour augmenter la densité nutritionnelle du pain, une autre solution, qui devrait se développer rapide-

---

* Voir également le glossaire.

ment, serait d'incorporer 20-30 % de farines intégrales (issues de l'agriculture biologique ou exemptes de pesticides) dans la base farine blanche.

Bien sûr, il est nécessaire que le secteur de la boulangerie s'implique totalement dans la diversification des pains et mette la même application à élaborer les pains bis ou complets qu'à produire le pain blanc. Lorsque l'on examine l'histoire de la boulangerie au cours des cinquante dernières années, on est frappé par l'énergie consacrée à vouloir panifier toujours plus vite le même type de farine standard pour aboutir à des résultats si peu satisfaisants (même s'il existe déjà quelques farines de bonne typicité produisant d'excellents pains). Pourquoi une telle dérive dans les procédés de panification avec toujours plus d'adjuvants et de levures performantes, alors que la fermentation du pain demande du temps pour exprimer ses arômes et transformer la pâte en profondeur ? L'effort du boulanger ne doit pas seulement porter sur la qualité gustative de la baguette ou d'une autre forme de pain blanc. Dans une vitrine, les autres pains ne devraient pas être seulement des produits d'appel ou de rentabilité accrue ; le même souci de perfection devrait être prodigué pour la confection de tous les pains, blancs, bis ou complets, avec une information claire sur l'origine et la composition nutritionnelle des farines. Un effort évident devrait être fait pour proposer au moins un type de pain bis ou complet au même prix que le pain blanc pour éviter le développement d'une alimentation à deux vitesses et la situation devenue paradoxale d'une consommation de pains foncés par les classes les plus aisées et de pain blanc par les consommateurs les plus pauvres. Il est surprenant que l'offre en farines bises soit encore très limitée et souvent plus onéreuse que la farine blanche courante. Pourtant il existe de nombreuses solutions pour en produire dont la plus simple serait un mélange : farine blanche-farine complète en provenance d'un blé de qualité.

Nous avons tous les éléments pour améliorer dans la durée la qualité nutritionnelle du pain. Sans une prise de conscience collective de la filière blé-pain, cet aliment pourrait encore perdre du terrain par rapport à d'autres sources de produits céréaliers, particulièrement chez les jeunes. À l'inverse, la valorisation nutritionnelle de nouveaux types de farine et l'amélioration de la qualité du pain pourraient redonner à cet aliment une excellente image susceptible d'augmenter sensiblement sa consommation. Il semble important que cette évolution puisse avoir lieu au pays de la baguette. Pour cela, l'actuel engouement du public pour le bon pain pourrait jouer un rôle déterminant, ainsi que la mobilisation des acteurs de la filière blé-pain pour améliorer la valeur nutritionnelle du pain.

LES DERNIÈRES ÉTAPES DE LA CONQUÊTE DES CÉRÉALES

Maîtriser les besoins nutritionnels de l'homme en glucides complexes par une production agricole optimale de céréales, assurer la transformation des grains en produits céréaliers de qualité, diversifier la consommation de ces aliments de base, bénéficier de leurs atouts nutritionnels, tous ces progrès, une large partie de l'humanité aurait pu les acquérir définitivement pour un bienfait durable. À l'ère des technologies avancées, ces objectifs semblent bien élémentaires et à la portée de la majorité des peuples, tout au moins de ceux qui disposent de ressources suffisantes. Paradoxalement cela n'est pas encore le cas parce que la filière céréales-nutrition humaine ne s'est pas mobilisée pour atteindre des objectifs nutritionnels.

Les besoins en céréales toujours plus importants pour l'élevage animal contribuent au maintien d'une agriculture productiviste, et finalement cela a des conséquences sur la qualité des céréales destinées à l'homme. Souvent, la différence des prix entre les deux types de céréales est plus que modeste, si bien que cela ne facilite pas la production de céréales de haute valeur nutritionnelle avec des rendements plus modérés. Il faut souligner que la consommation directe par l'homme des céréales cultivées est très efficace en termes d'habitants nourris par unité de surface agricole cultivée, si bien que l'obtention d'un rendement élevé n'est pas nécessaire pour nourrir efficacement les six milliards d'hommes de la planète.

En termes d'apports de minéraux ou de micronutriments, il est plus logique de produire des céréales de qualité (même avec un rendement faible ou moyen) dont on préserve le contenu dans les étapes de transformation, plutôt que d'éliminer les trois-quarts des micronutriments dans une chaîne irrationnelle de production agricole élevée et de raffinage intense. Le gâchis nutritionnel de cette approche, le plus caricatural, peut même aller jusqu'à l'extraction d'amidon et jusqu'au rejet de tous les autres composés. L'amidon est ainsi de plus en plus utilisé dans un très grand nombre de produits transformés, augmentant d'autant la proportion des calories vides.

Ces pertes d'éléments nutritionnels ne constituent pas seulement un défaut d'efficacité, elles ont des conséquences graves sur le plan de la gestion de la santé publique. En effet, toutes les enquêtes épidémiologiques récentes montrent bien que la consommation de produits céréaliers complets est beaucoup plus efficace dans la prévention des pathologies majeures que celle des produits raffinés, plutôt nocifs s'ils sont consommés en excès. Dans beaucoup de pays et en particulier en France, il serait nécessaire de repenser entièrement une logique d'approvisionnement en produits céréaliers dans une optique de santé publique et en impliquant directement agriculteurs, meuniers et boulangers dans ce projet. On pourrait définir ainsi les meilleures variétés à cultiver et surtout les procédés de transformation les plus appropriés à la satisfaction des besoins de l'homme et les plus propices au maintien d'une bonne santé. Le public pourrait être informé de cette démarche, et nul doute qu'il approuverait que la gestion des aliments céréaliers, si fondamentale pour le devenir de l'humanité, soit traitée de façon exemplaire dans un esprit d'intérêt général et de santé publique. Cela est très urgent, puisqu'il est probable que le raffinage trop intense des céréales (ou leur transformation en sirop de fructose) a participé au développement de l'obésité aux États-Unis, et demain dans d'autres pays si rien n'est fait pour contrer cette évolution.

À titre de repère, pour satisfaire les besoins en glucides, la consommation de produits céréaliers chez l'homme peut être très variable, très faible, de l'ordre de 150 g par jour chez un sédentaire ou élevée de plus de 400 g par jour chez les sportifs, les travailleurs manuels ou des populations pratiquant des régimes de type macrobiotique. Une question fondamentale difficile à résoudre concerne l'adaptation plus ou moins forte de certaines populations aux diverses sources céréalières. Les données scientifiques font cruellement défaut, et parfois des théories obscures ont été émises concernant le caractère pro-inflammatoire du blé tendre parce qu'il serait constitué de plusieurs génomes ; ainsi, des céréales telles que le riz ou le maïs qui n'ont pas cette spécificité seraient plus facilement adaptées à l'humanité entière. Cependant pour des raisons d'efficacité technologique, l'effort de sélection depuis vingt ans a porté sur l'accumulation de gluten sans que l'on ait acquis la moindre assurance que cela n'avait pas d'inconvénient nutritionnel. Encore une affaire à suivre !

Les céréales, comme bien d'autres aliments, peuvent être vecteurs de risques sanitaires (mycotoxines, pesticides) ou d'intolérance chez certains sujets. On connaît l'importance de la maladie cœliaque, une pathologie digestive induite par une intolérance forte au gluten. On n'a pas suffisamment étudié l'influence de la panification au levain, siège d'une protéolyse par les bactéries lactiques, sur la réduction de cette allergénicité.

DANS LA PRATIQUE, QUE DOIT-ON MANGER ?

Du pain, bien sûr, bis, complet, si possible au levain, confectionné avec du blé mais aussi avec d'autres céréales (seigle, orge, maïs, semoule de blé dur), comportant éventuellement bien d'autres graines (lin, sésame, millet, tournesol, quinoa...), mais aussi une très grande diversité de galettes traditionnelles à base d'orge, de maïs, de sarrasin, de riz, de blé dur ou même de blé tendre. L'usage courant de pain ou de galettes est d'ailleurs complémentaire, le pain permettant d'utiliser le blé tendre, et les galettes beaucoup d'autres céréales. Il serait intéressant que les boulangeries élargissent leurs types de préparation et que l'on puisse trouver plus couramment cette diversité de galettes que le public finirait par apprécier pour son plus grand bien et qui ont montré leur efficacité nutritionnelle de par le monde. Même si elles sont moins efficaces pour essuyer les assiettes, les galettes, plus compactes que le pain, sont très bien adaptées à la physiologie digestive de l'homme qu'un produit très aéré (à condition qu'elles soient préparées sans matières grasses).

Les céréales du petit déjeuner constituent une alternative nutritionnelle intéressante pour une part croissante de consommateurs, en particulier les enfants ou la population jeune. Cependant il existe une très grande diversité de ces produits céréaliers avec des qualités nutritionnelles parfois défectueuses, soit à cause de la nature des ingrédients utilisés (céréales trop raffinées, excès de sucre, apport de matières grasses), soit à cause de procédés technologiques dénaturant la matière première. Il est particulièrement anormal d'attirer les enfants vers des produits de qualité nutritionnelle médiocre par la présence de sucre, d'arômes ou par des publicités accrocheuses. Le petit déjeuner des enfants et des adolescents est très important pour restaurer durablement la glycémie et favoriser l'attention intellectuelle. À cette fin on ne peut que recommander la consommation de pain de qualité ou de préparations telles que les flocons de céréales ou le muesli.

Il est intéressant de diversifier au cours des repas la nature des céréales à cuire en privilégiant plus fréquemment les produits semi-complets qui peuvent être disponibles à l'état précuit. Le boulgour et le couscous sont des exemples très anciens de préparations faciles à cuire ; le boulgour constitué à partir de blé dur concassé a l'avantage d'être plus riche en fibres. On trouve aussi dans les circuits diététiques des préparations similaires au boulgour, provenant d'une très grande diversité de céréales (épeautre, orge, blé). Il existe également des céréales entières précuites plus ou moins raffinées. Il est donc possible de ne pas limiter la consommation de produits céréaliers aux pâtes alimentaires et au riz blanc. Seule une utilisation plus importante de produits céréaliers de qualité permettra de réduire la consommation de sucre et de matières grasses. Cependant il est indispensable que ces sources de glucides soient toujours accompagnées d'une diversité suffisante de fruits et légumes et de produits animaux. Pour freiner l'usage de produits céréaliers de trop faible qualité, il faudrait peut-être exiger une densité nutritionnelle minimale comme critère de qualité requise à la vente.

Le retour du végétal

Dans une pyramide alimentaire équilibrée, les produits végétaux complexes sous forme de produits céréaliers (20 à 40 % de l'énergie), de légumes secs (2 à 5 %), de pommes de terre (5 à

15 %) et de fruits et légumes divers (10 à 15 %) doivent couvrir environ 60 % des besoins énergétiques. Compte tenu de l'efficacité agronomique et nutritionnelle de la consommation directe des végétaux par l'homme, la maîtrise des aliments d'origine végétale est une priorité pour résoudre les problèmes d'alimentation à long terme. Comme ils exercent en plus des effets santé remarquables, il est probable que les produits végétaux garniront pleinement à l'avenir nos assiettes alors que les économistes prévoyaient principalement que l'augmentation du pouvoir d'achat favoriserait le développement des produits transformés et l'élévation de la consommation de produits animaux.

LE STATUT AMBIGU DE LA POMME DE TERRE

Comme celle du pain, la consommation de pommes de terre a beaucoup diminué avec la sédentarisation et le changement des habitudes alimentaires en direction de produits transformés souvent trop riches en ingrédients purifiés (sucre, matière grasse, amidon...). En France, cet aliment fournirait ainsi environ 7 % de l'énergie (et beaucoup plus si on compte les matières grasses d'accompagnement). En fait, les caractéristiques nutritionnelles de la pomme de terre varient fortement en fonction des variétés utilisées et des modes de préparation.

La pomme de terre est une source très intéressante de glucides, et la consommation de cet aliment est souvent indispensable pour atteindre l'apport glucidique recommandé. Cependant, on a trop considéré la pomme de terre comme un féculent de peu d'intérêt nutritionnel alors que ce tubercule peut être également une source très intéressante de fibres, de minéraux et de micronutriments. D'ailleurs, la fraction non énergétique de certaines variétés de pommes de terre anciennes, voire récentes, est comparable à celle d'autres légumes. On sait qu'il existe un consensus sur l'intérêt nutritionnel des fruits et légumes dont la plupart des enquêtes épidémiologiques ont permis de mettre en évidence le rôle essentiel dans la prévention des pathologies majeures. Avant que la sélection ne transforme la pomme de terre en un tubercule de chair blanche remarquable pour sa capacité à accumuler de l'amidon, cette dernière était présente en Amérique et surtout au Pérou sous forme d'une très grande diversité de tubercules plus ou moins colorés (et donc riches en micronutriments) et plus ou moins volumineux. Les possibilités de favoriser l'utilisation de variétés de pommes de terre d'excellentes qualités organoleptiques et de bonne valeur nutritionnelle sont très fortes à condition justement de sélectionner cet aliment sur ces critères et de montrer ainsi que ce produit végétal peut être aussi protecteur que les autres légumes. Il faut noter la propension humaine assez ridicule à blanchir les aliments sélectionnés. Ce qui pouvait sembler futile, tant que le rôle des phytomicronutriments était ignoré, apparaît maintenant comme une erreur majeure, or il faut souvent une à plusieurs dizaines d'années pour sélectionner des plantes réunissant au mieux qualités agronomiques et nutritionnelles.

Même si sa composition n'est pas optimale en micronutriments, la pomme de terre est une source remarquable de glucides complexes sous forme d'amidon. Après cuisson, l'amidon de pomme de terre est très digestible. L'index glycémique de cet aliment peut cependant être amélioré par un mode de cuisson avec la peau ou un refroidissement prolongé. L'amidon d'une pomme de terre cuite et stockée au frigo peut même devenir très lentement digestible.

La pomme de terre a la particularité d'accumuler du potassium sous la forme de sels organiques (citrate principalement) et de ne pas être trop riche en phosphore, un élément trop abondant dans l'alimentation humaine. Dans la pratique alimentaire, il est très courant d'associer viande, charcuterie et pomme de terre, et cette association est plutôt bonne, ce qui ne signifie pas qu'il faille en faire la base de son alimentation et exclure les autres légumes. On a trop facilement associé l'impact de la pomme de terre aux conséquences négatives de certaines typologies alimentaires peu diversifiées et très tournées vers les matières grasses et les produits animaux.

Associés aux produits animaux, les sels organiques de la pomme de terre, transformés en bicarbonate de potassium dans l'organisme, exercent des effets alcalinisants susceptibles de combattre l'acidification provoquée par les protéines animales. Néanmoins, aucune étude n'a démontré quelles étaient les proportions de viandes et de pommes de terre qu'il faudrait consommer pour assurer un équilibre acido-basique satisfaisant. Il serait intéressant de montrer que la consommation de pomme de terre joue un rôle significatif dans la prévention de l'ostéoporose *via* la préservation de l'équilibre acido-basique comme cela a été prouvé pour les fruits et légumes. Autre intérêt de la pomme de terre, consommée nature avec des produits salés, elle pourrait participer à la lutte contre l'hypertension puisque le potassium qu'elle contient est un antidote remarquable du sodium.

Le rôle clé des radicaux libres dans les processus du vieillissement et dans la genèse de pathologies (maladies cardio-vasculaires, cancers...) justifie la nécessité d'apporter à l'organisme des antioxydants indispensables à la protection cellulaire. La pomme de terre est une bonne source de vitamine C, elle contient aussi de l'acide chlorogénique (un des nombreux polyphénols aux propriétés antioxydantes), mais la biodisponibilité de ce composé est sans doute faible. C'est par l'optimisation de sa teneur en micronutriments que la pomme de terre pourra bénéficier d'une image santé semblable à celle des autres légumes. Nous avons déjà des tubercules violets riches en anthocyanes, demain nous pourrions disposer de tubercules jaunes, plus riches en caroténoïdes, ce qui ne nous empêcherait pas de conserver nos pommes de terre actuelles pour bien des usages culinaires.

Cette diversité de couleurs et de micronutriments existe déjà dans un très grand nombre de racines et de tubercules des pays du Sud (patate douce, manioc, igname, taro). La patate douce, souvent riche en caroténoïdes, contient de l'inuline (aux vertus prébiotiques), comme le topinambour. Cette patate pourrait être cultivée aussi dans les régions tempérées et enrichir ainsi notre gamme de légumes. Le manioc est une source extraordinaire de glucides dans toutes les régions subtropicales ou tropicales du monde. En s'appuyant sur les capacités des plantes à accumuler des glucides, mais aussi des micronutriments protecteurs dans les fruits, les graines et le système racinaire, l'humanité dispose d'un potentiel alimentaire extraordinaire et complémentaire qu'elle pourrait mieux exploiter sur le plan nutritionnel tout en développant une agriculture de qualité sur le plan écologique.

VALORISER LES LÉGUMES SECS POUR LEUR EFFET SANTÉ

Les légumes secs sont les parents pauvres de notre alimentation ; ils sont pourtant parés des meilleurs atouts nutritionnels. Leur faible consommation est l'un des exemples d'une exploitation insuffisante des ressources alimentaires végétales. Ces graines produites par des légumineuses ne sont guère mises en valeur par la chaîne alimentaire comme par la recherche en nutrition. Pourtant leur qualité et leur intérêt nutritionnels sont reconnus, que ce soit pour la couverture des besoins en protéines, en fibres, mais aussi en minéraux et micronutriments. Ce sont les aliments qui ont le meilleur index glycémique et les effets hypocholestérolémiants les plus puissants ; ils pourraient ainsi jouer un rôle clé dans la prévention du diabète ou des maladies cardio-vasculaires.

La connaissance de leurs atouts nutritionnels est très insuffisante, et cette exploration pourrait favoriser la réhabilitation de ces aliments. À l'ère de la vogue des aliments fonctionnels, il est intéressant de souligner que les légumes secs présentent une multifonctionnalité remarquable par leurs effets digestifs pour stimuler fortement l'élimination du cholestérol, par leur effet de régularisation du métabolisme énergétique en assurant, après un repas, un apport étalé de glucose et d'acides aminés à l'organisme.

La richesse en minéraux des légumes secs est bien réelle, en magnésium, en calcium, en oligo-éléments, en fer (on trouve effectivement beaucoup de fer dans les lentilles), et la biodisponibilité de ces minéraux est satisfaisante lorsque la consommation des légumes secs est associée à d'autres fruits et légumes, et aux viandes.

Il importe d'identifier la nature des facteurs qui freinent leur consommation. En fait, pour augmenter leur utilisation, pour que celle-ci atteigne une part raisonnable de 5 % des besoins énergétiques (10 % serait un niveau maximal), il faudrait améliorer grandement leur facilité d'usage par la recherche de variétés ou de préparations faciles d'emploi. Cependant c'est le manque de culture en matière de préparations culinaires qui freine le plus leur utilisation. Pour sortir de cette situation, le savoir-faire des peuples à travers le monde gagnerait à être recueilli, analysé, expliqué, vulgarisé, soutenu au titre d'une politique de santé publique. Un grand bénéfice pourrait être atteint avec un investissement bien modeste. Une énergie considérable est déployée en vue de persuader nos concitoyens de consommer trois produits laitiers par jour ; or les arguments en faveur des légumes secs sont tout aussi convaincants et pourtant si peu mis en valeur.

Il ne faut pas oublier qu'en dehors des pays riches la maîtrise de l'utilisation des légumes secs est le moyen le plus sûr et le moins onéreux d'assurer un approvisionnement en protéines pour nourrir l'humanité. Dans nos sociétés d'abondance, on a cru pouvoir se passer de cet aliment si facile à produire ; l'homme se prive ainsi de ses atouts santé remarquables, par exemple pour faire face à l'épidémie naissante de diabète.

Comme la lentille, le haricot, les divers pois, la fève ou le lupin, le soja appartient également à la famille des légumineuses, des plantes intéressantes par leur capacité à puiser leur source d'azote à partir de l'air grâce à une symbiose bactérienne au niveau des racines. À la différence des légumes secs traditionnels, le soja originaire d'Asie a connu un développement extraordinaire comme source de protéines pour l'alimentation animale mais aussi pour son utilisation en nutrition humaine. Les populations asiatiques consommaient principalement les produits du soja après fermentation, par exemple sous forme de tofu, une sorte de coagulat protéique d'aspect similaire à du fromage. Dans les pays occidentaux, les transformations du soja se sont extrêmement diversifiées, et ce produit, sous forme de lait, de yaourt, de biscuits ou d'ingrédients divers, entre dans la composition d'une multitude de produits transformés (favorisant ainsi la survenue de certaines allergies). Comme elles bénéficient d'un lobby puissant, nul ne peut ignorer que les préparations à base de protéines de soja ont des effets hypocholestérolémiants ou bien que cette graine contient des isoflavones, donc des phyto-œstrogènes intéressants pour la prévention du cancer du sein, de la prostate et de l'ostéoporose. Les populations asiatiques semblent en effet mieux protégées de ces pathologies que les populations occidentales ; cependant en Asie, d'autres facteurs environnementaux interviennent sans doute dans cette meilleure prévention. En France, comme dans bien d'autres pays, un espoir est né de pouvoir intervenir efficacement dans la prévention de ce type de pathologies par des préparations à base de phyto-œstrogènes, surtout depuis que l'on sait que les traitements hormonaux substitutifs ne sont pas sans risques pour les femmes. À l'évidence, les effets protecteurs du mode alimentaire asiatique ne pourront être reproduits par un micronutriment isolé, pas plus que la seule utilisation d'huile d'olive ne peut reproduire les vertus du régime méditerranéen. Il pourrait même exister un risque de perturbation du métabolisme hormonal chez des jeunes ou des femmes non ménopausées exposés à des teneurs anormalement élevées de ces phyto-œstrogènes. Consommé à la mode asiatique, le soja peut être un bon aliment pour l'homme, mais il serait logique de développer beaucoup mieux l'utilisation des autres légumes secs qui ont souvent un bien meilleur intérêt culinaire et des effets santé tout aussi remarquables que les produits actuels dérivés du soja.

LE PARADIS NUTRITIONNEL DES POTAGERS ET DES VERGERS

Parce que les fruits et les légumes sont riches en eau et pauvres en énergie, leur intérêt nutritionnel a longtemps été sous-estimé. Les enquêtes épidémiologiques des vingt dernières années ont permis de mettre en évidence que ces produits végétaux avaient un rôle remarquable dans la diminution des processus de vieillissement et la prévention des pathologies majeures. Leurs effets santé sont tels qu'ils font l'objet de recommandations consensuelles de la part des nutritionnistes.

En fait, il y a très longtemps que les effets bénéfiques des fruits et légumes avaient été pressentis, mais, en l'absence de théorie claire sur leurs mécanismes d'action, les nutritionnistes n'avaient pas focalisé leur attention sur ces aliments. Actuellement on leur attribue un rôle clé pour rétablir un équilibre nutritionnel dans un environnement alimentaire propice aux carences en fibres, minéraux et micronutriments du fait de l'abondance des produits transformés et de la forte utilisation d'ingrédients purifiés.

La découverte relativement récente de l'importance du stress oxydant et de la richesse en antioxydants de ces produits végétaux a permis aussi de s'appuyer sur une hypothèse intéressante

pour expliquer leurs effets protecteurs. Autre observation intéressante : la supplémentation isolée en micronutriments (tels que le
bêtacarotène) ne permit pas de reproduire, loin de là, les effets
bénéfiques des fruits et légumes.

Les possibilités de développement de la filière fruits et
légumes dans une société moderne désireuse de protéger sa
population sont considérables. En France, la consommation
actuelle des légumes est d'environ 150 g par jour, et celle des
fruits est un peu plus élevée, or il faudrait consommer au
moins 3 à 600 g de fruits et 3 à 600 g de légumes (soit environ
10-20 % de nos apports énergétiques) pour disposer d'une bonne
protection.

On pourrait donc escompter un doublement de la consommation de fruits et légumes à l'échelon de dix ans à condition
que les consommateurs veuillent bien suivre les recommandations nutritionnelles. Il faudrait pour cela qu'il y ait une politique
de forte incitation qui tempère les influences très fortes du secteur agroalimentaire en faveur de la consommation des produits
transformés. Comment favoriser la consommation de fruits et
légumes ?

Certainement en améliorant leur qualité organoleptique et
nutritionnelle, en diversifiant l'offre et la facilité d'utilisation de
ces produits. Souvent, le problème majeur est la grande mécon-
naissance, par le consommateur, de nombreux fruits et légumes,
de leur intérêt nutritionnel et culinaire. Pour de nombreux amateurs de tomates, de poires, de pommes, de salades diverses,
l'offre actuelle est trop standardisée, peu goûteuse et elle constitue un frein réel à la consommation. Pour réduire le nombre trop
élevé de petits consommateurs de fruits et légumes, il faudrait
qu'il y ait au moins une offre de base de bonne qualité et de prix
compétitif. La difficulté est de faire adopter ces produits par les
générations les plus jeunes, plutôt habituées aux produits transformés prêts à l'emploi. Parmi les nombreuses initiatives possibles, la création d'ateliers de découverte des fruits et légumes
ou d'autres aliments naturels dans les classes enfantines pourrait
avoir un rôle formateur très positif. L'éducation nutritionnelle
devrait se révéler à la longue très efficace et faire entrer ces aliments dans la modernité, dans la classe des produits dont on ne

peut se passer. Il faut donc que le discours nutritionnel soit très convaincant et suffisamment étayé pour que le public ressente le caractère essentiel de ces aliments et que ceux-ci cessent d'être perçus comme des produits secondaires, parce que peu énergétiques, par une trop large majorité de consommateurs, plus particulièrement les jeunes ou les plus démunis. Souvent en effet, c'est aussi leur coût élevé qui est dissuasif, or ce problème pourrait être résolu par une segmentation appropriée du marché et l'organisation de circuits de proximité.

UNE ATTENTION SCIENTIFIQUE SALUTAIRE

Il faudra donc à l'avenir disposer des données scientifiques les plus exhaustives possible pour asseoir le discours nutritionnel afin de préciser et de différencier les effets physiologiques et protecteurs des divers produits végétaux. Avec beaucoup d'aliments peu dotés d'intérêt nutritionnel, le secteur industriel parvient néanmoins à promouvoir ses produits par des arguments nutritionnels peu convaincants sur le plan scientifique mais très efficaces auprès des consommateurs. La communication sur les fruits et légumes est demeurée trop générique et n'a pas bénéficié des mêmes moyens de recherche et surtout de publicité que beaucoup de produits transformés.

La maîtrise de la composition des fruits et légumes, en particulier en micronutriments, constitue un champ de recherches d'une très grande actualité mais également d'une très grande portée pour l'avenir. En plus des vitamines, le monde des plantes comestibles comprend plusieurs milliers de microconstituants issus du métabolisme secondaire de la plante et largement spécifiques de chaque espèce ou variété.

Ces molécules n'ont pas toutes un impact avéré au sein de l'organisme ; lorsqu'elles ont une action significative, elles sont considérées comme des micronutriments. L'exploration de la biodisponibilité et des effets cellulaires et moléculaires de ces biomolécules sera longue mais très instructive pour la maîtrise des effets santé des végétaux. Encore faudrait-il connaître précisément leur composition et les facteurs de variation. Le champ d'exploration dans le domaine des produits végétaux est très vaste puisqu'il concerne toutes les étapes de la production jusqu'à la consommation. Il y a une urgence à bien maîtriser la qualité nutritionnelle des produits : sans aucun contrôle de composition, la sélection génétique, les techniques culturales peuvent modifier très fortement la teneur en micronutriments des fruits et légumes et réduire leur valeur santé. Il est facile de se rendre compte que la recherche de certaines caractéristiques (couleur, forme, facilité de production) a abouti à des produits peu savoureux. Il est paradoxal et pourtant si souvent vérifié que des fruits ou même des légumes d'aspect extérieur flatteur se révèlent bien peu goûteux. Pour aboutir à des produits standard, de bonne présentation et de prix compétitifs, on a favorisé des variétés à fort rendement, des pratiques culturales intensives, des conditions de récolte et de conservation peu optimales quant à la densité nutritionnelle. Il y a donc une nécessité d'effectuer des recherches pour maîtriser l'ensemble des facteurs de variation de la qualité nutritionnelle ; créer à cette fin une culture commune entre nutritionnistes, agronomes et généticiens, mettre en commun un outil analytique performant. Certes, l'analyse exhaustive de la composition des fruits et légumes est très complexe et longue à réaliser, mais cela ne peut pas justifier le désert analytique actuel qui laisse les filières de production dans l'ignorance complète des conséquences de leur pratique et les consommateurs sans repères avérés.

La variabilité génétique de la teneur en micronutriments au sein d'une espèce peut être considérable, mais bien souvent seule une faible part de cette variabilité est exprimée dans les variétés cultivées. Ainsi, par exemple, la teneur en caroténoïdes varie du simple au double dans les variétés cultivées de tomates ou de carottes alors que, dans les variétés sauvages, les écarts de concentration sont encore plus élevés. Pour offrir au consommateur des aliments ayant les effets protecteurs attendus, il faut maîtriser cette variabilité de composition en informant tous les acteurs, y compris les consommateurs, des facteurs qui influencent la densité nutritionnelle des fruits et légumes.

L'analyse de la composition de ces aliments ne suffit pas entièrement à prédire leur valeur santé. Cela nécessite en particulier de connaître la biodisponibilité des micronutriments mais également l'action d'autres composés (fibres, acides organiques, minéraux). Le champ de recherche sur la biodisponibilité est très vaste puisqu'il s'agit de comprendre le suivi des molécules ingérées jusqu'à leur cible dans l'organisme. Les facteurs qui influencent ce cheminement physiologique sont de nature très diverse : nature de la matrice alimentaire, perméabilité intestinale, devenir métabolique, possibilité de stockage, efficacité des voies d'élimination. Les réponses les plus difficiles à donner concernent les interactions entre tous les micronutriments, la description de leurs effets physiologiques complémentaires ou synergiques.

En comparaison de beaucoup d'autres domaines de la biologie, l'effort de recherches consenti est bien faible dans ce secteur de la nutrition ; pourtant il serait capital de mieux comprendre la diversité des fruits et légumes qu'il faut consommer pour disposer d'une protection optimale. L'enjeu en termes de santé publique est considérable, nous avons la possibilité d'améliorer durablement la nutrition humaine, tout en valorisant un secteur agricole.

LA PRÉSERVATION ET LA MISE EN VALEUR DU POTENTIEL DE PROTECTION VÉGÉTALE

Un travail de fond pour améliorer l'impact des fruits et légumes suppose que l'on maîtrise leurs modalités d'utilisation lorsqu'ils ne peuvent être consommés à l'état naturel. Le développement de technologies douces qui respectent au maximum la complexité et les propriétés des aliments est particulièrement important pour les fruits et légumes. La composition de beaucoup de jus de fruits est souvent très éloignée des fruits d'origine. Les techniques culinaires sont parfois trop dénaturantes, et on manque encore d'informations précises sur le devenir de beaucoup de micronutriments dans les divers procédés de conservation et de transformation.

Même si l'utilisation raisonnée des fruits et légumes existants permet une amélioration considérable de l'état de santé de la population, il est évident que l'on peut encore bénéficier de nouvelles ressources végétales. Il est en effet possible d'acclimater une très grande diversité de fruits et légumes à partir des espèces et des variétés présentes dans de nombreuses régions du monde. Or la qualité de la préservation de la santé par les fruits et légumes dépend sans doute des quantités consommées mais aussi de la diversité des espèces botaniques. En France, la gamme des produits proposés dans la plupart des marchés est bien faible par rapport à certaines régions du monde, et nous avons beaucoup de légumes oubliés ou tombés en désuétude (roquette, cerfeuil tubéreux, cardon, crosne, panais, rutabaga, topinambour...). De plus, nous avons réduit à quelques dizaines le nombre de variétés de pommes ou de poires commercialisées alors qu'il en existait plus de deux mille variétés pour chacune des deux espèces. Même avec l'offre alimentaire actuelle, les enquêtes épidémiologiques montrent que la consommation de fruits et légumes est efficace pour réduire très sensiblement les grandes pathologies chroniques.

Malgré leur rôle essentiel dans la nutrition préventive, les fruits et légumes doivent être perçus aussi comme des aliments bons à manger. Longtemps l'effort de recherche en gastronomie s'est concentré autour de la préparation des viandes, or l'exploration du monde organoleptique des fruits et légumes est tout aussi voire plus complexe. Produits végétaux et viandes se marient à merveille, mais souvent une portion congrue est réservée aux fruits et légumes. Pour certains consommateurs, il est nécessaire qu'une chaleur estivale s'installe pour qu'enfin des aliments peu énergétiques et rafraîchissants s'imposent, alors qu'ils pourraient en permanence être attirés par la naturalité de ces aliments aux propriétés physiologiques multiples.

La faible valeur calorique des fruits et légumes constitue leur atout et parfois leur faiblesse s'ils sont la principale ressource alimentaire. Une consommation élevée de fruits et légumes, d'au moins 600 g pour chaque type de produits, fournit seulement 20 % des apports caloriques d'un homme moyen ; ces aliments permettent donc de disposer d'une nourriture abondante et peu calorique. Les fruits et légumes sont pratiquement les seuls aliments dont on peut prescrire une consommation à volonté sans risque de déviations métaboliques. Par contre, il est nécessaire d'aboutir à un apport nutritionnel diversifié compte tenu de leur différence de composition.

L'INTÉRÊT PHYSIOLOGIQUE DES FRUITS ET LÉGUMES

Malgré des moyens de recherche fort modestes de par le monde, nos connaissances sur la diversité des effets physiologiques des fruits et légumes sont très encourageantes. La description exhaustive de leurs bienfaits équivaudrait à explorer toutes les facettes des relations entre alimentation et santé.

L'intérêt fondamental de ce type d'aliments est d'induire une certaine restriction énergétique sans doute très favorable au vieillissement sans par ailleurs priver l'organisme (au contraire) de micronutriments protecteurs. Le risque, bien sûr, lié à une consommation excessive de ces aliments est d'induire, chez certaines personnes, un état de maigreur prononcé tel qu'on le retrouve à la suite de certains comportements apparentés à l'anorexie.

Afin de lutter contre l'obésité, les nutritionnistes ont largement exploré les possibilités de réduire les apports caloriques par la privation alimentaire et/ou par des régimes spéciaux très pauvres en graisses et très riches en protéines. Le problème de ces mesures diététiques provient du fait qu'elles sont difficilement supportables par les patients et peu compatibles avec un bon état nutritionnel. Longtemps, la validité d'une stratégie d'encouragement à consommer à volonté des fruits et légumes afin de lutter contre la surcharge pondérale a été mise en doute dans la mesure où les fruits sont riches en sucre et les légumes peuvent être préparés avec des matières grasses, ce qui est susceptible d'alourdir les bilans caloriques. En prenant quelques précautions diététiques, une consommation élevée de fruits et légumes est compatible et même très utile pour maîtriser les bilans énergétiques. La difficulté réside surtout dans la possibilité de faire adopter à certains consommateurs des régimes alimentaires riches en produits végétaux alors qu'ils sont fortement conditionnés à consommer des aliments prêts à l'emploi souvent peu équilibrés. Les données actuelles montrent qu'une stratégie d'encouragement à la consommation de fruits et légumes est très efficace dans la lutte contre la surcharge pondérale, même s'il existe une réelle difficulté de mise en œuvre.

Manger abondamment des fruits et légumes équivaut à assurer un fonctionnement normal du tube digestif, ce qui est une des conditions indispensables à la régulation de la prise de nourriture. Ce type de comportement alimentaire permet également d'éviter les troubles fonctionnels digestifs, en assurant un remplissage gastrique satisfaisant, en permettant le développement, au niveau du gros intestin, de fermentations symbiotiques particulièrement équilibrées (grâce à une disponibilité élevée de glucides fermentescibles accompagnés de micronutriments) et en régularisant le transit digestif par la présence d'une très grande diversité de fibres.

Consommer une grande quantité de fruits et légumes, c'est l'assurance de bien couvrir les apports nutritionnels recommandés en minéraux et en vitamines et de disposer en plus d'une très large gamme de micronutriments protecteurs. À titre d'exemple, une consommation de 300 g de fruits et de 300 g de légumes par jour fournit 40 % des besoins de potassium (sur une estimation des besoins à 4 g) et de fer et environ 20 % des besoins en calcium et magnésium ; et à quelques exceptions près, la biodisponibilité des minéraux dans les fruits et légumes est très satisfaisante. Beaucoup de consommateurs s'interrogent sur la manière de couvrir les besoins en calcium en dehors des produits laitiers. L'observation des comportements animaux comme celui des modes alimentaires les plus répandus sur la planète montre que le calcium peut aussi provenir des produits végétaux, à condition justement de les utiliser généreusement et non avec la parcimonie de beaucoup de consommateurs actuels.

Chez les omnivores que nous sommes, la consommation de produits animaux et végétaux revêt un caractère complémentaire remarquable pour la couverture des besoins en vitamines. Il faut souligner aussi l'extrême variabilité dans la teneur en vitamines des fruits et légumes selon les parties végétales consommées, les parties foliaires, les tiges ou les fleurs ayant dans l'ensemble une densité nutritionnelle plus importante en vitamines B que celle des racines, des tubercules ou des fruits. Le rôle des fruits et légumes dans l'apport d'acide folique, de vitamine K, de caroténoïdes précurseurs de vitamine A, de vitamine C ou des autres antioxydants est essentiel pour bénéficier d'un bon statut nutritionnel. D'ailleurs, lorsque l'on impose à des volontaires sains, à des fins expérimentales, une réduction drastique de la consommation des fruits et légumes, on observe une réduction nette des teneurs plasmatiques en vitamine C, en caroténoïdes et du pouvoir antioxydant au sein de l'organisme. De plus, les fruits et légumes de par leur différence botanique ou variétale sont une source extraordinaire de composés bioactifs (polyphénols et caroténoïdes largement ubiquitaires, glucosinolates des crucifères tels que le chou, composés soufrés des alliacées, phyto-œstrogènes, terpènes), si bien qu'il est difficile de priver impunément l'organisme de cette protection à l'échelon d'une vie.

L'impact des fruits et légumes est particulièrement vaste puisqu'il concerne tous les territoires de l'organisme et des fonctions aussi diverses que le fonctionnement hépatique, circulatoire, rénal, oculaire. On leur reconnaît maintenant un effet dans la prévention de l'ostéoporose, un rôle probable dans la prévention des maladies neurodégénératives et même une efficacité cosmétique.

Même si les fruits et légumes doivent être appréciés en premier pour leur essence alimentaire, leur rôle dans la prévention des deux grandes pathologies majeures, maladies cardio-vasculaires et cancers, contribue à mettre en avant ces aliments dans les recommandations nutritionnelles actuelles. Pour la prévention des pathologies cardio-vasculaires, ces produits végétaux contribuent à diminuer quasiment tous les facteurs de risque : surcharge pondérale, hypercholestérolémie, résistance à l'insuline, hypertension, oxydation des lipoprotéines, tendance à une agrégation plaquettaire élevée. Depuis notre passé de chasseurs-cueilleurs, il est remarquable que des synergies alimentaires entre produits animaux et végétaux se soient fortement développées pour assurer un bon fonctionnement de l'organisme dans ce type d'environnement nutritionnel. Ainsi, l'élimination digestive du cholestérol en provenance des produits animaux est totalement tributaire d'un apport de produits végétaux et en particulier de fruits et légumes. Des singes auxquels on impose un régime riche en cholestérol sans produits végétaux complexes et sans fibres alimentaires développent rapidement une hypercholestérolémie et une pathologie cardio-vasculaire, et la consommation de fruits ou légumes suffit à assurer un retour à la normale. Dans les pays industrialisés, la consommation de produits animaux et de graisses saturées demeure élevée, mais surtout la composante végétale de l'alimentation est bien trop raffinée ou trop peu diversifiée pour assurer un fonctionnement métabolique satisfaisant. Les possibilités de prévention sont donc tout à fait intéressantes. La question de la prévention des cancers est beaucoup plus complexe, et les mécanismes de protection par les fruits et légumes moins bien élucidés, compte tenu de la complexité des événements cellulaires et moléculaires du processus cancéreux. Il n'empêche, dans des conditions de terrain loin d'être toujours très satisfaisantes, les enquêtes épidémiologiques permettent néanmoins d'observer une protection très significative vis-à-vis d'un très grand nombre de cancers ; jusqu'où pourrait aller cette protection si on maîtrisait mieux la gamme de fruits et légumes à consommer et leur qualité ?

L'exploration des effets santé des fruits et légumes nécessiterait à l'évidence une approche pluridisciplinaire, une étroite collaboration entre la recherche agronomique et médicale, la réalisation d'enquêtes épidémiologiques de grande ampleur ; or de tels programmes de recherche sont loin d'être sérieusement engagés.

LES FRUITS ET LÉGUMES, UN INVESTISSEMENT POUR LA SANTÉ

Actuellement dans les pays occidentaux, la problématique de l'alimentation ne concerne pas seulement l'équilibre des apports caloriques mais le bon statut nutritionnel qui résulte d'un apport alimentaire diversifié et riche en fruits et légumes. On sait maintenant que ces aliments sont indispensables au maintien de la santé du fait de leur richesse en facteurs de protection et de leur forte densité nutritionnelle. Leur consommation, si elle est suffisamment élevée, permet de pallier les inconvénients de l'offre alimentaire actuelle trop concentrée en énergie.

Ce rôle de protection concerne évidemment autant l'homme que la femme, mais il semble que la femme ait une place privilégiée dans la perception et la gestion de ce message.

Au niveau de la santé publique, un réel effort doit être entrepris pour mettre davantage à profit les effets protecteurs des fruits et légumes. Pour aller dans ce sens, un grand nombre d'initiatives devraient être prises, mais il ne fait aucun doute que leur succès dépendra largement de la prise de conscience nutritionnelle des femmes qui restent les prescripteurs de santé les plus écoutés par leur famille et leur entourage. La restauration collective avec l'encouragement des pouvoirs publics et de ses usagers devrait avoir pour objectif principal de gérer au mieux la préparation et la distribution des fruits et légumes pour pallier le déficit récurrent de leur consommation. Dans les restaurants privés, des formules de menu avec un prix forfaitaire incluant des fruits pourraient être proposées. Au restaurant comme chez soi, pourquoi ne pas présenter la corbeille de pain et de fruits au début du repas, ce qui est aussi favorable sur le plan digestif ?

Grâce à un travail de fond concernant la qualité des apports végétaux et notamment des fruits et légumes et la connaissance du déterminisme de leur consommation, on maîtrisera un secteur clé de la nutrition préventive, celui qui peut contribuer le plus sûrement à améliorer la santé de la population et à modifier notre approche des problèmes de gestion de la santé et de leur coût socioéconomique. Néanmoins, l'incitation à consommer d'avantage de produits végétaux de qualité ne doit pas être perçue comme un encouragement à devenir strictement végétarien (bien qu'il faille souvent modérer l'ardeur de certains consommateurs en direction des produits animaux), mais plutôt comme une recommandation forte à limiter les aliments sources de calories vides.

En finir avec le modèle occidental de forte consommation de protéines animales

Dans les pays occidentaux, les produits animaux ont pris une part très importante dans la satisfaction de nos besoins énergétiques. Pourtant, si l'on se réfère aux apports nutritionnels conseillés en protéines et en lipides saturés, leur contribution ne doit pas dépasser 25 % des besoins totaux (4-8% sous forme de produits laitiers, 10-20 % sous forme de viandes diverses, œufs, charcuterie, poisson). L'importance économique et culturelle des productions animales peut difficilement s'expliquer par des arguments nutritionnels. Cependant, avec beaucoup de comportements alimentaires, leur rôle est essentiel pour l'apport des protéines, de minéraux (calcium, fer) ou de vitamines (A, D, B12), dans la mesure où la consommation de produits végétaux ne permet pas d'apporter en quantité suffisante ces éléments, surtout si la part végétale de l'alimentation est peu abondante et de faible qualité.

En moyenne en France, et dans beaucoup de pays occidentaux, notre consommation globale de viande (en dehors du poisson) est trop élevée selon les critères de la nutrition préventive. Aussi conviendrait-il de privilégier la qualité des produits plutôt que les aspects quantitatifs et d'en répercuter les conséquences sur les méthodes de production.

Une consommation de viande au-dessus des normes nutritionnelles (sauf lorsqu'elle est accompagnée de trop de graisses saturées) peut ne pas avoir de répercussions négatives bien nettes sur la santé (on ne connaît pas très bien les limites de cette surconsommation qui varient beaucoup d'un individu à l'autre). Cependant, notre modèle occidental de gros mangeurs de viandes n'est pas défendable à l'échelon mondial.

Puisque l'augmentation des apports de protéines animales n'est plus l'objectif prioritaire à atteindre en France comme dans bien des pays développés, il convient de mettre l'accent sur les caractéristiques organoleptiques des viandes, sur la qualité de leurs lipides, sur leur teneur en vitamines et sur leur bonne protection en antioxydants.

En fait, l'effet bénéfique des viandes ne peut se concevoir que dans le cadre d'un repas complexe en association avec les produits végétaux. Dans ce sens, il est clair que les produits transformés à base de viandes devraient être plus systématiquement complémentés par divers produits végétaux riches en micronutriments.

MIEUX DÉFINIR LES QUALITÉS NUTRITIONNELLES DES VIANDES

Le problème de la qualité des produits animaux doit être perçu correctement à partir d'une vue globale de leur composition. À part le lait et certains produits laitiers, les produits animaux ont une composition énergétique binaire protéines-lipides et une bien moindre richesse en micronutriments antioxydants que les aliments d'origine végétale. En fonction des espèces, des races et des modes d'élevage, la teneur en graisses des produits carnés est très variable. La difficulté est de réduire éventuellement la part de lipides sans altérer les qualités organoleptiques à l'instar de la viande de dinde, voire de porc. Dans la chaîne alimentaire actuelle, la consommation de viandes contribue faiblement aux apports lipidiques totaux, et il y a bien d'autres sources de matières grasses dans les sauces, les produits transformés, mais aussi dans beaucoup de charcuteries et de produits laitiers.

La qualité des matières grasses des viandes en termes d'acides gras, de micronutriments antioxydants (vitamine E, caroténoïdes) est très variable, ce qui a des conséquences sur le plan organoleptique et sur leur valeur santé. Dans l'ensemble, les graisses animales ont pour inconvénient d'être très riches en acides gras saturés, mais il existe des possibilités d'augmenter significativement la teneur en acides gras polyinsaturés par une alimentation plus riche en herbe, ou en divers aliments riches en oméga-3. Le lin a ainsi été utilisé avec succès pour accroître la qualité des lipides de l'œuf.

La qualité des produits animaux a été peu étudiée sous l'angle de leur richesse en micronutriments d'origine végétale. L'impact de la qualité de l'alimentation végétale doit être perçu à deux niveaux. Comme pour l'homme, l'organisme animal est dépendant des facteurs de protection d'origine alimentaire. Il est clair que le bon état de santé des animaux d'élevage est un préalable indispensable à l'équilibre et à la qualité de la chaîne de production animale. La présence de micronutriments d'origine végétale dans les produits animaux (antioxydants, caroténoïdes, terpènes...) n'est sans doute pas une source très significative pour l'homme, mais elle participe directement à la qualité et à la protection des viandes ou des autres produits animaux. Parmi ces micronutriments, les caroténoïdes jouent un rôle majeur ; responsables de la couleur du jaune d'œuf, du beurre ou de certaines graisses animales, ils gagnent évidemment à être mis en valeur comme traceurs d'une alimentation végétale de qualité. Il serait intéressant de montrer que le caractère athérogène des graisses animales peut être fortement atténué par la qualité de leurs acides gras et de leurs micronutriments et donc en amont par la qualité des pâturages ou des autres plantes entrant dans la nourriture animale.

L'expertise scientifique sur la qualité nutritionnelle des viandes, en dehors des sentiers battus des caractéristiques physico-chimiques, est insuffisante pour décrire l'influence des modes d'élevage et d'alimentation et encore plus pour évaluer leur effet santé. Ainsi, la qualité des viandes de volailles, de porc, de poissons, ou celle des œufs en fonction de leur chaîne de production, est encore plutôt mal caractérisée. On a souvent sous-estimé l'influence bien réelle de la qualité de l'alimentation des animaux sur les qualités organoleptiques et nutritionnelles des viandes, ce qui devrait conduire à une remise en question de bien des modes d'élevage trop intensifs. Il faut mettre un frein aux dérives de la société de consommation et d'une agriculture productiviste qui délivre trop de produits animaux « bas de gamme » avec une qualité incertaine. Pour mettre sur le marché des produits à bas prix et dans une optique productiviste, on a produit de la viande à partir d'animaux trop jeunes et physiologiquement immatures. Il semble maintenant qu'un certain recul pousse à faire évoluer les méthodes d'élevage, d'abattage, des traitements de carcasse vers une amélioration nette de la qualité des produits finaux.

En termes de composition et de caractéristiques physico-chimiques, la qualité des viandes n'est pas toujours facile à définir puisque les attentes du consommateur peuvent être très variables. Pour les nutritionnistes, l'important est que la consommation de viandes participe au bon fonctionnement de l'organisme. Cette exigence basique ne doit pas masquer l'insuffisance de nos connaissances sur les effets santé des viandes ou sur les facteurs de risque associés à leur consommation. Montrer que des viandes produites dans des conditions d'élevage excellentes, souvent les plus goûteuses, sont également les meilleures pour la santé serait très réconfortant pour tous (et réciproquement !).

Pour conclure, c'est en maîtrisant bien mieux les effets santé des produits animaux que l'on pourra le plus durablement organiser les filières viande. Les bienfaits des acides gras à longue chaîne des poissons ont fortement contribué au développement de leur consommation. Dans ce sens, il est regrettable que la chair des poissons d'élevage ait perdu une grande partie des qualités nutritionnelles développées par les espèces sauvages, ce qui pourrait à l'avenir contribuer à dévaloriser leur image santé.

Mais cette évolution n'est pas une fatalité, et la pisciculture a sans doute un grand avenir pour préserver les ressources marines (à condition que les poissons d'élevage ne soient pas nourris principalement avec les produits de la pêche).

La viande occupe une place de choix dans notre alimentation et elle constitue le plus souvent l'élément le plus structurant de nos repas. Néanmoins ce rôle ne doit pas conduire à marginaliser ou à rendre secondaires les autres aliments du plat de viandes, notamment les légumes et les fruits. En termes concrets, le morceau de viande dans l'assiette doit laisser largement la place à son accompagnement végétal, et on n'expliquera jamais assez à quel point les produits animaux et végétaux sont complémentaires. Les conseils de modération concernant les viandes, œufs et charcuteries se justifient face à des consommations superflues ou excessives bien fréquentes. Néanmoins, ils doivent être relayés par d'autres messages nutritionnels. Cependant, la promotion des fruits et légumes est souvent ressentie, à tort, comme un encouragement à consommer beaucoup moins de produits animaux. La nécessité de substituer ces produits végétaux à divers produits transformés de faible valeur nutritionnelle est malheureusement moins bien perçue par les consommateurs.

Par ailleurs, la viande est un terme générique qui regroupe un très grand nombre de produits (transformés ou non), et il faut donc ajuster les recommandations nutritionnelles en fonction de chaque produit, en évitant les généralisations. C'est ainsi qu'il est abusif de généraliser les problèmes rencontrés sur un type de viandes ou de produits (charcuterie par exemple) à l'ensemble des produits carnés.

La viande demeure un aliment fortement attractif en raison de ses caractéristiques sensorielles spécifiques que les filières de production devraient s'efforcer de conserver ou d'améliorer. Au niveau sociétal, il semble important que la consommation de viande se stabilise autour d'un équilibre subtil basé sur le bien-être et les attentes du consommateur, le développement d'une agriculture durable et un souci légitime de santé publique. Par ailleurs la filière viande ne pourra échapper au respect d'une certaine éthique concernant le bien-être animal, le respect de l'environnement et une gestion équilibrée des ressources alimentaires à l'échelon mondial.

L'ESSOR DES PRODUITS LAITIERS

Parce que le lait se prête à un très grand nombre de transformations et de fractionnements, la filière laitière est en plein essor. Bénéficiant de recommandations nutritionnelles très fortes (un produit laitier à chaque repas), de produits adaptés à la vie moderne, les produits laitiers font l'objet chez certains nutritionnistes et consommateurs d'un zèle diététique exagéré, alors qu'à l'opposé une frange encore restreinte du corps médical les soupçonne de tous les maux. Évidemment cette « diabolisation » n'est pas plus recevable que la pression diététique orchestrée par le lobby laitier ou les marchands de yaourts. Cependant il est possible que certains sujets gagnent à réduire fortement leur consommation de produits laitiers, qui ne sont pas nécessairement des aliments adaptés à l'ensemble des individus ou des populations.

L'image santé des produits laitiers est particulièrement mise en avant par les industriels du secteur agroalimentaire qui s'en approprient la paternité. Ce raccourci est saisissant, et il est nécessaire de le situer dans la chaîne de production laitière. Cette dernière est devenue très intensive avec des summums de rendement par vache proches de 10 000 litres de lait par an. Une telle production nécessite un apport important de céréales, de légumineuses riches en protéines, de minéraux, souvent d'ensilage de maïs, et les vaches sont loin de disposer d'un plein de phytomicronutriments et d'acides gras essentiels tels qu'elles pourraient en bénéficier avec certains pâturages ou fourrages. Comme pour les viandes, il existe une continuité, une logique dans l'élaboration de la qualité ; sans une alimentation végétale de qualité en amont, il est vain d'espérer obtenir de bons produits animaux. Or il existe une pression de plus en plus forte pour faire baisser le prix du lait qui est pourtant plus difficile à produire que l'eau minérale, et cela ne favorise pas la recherche de la qualité.

L'industriel au milieu de cette chaîne est garant de la sécurité microbiologique, de la qualité des fermentations, des étapes de fractionnement ou de quelques restitutions de vitamines perdues. Il ne peut transcender une matière première de faible qualité en un produit extra sous tous les angles ; en matière d'alimentation, la magie concerne, à la rigueur, nos représentations mentales et non les qualités intrinsèques d'un produit. Dans ces conditions, il semble donc qu'il y ait une survalorisation nutritionnelle des produits laitiers issus d'une chaîne de production trop intensive pour être d'une qualité optimale. Parce que l'industrie laitière a une forte capacité à standardiser les produits, l'importance de la qualité de la matière première récoltée à la ferme a sans doute été sous-estimée.

Pourtant, beaucoup de travaux ont été effectués pour décrire l'influence des facteurs alimentaires, des races et des méthodes d'élevage sur la qualité du lait. Comme pour les viandes, les paramètres nutritionnels à améliorer concernent principalement la qualité des matières grasses et la teneur en micronutriments. Les connaissances sur ces composés, qu'il s'agisse d'acides gras particuliers (acide linoléique conjugué) ou des micronutriments, sont encore insuffisantes. Une analyse très fine de la composition du lait est donc indispensable pour objectiver les différences de qualité des produits laitiers et des fromages, et pour garantir la qualité d'une filière de production.

L'encouragement à consommer le plus fréquemment possible des produits laitiers se heurte à la problématique de la richesse en matières grasses du lait, notamment en acides gras saturés, lorsqu'elle n'est pas tempérée par une teneur suffisante en acides gras polyinsaturés ou en acides gras spéciaux (dits conjugués) formés par la flore du rumen ou la glande mammaire.

Le fait que les matières grasses du lait soient trop saturées est un inconvénient nutritionnel reconnu qui justifie l'écrémage de nombreux produits laitiers. Cependant au cours de cette étape, les vitamines liposolubles sont perdues et parfois réintroduites pour retrouver les teneurs initiales. De gros espoirs sont portés par la filière autour des acides linoléiques conjugués dont la teneur dans le lait dépend de l'alimentation des vaches. Il semble bien que les effets bénéfiques de ces acides gras soient à relativiser par rapport à l'efficacité d'un apport bien équilibré en acides gras polyinsaturés d'origine végétale. D'ailleurs, bien que ce ne soit pas une voie courante actuellement, la meilleure façon d'équilibrer les matières grasses du lait serait certainement de pouvoir les substituer partiellement ou totalement par des lipides d'origine végétale, équilibrés en oméga-3 par exemple. La technologie permet également de modifier les matières grasses du lait, mais, compte tenu du défaut intrinsèque de la matière première, les ajustements n'ont pas une grande portée au niveau de la santé publique.

Il est intéressant de faire quelques commentaires sur des produits de consommation courante. Le développement de produits frais fermentés de type yaourt peut être perçu comme une réussite commerciale et nutritionnelle. La fermentation du lait réduit légèrement l'apport de lactose mais surtout favorise la tolérance digestive des adultes à ce sucre par l'apport d'une activité lactasique d'origine bactérienne. Cependant on peut observer des dérives dans la composition de ces produits avec l'utilisation de sucre, d'arômes, l'incorporation de fruits en bien trop faible quantité. Avec ces produits, le consommateur peut avoir l'impression de consommer des fruits, et la forte aromatisation induit certainement une déformation dans le goût et le comportement alimentaire des enfants, voire des adultes.

Les produits fermentés, source de bactéries susceptibles de rester vivantes dans l'intestin, font l'objet d'allégations très positives avec des bases scientifiques bien faibles ; il est dommage que l'on ne s'intéresse à la flore digestive qu'à propos de ces aliments qui sont loin d'être les plus déterminants pour la physiologie intestinale.

La qualité du beurre reflète évidemment celle du lait, et il n'est pas étonnant qu'elle soit moyenne à certaines périodes de l'année, avec une consistance dure et une très faible teneur en caroténoïdes. En France, la diversité et la qualité de nos fromages forcent à juste titre l'admiration. Leur richesse en acides gras saturés pose toutefois un problème de santé chez les grands consommateurs de ces produits. Parmi les mauvaises pratiques alimentaires, la teneur excessive en sel de certains fromages est à dénoncer. En plus de ses effets négatifs sur la pression artérielle, le sel induit une perte urinaire de calcium, ce qui va à l'encontre des effets recherchés avec les produits laitiers.

Il n'est pas possible de parler des produits laitiers sans évoquer leur rôle dans l'apport de calcium, ce qui constitue le fer de lance de la filière. Il faut cependant souligner que l'apport de calcium n'est pas le seul facteur limitant pour la prévention de l'ostéoporose, et que le discours associant étroitement produits laitiers et prévention de l'ostéoporose est réducteur et bien dogmatique. De même, le fait de présenter les produits laitiers comme des aliments efficaces pour la prévention du risque hypercholestérolémique, par l'addition de phytostérol, procède d'une démarche marketing bien éloignée d'un esprit de nutrition préventive.

Finalement il est souhaitable que la filière laitière joue un juste rôle dans le développement d'une bonne nutrition, ce qui nécessite de faire des ajustements au niveau des produits proposés et du discours nutritionnel. On peut aussi émettre le vœu que cette filière prenne les mesures nécessaires pour préserver la typicité des fromages ou des laits et résiste aux sirènes de la standardisation industrielle.

Améliorer et sécuriser l'alimentation

Pour le consommateur normalement informé, le comportement alimentaire à observer n'est pas très compliqué dans la mesure où il dispose d'aliments de nature et d'origine bien définies. En fait, la réalité alimentaire à laquelle nous sommes confrontés a bien changé à la suite de l'importance des transformations alimentaires et de la multiplication d'aliments ou de boissons dont il est difficile de percevoir la finalité nutritionnelle. De plus, jusqu'à présent, le secteur de la production alimentaire a pu utiliser sans limites des ingrédients énergétiques ou opérer diverses transformations sans obligation de densité nutritionnelle.

L'état des lieux de la chaîne alimentaire, d'amont en aval, peut être réalisé maintenant avec beaucoup de recul, en fonction des enjeux environnementaux, socioéconomiques ou de santé publique. Cette expertise devrait conduire à des réformes profondes de l'offre qui pourrait être, beaucoup plus que par le passé, adaptée aux besoins nutritionnels de l'homme. Cela devrait conduire à modifier les approches actuelles dans beaucoup d'étapes de la chaîne alimentaire. Les changements les plus souhaitables devraient être focalisés sur les aliments ou les ingrédients qui couvrent la majorité des apports énergétiques, c'est-à-dire les sources de glucides et de lipides.

DES GLUCIDES DE MEILLEURE DENSITÉ NUTRITIONNELLE

Dans les modèles occidentaux courants, les céréales ne couvrent plus qu'une faible part des besoins nutritionnels, et la baisse de leur consommation n'a pas été compensée par l'utilisation d'autres féculents tels que les pommes de terre ou les légumes secs. Puisque l'ensemble des enquêtes épidémiologiques indique qu'il convient de consommer des céréales peu raffinées, il est possible de prédire qu'à plus ou moins long terme l'ensemble des acteurs et des consommateurs adopteront des produits plus adaptés sur le plan physiologique et sur celui de la santé. Cela devrait constituer un changement très positif pour l'avenir auquel les filières doivent se préparer.

L'autre bouleversement dans la gestion de l'énergie devrait porter sur la production des sucres purifiés. Malgré de nombreux appels à la modération, la chaîne alimentaire actuelle ne semble pas réellement disposée à réduire l'utilisation des divers types de sucres, tant le goût sucré est avantageux pour favoriser la consommation. Ainsi, pour une frange importante de la population et surtout chez les enfants, le niveau de consommation frise l'overdose. Un bol de céréales au petit déjeuner, deux biscuits à la collation de 10 heures, un flan aux œufs à la cantine, une boisson fruitée et deux morceaux de chocolat au goûter, un yaourt aux fruits le soir, si ce n'est une barre chocolatée, bref, une journée bien ordinaire et au bilan une consommation de 100 g de sucres simples. Or, chez un adulte moyen qui a un besoin calorique sensiblement plus élevé que l'enfant, il conviendrait de ne pas dépasser une dose de 60 g par jour, c'est-à-dire un maximum de 10 % des apports énergétiques. Les arguments de modération sont de nature très diverse : le vide nutritionnel du sucre en terme de minéraux et micronutriments, la fréquente association aux lipides, l'induction d'une surconsommation énergétique et l'infantilisation du goût sur le doux, le sucré, l'aromatisé à un stade très éloigné de la découverte de l'amer, de la connaissance des aliments naturels.

Les recommandations nutritionnelles, relayées par une prise de conscience diététique sociétale, devraient donc conduire, à la longue, à une normalisation de l'utilisation des sucres. Globalement les achats de sucre par les particuliers ont tendance à baisser, mais cette diminution est largement compensée par l'ajout de sucres dans les produits transformés. L'utilisation importante de sucres purifiés peut générer des problèmes métaboliques, mais la problématique majeure concerne la baisse de densité nutritionnelle des régimes. Pour sucrer le café (ce qui est plutôt une mauvaise habitude) ou pour divers usages culinaires, il est compréhensible d'avoir recours à des produits tels que le sucre blanc ou le sucre roux. Cependant dans les aliments, le sucre est normalement associé à d'autres éléments majeurs tels que des minéraux (sels de potassium), des fibres alimentaires et des antioxydants. Pour introduire du sucre dans des biscuits, des yaourts, des viennoiseries, des boissons, le secteur agroalimentaire pourrait utiliser plus couramment des sucres semi-purifiés suffisamment riches en potassium, en fibres, en antioxydants normalement présents dans les plantes sucrières. Nul doute que les technologies pourront être mises au point pour aboutir à ces ingrédients sucrés de meilleure densité nutritionnelle. Il serait déjà très facile d'utiliser des sirops de canne concentrés sans problèmes organoleptiques, et la betterave peut subir les fractionnements nécessaires pour aboutir aussi à des préparations acceptables. Malgré ces ajustements, il est souhaitable de prévenir les habituations au sucre en particulier dans les aliments et les boissons destinés aux enfants. Avec le recul du siècle passé, on peut observer une coïncidence frappante entre la prise de poids de la population nord-américaine et la modification de la nature des glucides consommés, la baisse de consommation des produits végétaux complexes au profit des sucres purifiés et surtout du sirop de fructose.

La révolution de la technologie sucrière n'est pas encore en route, mais la nécessité d'une autre approche plus adaptée à la santé humaine finira par s'imposer. L'industrie de l'amidon est beaucoup plus récente, et il est déjà urgent de la remettre en question. L'amidon est largement utilisé pour ses propriétés physico-chimiques dans beaucoup d'aliments mais il a, comme le sucre, une densité nutritionnelle nulle. Le traitement des céréales par voie humide pour en extraire l'amidon a un coût énergétique considérable, et il est pour le moins paradoxal de dépenser beaucoup d'énergie pour transformer des matières premières nobles telles que les céréales en glucides purifiés. C'est pourquoi la recherche doit essayer de trouver les technologies de remplacement de l'amidon par des produits céréaliers de bonne densité nutritionnelle et de mêmes propriétés fonctionnelles. L'amidon sert également à la production de glucose et de fructose. Dans ces cas-là, comme pour le saccharose, se pose le problème d'une association de ces sucres simples avec un minimum de minéraux, de fibres solubles et d'antioxydants. L'essor de la consommation de jus de fruits avec du sucre ajouté et une perte substantielle de micronutriments est dangereux sur le plan métabolique d'autant que ce type de boissons bénéficie d'une image de naturalité auprès du public.

Le miel est un exemple remarquable de produit naturel relativement riche en antioxydants et en glucides fermentescibles dont la production gagnerait à être développée en étroite relation avec les assolements en plantes mellifères. Les potentialités de production de miel en association avec une agriculture le plus exempte possible de pesticides sont remarquables et devraient être soutenues par la société. Ainsi, le miel rentrerait plus couramment dans la composition des produits alimentaires. Les abeilles ont également la délicatesse de déposer dans les ruches du pollen, véritable concentré de micronutriments naturels, ainsi que de la propolis, un extrait de polysaccharides aux vertus protectrices.

Finalement un des problèmes majeurs de notre chaîne alimentaire, récemment soulevé par la FAO et l'OMS, est de ne pas s'être appuyée sur des politiques alimentaires propices au développement de politiques nutritionnelles de santé publique efficaces et conçues avec une approche globale. L'exemple de la mauvaise gestion des approvisionnements en glucides est parmi les plus marquants et les plus urgents à réformer.

AUGMENTER LA PRODUCTION D'HUILES VIERGES

L'apport de matières grasses constitue le deuxième problème énergétique majeur qu'il convient d'améliorer fortement. La surconsommation de matières grasses, souvent apportées sous formes cachées dans des aliments de base ou des produits transformés, se traduit par un déséquilibre dans l'apport des acides gras. On note dans l'ensemble un apport excédentaire des acides gras saturés et une proportion trop importante des oméga-6 par rapport aux oméga-3. À l'échelon général, une amélioration nutritionnelle sensible pourrait être atteinte en réduisant diverses sources d'acides gras saturés (beurre, margarines mal équilibrées, graisses animales), au profit des huiles végétales équilibrées ou de mélange. De plus, il est certainement possible d'améliorer la qualité d'un ensemble de matières grasses : les graisses animales par la qualité de l'alimentation des animaux d'élevage, les margarines par l'utilisation de procédés de fabrication peu dénaturants, et les huiles végétales au niveau de leur équilibre en acides gras et de leur richesse en antioxydants.

À l'instar des animaux sauvages qui ont des graisses relativement riches en oméga-3, la qualité des matières grasses des animaux d'élevage est fortement influencée par la nature des produits végétaux consommés. Dans le cas du poisson, les différences de richesse en oméga-3 peuvent être importantes entre animaux sauvages et animaux d'élevage (souvent plus gras). L'alimentation animale devrait donc évoluer sensiblement à l'avenir vers une alimentation moins monolithique, plus diversifiée en produits végétaux, et la qualité des matières grasses produites pourrait servir de repère pour apprécier la validité des systèmes alimentaires.

La technologie de préparation des margarines a évolué favorablement. Cela a permis de réduire fortement leur teneur en acides gras trans (de conformation peu naturelle), qui sont produits lors des procédés d'hydrogénation des acides gras insaturés. De plus, une proportion de plus en plus élevée de margarines présente maintenant un rapport oméga-6/oméga-3 plus proche des recommandations, ce qui constitue une évolution très favorable. Nous manquons de recul pour juger de l'intérêt réel de la supplémentation des margarines en phytostérols dans le but de combattre les situations d'hypercholestérolémies, un des risques étant de pousser à la consommation de ce type de matières grasses sous prétexte de santé.

Il existe une diversité considérable de plantes oléagineuses, or nous ne consommons couramment qu'un nombre très limité d'huiles (olive, arachide, tournesol, maïs, colza, soja, pépins de raisin, noix). La plupart de ces huiles à l'exception de celles du colza, du soja et de la noix sont très pauvres en acide alpha-linolénique (un des trois oméga-3). Un progrès sensible a été effectué par la multiplication des huiles de mélange, par une utilisation plus courante de l'huile d'olive. Cependant, des avancées considérables pourraient être développées par une meilleure exploitation de la diversité des plantes oléagineuses cultivées ou par leur sélection. Alors que l'on manque d'huiles riches en oméga-3, les graines de lin, de cameline, de chanvre, d'œillette sont très peu exploitées, voire interdites dans le cas du lin pour prévenir les risques de peroxydation. Ce risque peut être prévenu en mélangeant ces huiles après leur extraction avec d'autres huiles plus stables et mieux protégées.

Le défaut majeur de la plupart des huiles, à l'exception de l'huile d'olive, est d'être produites sous formes raffinées, ce qui les prive des micronutriments liposolubles de la plante qui peuvent être des facteurs de protection pour l'organisme. L'exemple de l'huile de palme, très rouge et très riche en caroténoïdes et vitamine E, entièrement blanchie en vue de son utilisation dans les pays occidentaux, est parmi les plus caricaturaux. Il en est de même pour les huiles de colza, de tournesol et de maïs naturellement jaunes et rendues incolores après extraction à l'hexane (solvant) et raffinage. Ces mauvaises pratiques peuvent être aussi responsables d'une production d'acides gras trans. Grâce à des nouvelles technologies beaucoup plus douces, il est certainement possible de produire des huiles vierges ou semi-purifiées de qualités nutritionnelle ou organoleptique intéressantes. Pour développer des huiles vierges de grande qualité organoleptique, il serait possible de sélectionner les plantes oléagineuses à cette fin comme cela a été fait pour l'huile d'olive. On ne fait pas du bon vin avec n'importe quel cépage, demain nous pourrions avoir des grands crus d'huile de colza ou de tournesol. Les beaux capitules jaunes du tournesol pourraient être cultivés sous forme de variétés équilibrées en acides gras, donc moyennement riches en acide oléique (actuellement on ne cultive que des variétés très riches ou très pauvres en acide oléique) et donner des huiles de typicité différente de celle de l'olive, mais fort goûteuses et valables. Le secteur agricole pourrait davantage prendre en charge la production d'huiles vierges de qualité. Les technologies et les équipements nécessaires sont maintenant disponibles, et il est tout aussi gratifiant de produire des grands crus d'huiles vierges que du vin.

Depuis l'ère des premières margarines, le XXᵉ siècle a particulièrement mal traité, tout en les développant très fortement, les diverses sources de matières grasses. L'équilibre de l'huile d'olive, qui a bénéficié d'une technologie ancestrale, a ouvert la voie au retour à la naturalité dans ce domaine alimentaire. Ainsi, la qualité des matières grasses délivrées par le secteur agroalimentaire, et demain par les agriculteurs eux-mêmes, pourrait être fortement bonifiée à l'avenir en exploitant beaucoup mieux les ressources végétales naturelles et en respectant au maximum la naturalité et la complexité de leurs matières grasses.

VEILLER À LA QUALITÉ DES BOISSONS

Le secteur des boissons a non seulement un intérêt économique considérable, mais aussi un impact souvent fort sur la santé. Globalement depuis trente ans, nous buvons moins de vin, plus de bière, toujours autant de produits alcoolisés et surtout beaucoup plus de jus de fruits et de produits sucrés. La théorie des calories vides s'applique particulièrement bien aux boissons alcoolisées et sucrées. Par conséquent, la nécessité d'améliorer la densité nutritionnelle de ces produits doit constituer notre principal fil directeur.

Cela signifie, pour les jus de fruits, de mieux récupérer les micronutriments mais aussi une partie des fibres. L'essor des jus de fruits et surtout des nectars (enrichis en sucre) dont la composition est bien trop éloignée des fruits d'origine nuit certainement à la consommation des fruits entiers chez les enfants comme chez beaucoup d'adultes, ce qui finit par être préjudiciable à la bonne gestion de la santé.

De nombreuses boissons (vin, cidre, café, thé, chocolat) sont riches en polyphénols ; la bière en contient rarement des quantités significatives. Ces polyphénols sont plus ou moins bien conservés ou biodisponibles. La recherche du naturel est une bonne ligne directrice et devrait nous conduire à sélectionner les produits le plus riches possible en phytomicronutriments.

Pour sa valeur hygiénique, le vin devrait avoir une bonne teneur en polyphénols et un degré alcoolique plutôt faible. Le vin a des qualités remarquables sur le plan de la convivialité et de la gastronomie, mais aussi pour ses effets métaboliques sur le transport des lipides plasmatiques. Néanmoins, la consommation élevée de vin comme celle d'autres alcools exerce des effets négatifs sur le plan de la santé et pas seulement sur celui du comportement. Il est très important d'orienter les filières viticoles vers la production de vins moins chargés en alcool et riches en antioxydants. Le fait que les enquêtes épidémiologiques concordent sur le caractère bénéfique d'une consommation très modérée de vin, limitée à deux ou trois verres par jour, est tout de même remarquable. De ce point de vue le vin n'est pas un alcool comme les autres sources, surtout s'il est bu à table dans des conditions où il va peu perturber la glycémie, à la différence des apéritifs.

Il faut sûrement modérer la consommation de vin, mais on peut supprimer sans crainte l'usage des sodas, et, à défaut, il serait vraiment souhaitable d'augmenter leur densité en quelques micronutriments ; le plus simple et le plus sûr étant de limiter au maximum leur consommation. Pour répondre à la demande croissante de boissons, une solution acceptable serait sans doute de développer des boissons riches en extraits végétaux naturels et le moins sucrées possible, mais attention aux dérives ! Dans les boissons comme dans d'autres aliments, le sucre, quelle que soit son origine, devrait être accompagné de minéraux et de fibres solubles, et le nombre de sources possibles de ces éléments est considérable. Même avec une composition équilibrée, les apports énergétiques sous forme de boissons posent problème parce que le contrôle de la satiété est moins efficient qu'à partir des aliments solides, or l'offre en boissons ne cesse d'augmenter ! Les législateurs, conscients de leur responsabilité, ont réduit la marge de manœuvre des publicitaires pour la promotion des boissons alcooliques ; il est surprenant que les marchands de sodas ou d'autres produits sucrés puissent encourager, sans contrainte réglementaire, la terre entière à consommer des calories vides. Comment être à ce point insensible à l'épidémie mondiale d'obésité, aux conséquences du conditionnement des consommateurs à des breuvages artificiels !

La disponibilité en eau comme boisson parfaitement hygiénique n'aurait jamais dû poser de problèmes particuliers dans des pays développés si la pollution environnementale n'était devenue si forte. Il est révoltant d'accepter cette mauvaise gestion de l'environnement et de laisser se développer, par le recours au marché de l'eau, les mauvaises pratiques actuelles, alors qu'un libre accès à cet élément naturel était possible et souhaitable. De plus, un souci d'hygiène microbiologique, souvent trop poussé, a contribué à altérer le goût et la qualité de l'eau du robinet. Cependant le développement des eaux en bouteilles a surtout été favorisé par les problèmes de pollution et en particulier ceux liés aux activités agricoles. Il semble important que les citoyens consommateurs fassent connaître leur mécontentement profond sur ce sujet.

Toutes les eaux commercialisées gagneraient à avoir une certaine minéralisation, à présenter au moins une garantie de bonne composition. Dans la situation actuelle, la question de l'opportunité de la fabrication d'eaux minérales par ajout de sels minéraux se pose de plus en plus. Si cette technique venait à se banaliser, il faudrait en profiter pour concevoir des formules originales utiles pour la lutte contre l'ostéoporose ou l'hypertension.

PROMOUVOIR DE NOUVEAUX MODES ALIMENTAIRES

Avec un ensemble de produits céréaliers et de féculents, une grande diversité de fruits et légumes, de viandes, de poissons, de produits laitiers ou d'autres produits animaux, un usage courant d'ail, d'oignon et d'échalote, de miel, de graines et de fruits secs, une grande disponibilité en épices, herbes ou aromates, mais aussi d'autres merveilles alimentaires, il existe des milliers de recettes possibles en accord avec une bonne nutrition préventive. Toutes ces denrées, directement ou après des transformations de base, permettent une excellente alimentation à condition toutefois de posséder le savoir-faire culinaire et de consacrer suffisamment de temps à la préparation du repas.

Dans l'immense patrimoine culinaire mondial, il est possible de puiser un nombre impressionnant de préparations culinaires valables à la fois sur le plan diététique et sur le plan d'une utilisation rationnelle des ressources alimentaires. Plusieurs milliers d'ouvrages relatent ce savoir-faire ancestral ou moderne, et paradoxalement cette mine empirique a été peu exploitée par les nutritionnistes pour en réaliser des analyses scientifiques d'ensemble, pour proposer des améliorations, des synthèses, des adaptations à la vie moderne, pour enrichir nos modes alimentaires dans une optique de bien-être et de santé publique.

L'amélioration de la qualité des matières premières et de l'offre en produits transformés est certes un préalable au développement d'une alimentation de qualité, mais le facteur limitant le plus important concerne le savoir-faire culinaire des populations. Aucune politique nationale d'envergure dans le domaine de l'alimentation et de la santé n'a été focalisée sur l'acquisition de modes alimentaires plus évolués, à la fois sur le plan culturel et diététique. À la place de cette orientation, la politique de développement alimentaire a presque entièrement été dirigée vers l'essor des produits transformés, rendant ainsi le consommateur passif et de plus en plus dépendant de l'offre industrielle.

Le bilan de l'activité agroalimentaire est très complexe, parfois positif lorsqu'il permet l'utilisation d'aliments que le consommateur aurait du mal à se procurer ou à traiter lui-même, parfois négatif lorsqu'il décourage les hommes et les femmes, avec des produits attrayants et compétitifs, de se prendre en charge et d'utiliser dans la cuisine des aliments complexes de bonne densité nutritionnelle. Par ailleurs, l'approche industrielle est peu adaptée au « bricolage » quotidien de l'art culinaire, à la nécessité de traiter en permanence des produits frais qui aient gardé leur complexité et leurs qualités nutritionnelles. Les contraintes de temps liées à la vie moderne semblent constituer un obstacle insurmontable pour la gestion au quotidien de régimes alimentaires confectionnés avec des aliments peu transformés. Puisque cette difficulté existe, les solutions peuvent être trouvées en créant une autre organisation sociale de la distribution alimentaire. Au lieu de favoriser toujours plus de concentration des productions dans des grandes entreprises, il serait souhaitable de diversifier le nombre et la nature des acteurs pour assurer davantage d'offres de restauration, de préparations ou de produits prêts à cuisiner de bonne qualité, de services divers. Par le biais d'une industrialisation excessive, les consommateurs et de nombreux acteurs potentiels sont dépossédés de leur participation à la chaîne alimentaire, et il semblerait prudent d'équilibrer les deux voies possibles de préparation des aliments à l'échelon de proximité et à l'échelon industriel.

Finalement, un des problèmes essentiels de l'homme en matière d'équilibre alimentaire est de ne pas se tromper sur la qualité nutritionnelle et le goût des aliments qui conviennent à sa physiologie, à son bien-être et à sa santé. Or beaucoup de conditionnements, d'artifices de présentation ou de composition, d'influences publicitaires, parfois familiales ou culturelles, détournent le consommateur d'un choix judicieux sur tous les plans. Pis, le vrai goût des aliments finit progressivement par être perdu et détourné au profit d'aliments transformés. Cette dérive des goûts déjà observée sur l'animal guette ainsi nos enfants, et il y a lieu de réagir le plus rapidement possible par une prise en charge plus directe de notre alimentation.

ASSURER LA SÉCURITÉ DES ALIMENTS

Il y a, semble-t-il, une réelle prise de conscience de l'importance d'assurer la sécurité alimentaire, ce qui ne signifie pas que les choses évoluent dans un sens favorable sur le terrain. Le domaine de la sécurité alimentaire est particulièrement vaste, regroupant les aspects de sécurité d'approvisionnement, de sécurité biologique (bactéries, virus, prions), de sécurité chimique (l'ensemble des pesticides, divers additifs et contaminants) et plus récemment de biosécurité avec l'apparition des OGM.

La question de la sécurité toxicologique devrait le plus largement et le plus sûrement possible être une affaire de prévention.

L'approche actuelle centrée sur l'analyse des risques dans un système productiviste, considéré comme inévitable, est peu efficace parce que les efforts ne sont pas suffisamment concentrés en amont sur la prévention. L'essentiel serait d'élaborer des méthodes de production et de transformation le plus propres possible. La maîtrise des aspects de sécurité devrait être l'occasion de bâtir un type d'agriculture plus adapté au respect de l'environnement et au maintien de la santé. Le concept actuel d'agriculture raisonnée est une première étape bien timide qu'il convient de dépasser vers la mise en place d'une agriculture durable très peu polluante. Cependant la mise en place de modes de culture dits raisonnés a été une source de progrès très significatifs en évitant le recours systématique à des traitements phytosanitaires ou en définissant plus rigoureusement les doses maximales de produits à ne pas dépasser.

Pour être efficace, il ne suffit pas de mettre de gros moyens dans l'étude *a posteriori* des aspects sécuritaires mais de s'investir fortement dans les méthodes de prévention. C'est pourquoi il faut que les questions de sécurité soient intégrées à toutes les étapes de l'élaboration de la qualité des aliments et donc en premier lieu au niveau des modes de culture et d'élevage. Néanmoins les problèmes rencontrés sont spécifiques à chacune des filières et nécessitent des réponses adaptées. Il s'agit notamment d'afficher une intention déterminée de réduire l'usage des produits phytosanitaires en programmant un plan de réduction discuté par tous les acteurs. Pour beaucoup de variétés actuelles, la suppression drastique des pesticides est difficile, d'où la nécessité de sélectionner les variétés résistantes, de rechercher les moyens de lutte biologique ou de prévention du développement des pathologies et, progressivement, de pratiquer une agriculture propre. Toute cette démarche est possible, elle est souhaitée par la société, par les agriculteurs eux-mêmes, elle est sans doute freinée par l'agro-industrie et par l'incompétence de certains producteurs. Pourtant, comment accepter de gérer ses vignes à coups de désherbants et de traitements qu'il faut pratiquer à l'abri de masques dérisoires ! Comment décliner ensuite de belles paroles sur le bouquet du vin ! Ne faut-il pas faire évoluer les cépages s'ils sont devenus dépendants d'une protection chimique artificielle ? On pourrait ainsi multiplier maints exemples, les solutions à trouver diffèrent, mais l'objectif final est toujours le même, cesser de polluer l'eau, le sol, l'air, la flore et la faune, ne plus se satisfaire de normes de sécurité concernant l'homme, protéger nos abeilles, la vie du sol, la pureté de la rosée.

L'agriculture n'est pas la seule concernée par les problèmes de sécurité. La conservation, le traitement des aliments, les additifs ou les contaminants d'emballage sont autant d'occasions de multiplier les risques toxicologiques souvent peu visibles à la différence des risques microbiologiques, bien plus remarqués et ainsi mieux prévenus.

L'augmentation des allergies alimentaires est par contre bien apparente et inquiétante, elle touche déjà 8 % des enfants de moins de trois ans. Il est difficile d'incriminer un seul facteur, par exemple la présence d'un composé alimentaire allergène, dans la survenue des épisodes allergiques. L'origine de ces problèmes pathologiques est sans doute multifactorielle et résulte à la fois de la présence d'un terrain et de facteurs environnementaux favorables au développement de la réaction allergique. Les allergies alimentaires ne représentent qu'une minorité des allergies totales et elles sont à distinguer des intolérances digestives qui ne mettent pas en jeu des réponses immunologiques. Elles sont évidemment plus importantes chez les très jeunes enfants dont la barrière intestinale est encore très perméable aux protéines laitières par exemple, ou aux divers allergènes résultant d'une diversification alimentaire trop précoce. Il n'est peut-être pas sans risques de recourir trop souvent aux antibiotiques et de modifier ainsi la flore intestinale indispensable à l'immunité, de multiplier les composés alimentaires ou les additifs de toutes origines dans des produits recomposés, d'utiliser certaines technologies de transformation, d'élever les enfants sur les moquettes plutôt qu'en pleine nature.

La sécurité alimentaire est trop souvent perçue sous l'angle négatif des risques courus et pas assez sous l'angle de la sécurité positive, pourtant c'est bien cette dernière voie qui mériterait d'être valorisée. Le terme de sécurité, mis à toutes les sauces par les tenants de la chaîne alimentaire actuelle, est ambigu et seulement garant de l'absence de contaminations trop fortes. Il serait utile de mettre en exergue les productions de bonne densité nutritionnelle et pratiquement dépourvues de pesticides ou de substances toxiques pour favoriser le développement de nourritures porteuses de santé ou d'équilibre. Il vaut mieux par exemple développer au maximum des flores naturelles qui constituent une barrière vis-à-vis des espèces pathogènes que rechercher en permanence une propreté bactériologique très aléatoire. Le maintien de la complexité des aliments, le recours aux effets bénéfiques des fermentations, la teneur en micronutriments constituent les bases d'une sécurité positive sur laquelle il convient de mettre l'accent. Pour tourner le dos aux années peu glorieuses de la pollution liées à un certain type de production alimentaire, le citoyen consommateur doit cesser de se percevoir comme une victime de l'offre qui lui est faite pour peser sur les orientations à venir par ses choix et ses prises de position.

CHAPITRE IV

Bâtir une nouvelle chaîne alimentaire

Une agriculture durable au service de l'homme

Le caractère multifonctionnel de l'activité agricole est maintenant reconnu. En effet, le rôle de l'agriculture est loin de se limiter à la production de matières premières standard pour l'industrie agroalimentaire. Son importance dans le maintien de l'environnement et du tissu rural est évidente. La capacité de l'agriculture à fournir un approvisionnement alimentaire sûr et abondant a constitué le fil directeur du développement agricole jusqu'aux problèmes rencontrés de surproduction et de manque de débouchés.

Par ailleurs, les relations entre alimentation et santé ont commencé à prendre une bonne place dans la préoccupation des consommateurs et des pouvoirs publics. Cette orientation nouvelle a été prise en considération par le secteur agroalimentaire qui se l'est largement appropriée, laissant l'activité agricole à son rôle habituel de fournisseur de denrées. Finalement, les choix du consommateur sont largement dépendants de l'offre de l'agroalimentaire en fonction des critères de prix, de goût ou d'informations publicitaires sans que l'on soit assuré qu'il en résulte un équilibre nutritionnel.

Il apparaît clairement que la régulation de l'offre alimentaire par les seuls critères économiques n'est pas suffisante pour assurer le bien-être et la santé du consommateur. Pour éviter toutes sortes de dérives, la chaîne alimentaire doit donc être repensée afin d'aboutir à des solutions équilibrées, porteuses de bien-être et de santé, dans lesquelles les secteurs économiques concernés trouvent leur juste place et en particulier le secteur agricole.

Connaissant les besoins nutritionnels de l'homme, on pourrait définir la nature des aliments à produire ; cela aurait bien entendu des répercussions sur l'ensemble de la chaîne alimentaire. Ce schéma peut sembler utopique puisqu'il est très difficile de modifier les habitudes alimentaires de la population, mais également les pratiques professionnelles de tous les acteurs impliqués : agriculteurs, transformateurs, distributeurs, restaurateurs, et il ne faut pas sous-estimer les diverses pesanteurs.

Une des manières de procéder pour induire un changement profond dans la gestion de la question alimentaire serait de conduire une large réflexion a l'échelon des pays pour faire émerger de nouveaux consensus, pour justifier les propositions de réformes aux diverses étapes de la chaîne. Dans ces conditions, les pouvoirs publics auraient toutes les facilités pour soutenir les orientations les plus opportunes en conciliant intérêts généraux et intérêts économiques particuliers.

Quelles solutions doit-on rechercher pour tisser les liens entre agriculture-environnement-alimentation-santé, et quelle culture nouvelle doit-on introduire pour progresser dans cette problématique ? Comment introduire un objectif de nutrition préventive dans la multifonctionnalité de l'agriculture ?

La réponse à ces questions est théoriquement facile : en rendant parfaitement compréhensibles les relations entre alimentation et santé, en précisant le rôle et les responsabilités de chacun à toutes les étapes de la production-transformation-distribution, en organisant, par un cahier des charges, l'élaboration de la qualité nutritionnelle, en recherchant des solutions aux facteurs limitant cette approche. Les possibilités d'action des pouvoirs publics à l'échelle nationale et européenne sont considérables, *via* les diverses aides. Encore faut-il que les subventions agricoles accordées le soient pour des finalités mieux définies ; la production d'aliments de bonne qualité nutritionnelle est un objectif général auquel les citoyens peuvent adhérer.

Les deux idées-forces pour la construction d'une politique agricole peuvent se synthétiser autour de deux concepts : celui d'une agriculture durable pour signifier la nécessité de la préservation et de la permanence de l'activité agricole dans un environnement naturel bien préservé, et celui d'une agriculture nourricière au sens de son efficacité pour nourrir les hommes et préserver leur santé. La conception classique de l'agriculture durable est souvent limitée aux modalités de la production agricole. Dans une vision plus globale, la notion d'agriculture durable doit prendre en compte sa mission nourricière en même temps que ses conditions de réalisation sur le terrain.

Expliquer et développer en pratique les deux concepts constitue un préalable indispensable pour construire un système de production alimentaire équilibré. Il ne s'agit pas de réglementer inutilement, mais de clarifier les objectifs nutritionnels que la société attend des activités agricoles et agroalimentaires. Le développement de l'agriculture durable doit se situer dans une perspective de nutrition préventive, et la validité de tels enjeux sociétaux est suffisamment forte pour susciter une très large adhésion sociale à ce projet.

Comme pour le concept de nutrition préventive, les attentes liées au concept d'agriculture durable doivent être bien mieux définies. Pour le monde agricole, la notion d'agriculture durable fait principalement référence à la permanence de l'activité agricole, aux possibilités de son adaptation et de son renouvellement, au maintien du potentiel agricole et de sa rentabilité économique. La possibilité pour le paysan de bénéficier d'un cadre de travail très complexe et équilibré, adapté aux diverses situations, dépend du respect de ces bases. Dans la mesure où l'agriculture a été déconnectée d'une responsabilité nourricière directe, d'une mission claire dans le développement de la nutrition préventive, ce secteur n'a pas développé une réflexion suffisante pour faire le lien entre les activités de production et les objectifs nutritionnels à atteindre. Or, à long terme, une agriculture ne peut être durable et soutenue que si elle correspond aux attentes sociétales de bien-être et de santé. De plus, pour l'agriculture, l'obligation d'être nourricière et protectrice offre à ce secteur une perspective de valorisation et de renouvellement très intéressante et un défi passionnant à relever.

La force d'une approche globale de la production agricole et alimentaire en fonction d'intérêts fondamentaux, écologiques, nutritionnels et sociaux contribuera à redonner un second souffle à une activité humaine des plus nobles et des plus remises en question dans l'approche productiviste actuelle.

Le terme d'agriculture durable permet donc de réunir sous un même concept des exigences et des objectifs complexes et interdépendants tels que : le maintien ou l'amélioration de la fertilité des sols, la préservation ou l'amélioration de l'environnement, une production alimentaire sûre et suffisante, la prise en compte d'objectifs nutritionnels et de santé, le maintien d'un tissu rural le plus riche possible, la création d'un cadre de travail épanouissant pour les paysans.

Selon une analyse conventionnelle, il peut paraître très difficile de mener de front la réalisation de ce vaste programme. Or les conditions d'une mise en place d'une agriculture durable nécessitent au contraire la prise en compte de tous ces éléments et des divers enjeux et contraintes. Il est compréhensible, par exemple, que des contraintes concernant l'amélioration de l'environnement soient également favorables au maintien de la fertilité des sols ou à la sécurité alimentaire. Une bonne répartition des productions végétales et animales, l'adoption des assolements nécessaires à la fertilité des sols ne peuvent être que favorables à la régularité des productions alimentaires. La prise en compte des objectifs nutritionnels implique une meilleure maîtrise des techniques de culture et d'élevage et une revalorisation des productions agricoles. C'est en fixant un cadre de travail intéressant et suffisamment rémunérateur que le monde agricole pourra attirer des professionnels compétents désireux de valoriser leur travail dans un cadre naturel. C'est sans doute en jetant de nouvelles bases, en repensant le fonctionnement de la chaîne alimentaire et la place de l'agriculture qu'il sera possible de bâtir un nouveau mode d'agriculture beaucoup plus attractif.

DONNER DE NOUVELLES MISSIONS À L'AGRICULTURE

À l'évidence, il y a un déficit de réflexion prospective et surtout de conceptualisation globale, si bien que le monde agricole donne l'impression de partir à la dérive malgré le cadre de la politique agricole commune européenne. De plus, ce sentiment d'avenir difficile, voire d'impasse atteint beaucoup d'autres régions agricoles du monde. Les contraintes de la rentabilité économique, l'emprise des industries agroalimentaires et de la grande distribution, les habitudes nouvelles des consommateurs introduisent théoriquement une pesanteur telle que beaucoup d'experts ou de politiques en concluent que le système actuel n'est quasiment pas réformable. Sans faire preuve d'un optimisme béat, on peut espérer qu'une approche globale et une vision logique plus conforme aux intérêts généraux, plus équilibrante pour la société et plus compatible avec la préservation de l'environnement finiront par apparaître comme la seule solution viable à long terme qu'il conviendra de soutenir.

Pour mettre en place cette agriculture durable, il est important bien sûr d'harmoniser les politiques publiques en matière d'agriculture, d'alimentation et de santé, ce qui fait cruellement défaut, et aussi de faire adopter par les acteurs du monde agricole cette vision d'une agriculture porteuse d'équilibres écologiques et de santé.

Le public demeure très peu informé du contour de l'agriculture durable telle que nous l'avons survolée. Il apprend par exemple l'existence d'un mode d'agriculture raisonnée auquel il adhère assez naïvement alors que cette approche est bien réductrice, basée principalement sur le bon usage des intrants (engrais, pesticides, etc.), trop facilement mise au service de l'agrochimie et de la grande distribution pour l'établissement de cahiers des charges très ponctuels. Malgré ces risques de récupération, cette démarche est un premier pas intéressant pour progresser vers des modes d'agriculture moins polluants, encore faut-il que l'agriculture raisonnée se fixe des règles de plus en plus exigeantes.

L'agriculture biologique est un des modèles possibles d'agriculture durable à condition qu'elle soit suffisamment efficace pour nourrir les hommes. Classiquement, l'agriculture biologique a des contraintes de moyens et pas d'obligations de résultats. Dans l'esprit de ses pionniers, il s'agissait d'éviter tout recours à des intrants chimiques, de favoriser les méthodes de culture, d'élevage, d'assolement, de compostage qui favorisent la vie microbienne des sols, de mettre les plantes et les animaux en position de bénéficier de facteurs environnementaux naturels pour qu'ils expriment de la sorte leur propre naturalité. Évidemment, cette approche génère ses limites, et les réponses naturelles ne sont pas toujours conformes aux attentes de l'homme, notamment en matière de rendement. Il ne faut pas oublier que l'intensification de l'agriculture conventionnelle a souvent généré des conditions défavorables au niveau écologique au bon déroulement d'une production sans un recours important aux pesticides. Ainsi, la conduite de l'agriculture biologique demande un savoir-faire complexe basé sur une compréhension globale des conditions de terrain. Néanmoins malgré ses difficultés de mise en œuvre et de rendements souvent plus faibles, l'agriculture biologique « tient la route », elle est suffisamment nourricière et naturellement tournée vers le développement d'une offre alimentaire équilibrée pour l'homme. La composition de ses productions végétales, notamment en fruits et légumes, est plutôt plus riche en matière sèche, en micronutriments, et le bénéfice vis-à-vis de l'exposition aux pesticides est bien réel. L'agriculture conventionnelle est apparemment plus compétitive que l'agriculture biologique, elle crée ainsi des conditions peu favorables au développement des circuits bio, mais la comparaison des deux systèmes devrait tenir compte des nombreux coûts induits par les modèles conventionnels de production alimentaire.

En fait, l'offre en aliments bio, en produits céréaliers, en variétés de fruits et légumes est sensiblement différente de celle des circuits conventionnels et rend compte principalement des différences des deux systèmes d'approvisionnement. On trouve en abondance dans les circuits bio une gamme de produits animaux et de fruits et légumes, de pains bis et complets, des huiles vierges d'origines très diverses (colza, bourrache, carthame, sésame, germe de blé) en plus des huiles traditionnelles, des produits céréaliers de meilleure densité nutritionnelle ou peu courants en provenance de variétés rares (petit et grand épeautre, kamut, orge, quinoa, millet), une grande diversité de légumes secs, des jus de fruits peu clarifiés et bien d'autres produits spéciaux. Si l'approvisionnement en produits issus de l'agriculture biologique se traduit par une plus grande diversité et un meilleur équilibre alimentaires, ce type de chaîne alimentaire est alors entièrement satisfaisant. Par contre, si la recherche d'aliments biologiques entraîne, chez certains consommateurs, une monotonie alimentaire, le bénéfice de la démarche est largement annulé. L'agriculture biologique, fort dénigrée par le passé, se développe très lentement, sans doute parce qu'elle est encore régie par des règles trop traditionnelles qui ne lui donnent pas pour l'instant une capacité suffisante d'essor. La place de l'agriculture biologique varie fortement dans les pays européens, plus faible en France qu'en Allemagne, au Danemark, en Italie. En France, un effort suffisant n'a pas encore été réalisé pour la rendre plus performante et compétitive. Malgré ses handicaps, la démarche biologique correspond bien à l'approche intégrée qu'il faut favoriser au maximum pour préserver l'environnement, garantir la sécurité des aliments et couvrir les besoins nutritionnels.

En dehors du champ strict de l'agriculture biologique, l'esprit de l'agriculture durable, tel qu'il devrait se développer, correspond à ces mêmes objectifs. Dans son acception la plus dynamique, l'agriculture durable aurait pour mission de garantir une offre nutritionnelle de qualité, élaborée de concert avec un secteur agroalimentaire qui partagerait les mêmes objectifs. Dans cette vision, finalement bien logique, une bonne organisation de la chaîne alimentaire faciliterait l'adoption par les consommateurs de régimes alimentaires équilibrés. De plus, un dialogue suivi et constructif pourrait s'établir entre les représentants des consommateurs et des professionnels de l'alimentation. À partir de ce suivi collectif, les consommateurs pourraient modifier certaines pratiques alimentaires pour davantage tenir compte des contraintes agricoles, et les secteurs agricoles et agroalimentaires pourraient modifier leurs activités pour mieux répondre aux nouveaux besoins exprimés.

On peut objecter que le rôle de l'agriculture ne se limite pas à l'alimentation humaine et qu'il n'est pas évident de mener à bien tous les fronts de l'activité agricole, des aspects nutritionnels jusqu'aux questions environnementales. Dans ce cadre, il est habituel de traiter séparément la question des obligations de moyens ou de résultats ; dans la complexité du champ de l'agriculture durable, cette distinction est souvent moins claire qu'il n'y paraît. Il est certes peu constructif de se focaliser sur des interdits dans le domaine des engrais ou des pesticides puisqu'il convient d'avoir la réponse la plus adaptée à chaque situation. Cependant, l'agriculture durable doit dépasser l'esprit de l'agriculture raisonnée, diminuer sans doute très fortement les apports azotés, l'usage des pesticides, abandonner le caractère productiviste d'une grande partie de l'agriculture conventionnelle pour rechercher des équilibres écologiques et agronomiques complexes et favorables à l'élaboration de la qualité nutritionnelle.

L'engagement pour une agriculture durable, porteuse d'un équilibre environnemental et clairement orientée vers des objectifs d'excellence nutritionnelle nécessitera l'acquisition d'une culture nouvelle en matière d'écologie, d'agronomie et de nutrition humaine. Il n'y a rien d'extraordinaire, au contraire, à ce que les agriculteurs se soucient des problèmes écologiques, de la qualité de leurs productions et des bienfaits attendus pour les consommateurs.

Certes, l'agriculture durable doit investir le champ de la nutrition humaine pour être efficace et se valoriser, mais elle doit accomplir cette mission en préservant les sols, la flore, la faune. Selon les Indiens, la terre ne nous appartient pas, il serait normal, dans ce même état d'esprit, de conditionner l'aide aux agriculteurs, au respect de cette terre et au bon usage de sa potentialité.

MAÎTRISER SUR LA DURÉE NOTRE POTENTIEL DE PRODUCTION AGRICOLE

Longtemps, la préoccupation majeure des pouvoirs publics a été de produire en quantité largement suffisante de la nourriture pour le pays, voire pour l'exportation. Cet objectif élémentaire ne doit pas être oublié, mais géré différemment ; en effet, ce n'est pas en intensifiant à outrance que l'on peut travailler sur la durée puisque cela conduit toujours à des systèmes fragiles, déséquilibrés avec souvent une qualité alimentaire diminuée. À long terme, la gestion des ressources alimentaires est davantage un problème de choix judicieux de méthodes de culture et d'élevage ou de bon équilibre entre productions animales et végétales, plutôt que de rendements élevés. Or la rentabilité à court terme favorise surtout l'obtention de rendements élevés, même s'il est apparu des limites économiques pour l'utilisation des intrants (engrais, produits phytosanitaires, dépenses diverses).

Les questions posées concernent la définition des systèmes de production les plus durables et les plus nourriciers, en fonction des situations de terrain. L'objectif d'améliorer ou de maintenir la fertilité des sols, de préserver l'environnement et la vie rurale est consensuel et facile à cerner ; il n'est pas aussi évident de bien caler les objectifs nutritionnels dans ce cadre, en termes de sécurité quantitative et d'exigence qualitative.

En France, le potentiel agricole est considérable et excédentaire malgré le recours à une forte production animale qui, si elle occupe des terrains peu propices à la culture, consomme également la majorité de nos céréales (produites dans des conditions de culture intensive). C'est un luxe difficilement justifiable d'autant que, du point de vue nutritionnel, le niveau de consommation des produits animaux et surtout des produits laitiers atteint des summums, comme dans d'autres pays industriels.

Pour trouver un nouvel équilibre, il n'est pas nécessaire de bouleverser les habitudes alimentaires, il suffit de valoriser les produits végétaux les plus délaissés (légumineuses, céréales, légumes, fruits). De tels ajustements sécuriseraient notre paysage alimentaire (nous aurions besoin de moins de céréales à paille, de maïs irrigué ou de soja par exemple pour nourrir les animaux) et correspondraient aux modes alimentaires préconisés par tous les nutritionnistes. N'oublions pas que chaque année nous perdons des surfaces agricoles importantes à cause du développement urbain et routier. Surtout, il est bien possible que nous ayons besoin de sols arables pour la production de matières premières industrielles ou énergétiques.

En dehors de la situation des pays riches (souvent dotés de climats propices à la production agricole), il existe une nécessité de mieux nourrir une population humaine croissante. Sur les 6,2 milliards d'humains qui peuplent la terre, il en est encore environ 800 millions qui souffrent de la faim, sans parler des deux milliards qui sont victimes de carences nutritionnelles diverses. À ce piètre bilan, il faut ajouter les conséquences néfastes de la

« transition nutritionnelle » dans les pays occidentaux et maintenant dans beaucoup de mégapoles de par le monde. Le paradoxe est que les deux tiers des gens qui ont faim sont des paysans. Beaucoup d'agriculteurs du tiers-monde n'ont guère les moyens de produire de quoi s'alimenter correctement et ne disposent pas de revenu monétaire pour acquérir de la nourriture. Pourtant les productions vivrières ne manquent pas à l'échelle de la planète : elles atteignent en moyenne les 300 kilos d'équivalent-céréales alors même que les besoins n'excèdent pas 200 kilos par personne et par an. Elles sont donc mal réparties et mal utilisées. Certes, « la révolution verte » a été un grand succès, mais elle a ses limites si elle contribue à augmenter l'exode rural ou si les productions agricoles sont mal utilisées pour assurer une nourriture équilibrée au plus grand nombre. Le problème principal est bien de développer une agriculture nourricière, ce qui nécessite de valoriser toutes les ressources végétales possibles et de ne pas se limiter aux productions les plus rentables. Parfois les facteurs limitants sont liés au savoir-faire culinaire ou à une mauvaise répartition entre l'agriculture et l'élevage. Si elle s'en donne les moyens, si elle gère correctement les potentialités agricoles et si elle adopte des modes alimentaires sûrs et économes sur le plan agronomique, l'humanité dispose de ressources alimentaires excédentaires et renouvelables. À condition de ne pas nous engager dans les voies hasardeuses d'une alimentation de type occidental et de développer une agriculture nourricière !

TROUVER UNE JUSTE PLACE À L'ÉLEVAGE

L'élevage a toujours joué un rôle clé dans le paysage agricole français (et même mondial), en particulier avant la mécanisation de l'agriculture. Même après cette période, il permettait d'exploiter des surfaces peu cultivables, d'utiliser divers sous-produits végétaux, de jouer un rôle dans l'assolement par le retournement des prairies temporaires et d'être une source de matières organiques. La situation de l'élevage a bien changé, et, avec la spécialisation des entreprises agricoles, son développement ne s'inscrit plus nécessairement dans un système écologique équilibré.

Les dérives productivistes visant à augmenter trop fortement la production et la consommation de produits animaux ont entraîné des bouleversements qu'il convient de rectifier. Parmi ces dérives, on peut citer les élevages industriels de porcs, de volailles, complètement déconnectés des espaces naturels, mais aussi certaines pratiques d'élevage des ruminants.

On a souvent avancé que les élevages industriels permettaient de fournir de la viande aux consommateurs les plus démunis. Ils servent sûrement à exporter des produits à des prix concurrentiels, mais leur utilité nutritionnelle dans un pays développé est contestable. Certes, nous avons besoin de viandes mais pas nécessairement en grande quantité, et la qualité organoleptique et nutritionnelle doit rester un critère essentiel. En fait, la consommation de poulets dits de batterie participe au maintien d'une alimentation à deux vitesses contre laquelle il est légitime de lutter.

Certaines régions connaissent également les inconvénients écologiques et odorants dus à la concentration d'élevages hors sol de canards ou de porcs. Si le public avait été invité à débattre de cette question, nul doute qu'il se serait prononcé pour des élevages moins concentrés (souvent concentrationnaires), moins polluants et mieux répartis sur le territoire. Par contre, il est illusoire d'attendre que le consommateur face à l'étalage n'achète plus la plus basse qualité, les bas prix ayant toujours un rôle décisif dans l'acte d'achat d'une catégorie de consommateurs. Les changements doivent venir d'une prise de conscience collective et de l'intervention des pouvoirs publics ; on cesse bien de produire des voitures de mauvaise qualité parce que peu sûres alors qu'elles auraient tout de même trouvé preneurs sur le marché.

En dehors des dérives concernant la qualité nutritionnelle ou l'impact sur l'environnement, il est éminemment souhaitable que l'élevage participe au maintien du tissu rural et soit mieux réparti dans les régions. Les erreurs commises ont été nombreuses. La production de nos pauvres vaches laitières a été poussée à l'extrême, ce qui a réduit fortement leur nombre ainsi que celui des élevages laitiers. Il est évidemment plus raisonnable d'assurer la production laitière dans des conditions écologiques avec des conduites d'élevage qui favorisent l'utilisation directe des prairies.

Pour cela, il n'est pas nécessaire d'avoir des animaux à très haut potentiel laitier, et il est de toute façon peu rationnel de transformer les vaches laitières en usines à lait, dévoreuses de céréales subventionnées et de tourteaux de soja américain. De plus, cette façon de nourrir les animaux n'est pas idéale pour obtenir du lait de qualité supérieure.

Autre bouleversement regrettable, le bas prix des céréales a permis d'obtenir de la viande de porc ou de volaille plus avantageuse que celle de mouton ou de bœuf. On nourrit actuellement les porcs avec une nourriture presque exclusivement céréalière, ce qui ne correspond pas à leur physiologie digestive plus tournée vers une diversité végétale, il n'est pas étonnant dès lors que leur lisier soit si nauséabond. La consommation de la viande de porc a tendance à supplanter celle des ruminants. Or les troupeaux ovins sont, dans des pays comme la France, très efficaces pour l'entretien du territoire (quel contraste avec les pays du Maghreb où ils ont contribué à la désertification par un surpâturage chronique !). D'autre part, la baisse du prix du porc a contribué à maintenir une consommation plutôt élevée de charcuterie pour un bénéfice nutritionnel plus que discutable. Peut-être un jour réussirons-nous à harmoniser le paysage agricole, l'environnement rural et la qualité de l'offre nutritionnelle.

L'objectif général est certainement de mieux intégrer les élevages dans l'activité agricole du territoire, de faire en sorte que les ruminants puissent utiliser les zones de montagnes ou les régions d'herbages. La production du quart de l'énergie sous forme de produits animaux (hypothèse très raisonnable) est déjà suffisante pour occuper une très grande partie du territoire ; elle peut très bien s'intégrer dans un cadre d'agriculture durable, tant que nous n'aurons pas de crise d'énergie ou d'approvisionnement en soja. Par contre le maintien d'une consommation de produits animaux, qui en France pourraient atteindre, au dire de certains experts, 40 % des apports caloriques, est déraisonnable puisque cela entraîne une charge lipidique et protéique de l'alimentation peu compatible avec une politique de santé publique. Il faut noter, dans cette surconsommation, la part grandissante des produits laitiers, ce qui est surprenant, en terme, de comportement nutritionnel humain.

RENFORCER LA QUALITÉ NUTRITIONNELLE DES VÉGÉTAUX

Puisque les besoins en glucides complexes et micronutriments sont très élevés, la consommation des produits végétaux est primordiale pour nourrir les hommes, quelle que soit la disponibilité en produits animaux. C'est pourquoi il est si important d'optimiser les productions végétales dans une optique d'agriculture durable et de santé humaine.

La consommation directe de produits végétaux par l'homme lève l'impératif de disposer de rendements élevés compte tenu de la grande efficacité alimentaire des productions végétales (nombre d'habitants nourris par unité de surface cultivée). Cette dimension pourtant évidente n'a pas été prise en considération. Puisque l'utilisation des surfaces est peu limitante (seule une toute petite partie du territoire est consacrée à la production de blé, de pomme de terre, de légumes, de fruits ou d'autres aliments directement consommés par l'homme), l'accent aurait dû être mis principalement sur la qualité. En fait, c'est plutôt la productivité qui a été recherchée afin d'assurer le maximum de rentabilité à l'hectare. L'intensification a été favorisée par le manque de critères objectifs pour définir la qualité et en vue de disposer de matières premières à bas prix ; cette évolution a été accentuée par la pression de l'agroalimentaire et de la grande distribution ainsi que pour des raisons de concurrence internationale.

Utilisés dans leur plus grande diversité possible, les produits végétaux ont un potentiel santé remarquable (lorsque l'ensemble des recommandations nutritionnelles est respecté). Encore faut-il que leur composition soit optimale, or elle peut être affectée par le choix des variétés et des techniques de production. Dans la majorité des cas, ces critères de qualité ne sont pas pris en considération dans les options agronomiques. C'est sans doute un des derniers secteurs économiques (pourtant fondamental puisqu'il touche à la santé) qui échappe entièrement à un suivi normal de la qualité.

Le choix des variétés et des techniques culturales doit être adapté pour répondre à un très grand nombre de critères dans le domaine tant agronomique que nutritionnel. La possibilité de disposer de variétés à la fois résistantes aux maladies, intéressantes au niveau organoleptique et nutritionnel est bien la meilleure approche possible. Jusqu'ici, les semenciers ont imposé des critères de qualité agronomique et de rendement pour l'inscription des variétés et seulement de vagues critères nutritionnels. Or il est certainement possible d'obtenir une amélioration sensible de la densité nutritionnelle par la sélection génétique.

Comme pour l'alimentation humaine, l'agriculture a délégué à des entreprises extérieures le soin de sélectionner les plantes à cultiver, ce qui a favorisé la standardisation des productions et réduit l'influence des terroirs. Depuis deux cents ans, la sélection des semences agricoles et la production de plants (légumes, fruits) sont tombées progressivement sous la coupe de grandes firmes industrielles. Bientôt ne seront utilisables que des variétés inscrites sur un catalogue officiel. Des milliers d'espèces ou de variétés de plantes alimentaires ne seront plus disponibles ou menacées de disparition, les semenciers ne s'intéressant qu'à un petit nombre de variétés répondant aux exigences de l'agriculture productiviste. Certes, la sélection génétique a permis d'améliorer considérablement l'efficacité de l'agriculture, mais il y a un risque réel de diminution de la biodiversité. De plus, le monde paysan est progressivement exclu du long travail d'observation, de sélection et des choix culturaux, désormais aux mains de quelques spécialistes plus soucieux de standardisation que de diversité culturale et alimentaire.

Les végétaux peuvent être cultivés dans des conditions extrêmes de climat, de chaleur, d'écart de température, de lumière, d'humidité ou d'agronomie. Pour ces facteurs également, on manque cruellement d'expertise nutritionnelle. Il est urgent d'engager ce type de recherches. L'impact de certaines techniques (culture sous serres, hydroponie) a certainement des conséquences sur la qualité nutritionnelle qu'il convient de préciser pour différencier tomates de plein champ ou de serre par exemple.

L'influence de bien d'autres facteurs environnementaux sur la qualité nutritionnelle des produits gagnerait à être précisée pour comprendre les conséquences de la nature des assolements, des variations en matières organiques du sol ou de l'environnement phytosanitaire. Les équilibres subtils variétés-terroirs-saisons devraient pouvoir être mis en valeur dans un objectif de qualité nutritionnelle, et le monde paysan pourrait s'impliquer plus directement dans cette démarche.

Il faut apprendre également à gérer les productions végétales les plus fragiles (fruits et légumes) en fonction de la proximité des centres urbains sans les cantonner pour cela dans des zones maraîchères très intensives. Une filière de maraîchages de plein champ pourrait fournir des produits saisonniers plus rustiques, moins coûteux et sans doute de meilleure densité nutritionnelle. Le développement de contrats entre consommateurs et agriculteurs pour la livraison directe des fruits et légumes de la ferme est une solution de bon sens qu'il faut promouvoir. Au lieu de cette évolution, l'importance des grands bassins de production s'accroît ainsi que le rôle des organismes collecteurs et des grandes surfaces dans l'organisation de productions beaucoup trop standardisées.

Au niveau sociétal, on sait qu'il existe de nombreux freins à la consommation des fruits et légumes. Le secteur agroalimentaire et la distribution ne doivent pas seuls régler ces problèmes, les producteurs eux-mêmes gagneraient à être en contact plus direct avec les consommateurs et à prendre des initiatives pour proposer des solutions qui facilitent l'usage de ces produits à des coûts acceptables. Il est temps que le secteur agricole fasse un lien étroit entre la qualité des productions végétales et l'usage que pourra en faire le consommateur pour son bien-être et sa santé. Réciproquement, les consommateurs devraient entreprendre des démarches pour passer commande auprès des paysans de la nature des produits dont ils aimeraient disposer.

DE LA MONOTONIE DES ASSIETTES À CELLE DES CHAMPS DE BLÉ

Dans l'offre alimentaire courante, des produits céréaliers de base tels que le pain ou les céréales de petit déjeuner ne brillent pas par leur excellence ou leur originalité. L'évolution de la production céréalière est parmi les exemples les plus frappants d'une dérive productiviste avec des conséquences écologiques, alimentaires et géopolitiques difficiles à maîtriser.

Sur un plan très général, on a souvent argumenté que l'augmentation des rendements avait permis de résoudre les problèmes de la faim dans de nombreux pays du monde. Cela est soutenable dans des pays tels que la Chine, l'Inde ou des régions similaires qui ont bénéficié de la révolution verte. Par contre, la mise sur le marché de céréales bradées au cours mondial dont le prix est quasi identique pour l'alimentation animale ou humaine n'a pas particulièrement aidé les pays du Sud à développer une agriculture nourricière et n'a pas favorisé l'évolution vers des céréales de haute qualité nutritionnelle dans les pays riches.

La maîtrise des productions céréalières dépend du type d'agriculture que l'on veut construire et de la qualité de l'alimentation humaine que l'on veut obtenir. Quelques données chiffrées permettent de mieux situer la place des céréales dans l'alimentation humaine. Pour satisfaire ses besoins en glucides et en d'autres éléments, l'homme a besoin d'un minimum de 200 g de céréales par jour et d'un maximum de 500 g si elles constituent l'essentiel de la ration. En France, compte tenu de l'abondance des autres produits alimentaires, la consommation journalière de céréales de toutes origines avoisine les 200 g. Ainsi, la consommation de blé sous forme de pain, de biscottes, de biscuits, de viennoiseries ou de farine ne dépasse pas les 5 millions de tonnes sur les plus de 30 millions produites, ce qui représente donc environ 15 % de la production. Même avec un rendement de 5 tonnes à l'hectare, un million d'hectares suffiraient à assurer cette disponibilité (soit moins de 5 % des surfaces cultivées).

Durant les cinquante dernières années, la consommation de pain a diminué de moitié tandis que les rendements à l'hectare de la production de blé ont doublé. À population constante, nous avons donc un besoin quatre fois plus faible de surfaces à ensemencer en blé pour nourrir la population française. Était-ce bien utile d'augmenter à ce point les rendements au risque d'enrichir en nitrates les eaux souterraines ou de contaminer le blé ou l'environnement par des pesticides ? Autre cercle vicieux, l'augmentation des rendements contribue souvent à dévaloriser la qualité du blé et des farines, ce qui n'est pas la meilleure façon de soutenir la consommation de pain. Avec des rendements de production agricole si élevés et des prix si bas, on a atteint une situation extrême de dévalorisation des matières premières qui ne laisse aucune chance de développement à des variétés de céréales moins productives, mais pourtant d'intérêt nutritionnel réel.

Au cours des multiples sélections en vue d'augmenter les rendements, des facteurs génétiques intéressants, qui auraient pu accroître la teneur en certains micronutriments, ont probablement été ignorés. Certaines observations ont déjà permis de mettre en évidence une baisse très significative de la densité nutritionnelle en micronutriments dans les variétés modernes les plus productives.

De plus, le productivisme actuel n'a pas permis de résoudre l'épineuse question de la teneur et de la qualité des protéines. Pour augmenter la valeur boulangère, les blés ont été sélectionnés sur leur capacité à accumuler du gluten avec des propriétés viscoélastiques améliorées, ce qui est peut-être un inconvénient sur le plan de la digestibilité et surtout de la tolérance à cette protéine.

Afin d'accroître les rendements et de maintenir une teneur en protéines suffisante des blés, l'agriculture fait un recours excessif aux engrais azotés. Il est très difficile d'obtenir un rendement de 80 quintaux de blé avec un taux protéique optimal de 12-13 %, et il est quasiment impossible de piloter une pareille synthèse sans risque écologique concernant les nitrates. D'ailleurs nos agriculteurs y parviennent difficilement, malgré la multiplication des apports d'azote et des traitements phytosanitaires pour accompagner de telles pratiques d'intensification. D'un côté de l'azote est apporté en excès, d'un autre côté la croissance de la plante est freinée par des produits « racourcisseurs de paille » ! En apportant de l'engrais azoté très tardivement, on peut forcer le blé à accumuler des protéines supplémentaires, mais, au dire des boulangers, cela n'améliore pas la qualité du pain. Il serait souhaitable que la filière blé-pain apprenne à mieux communiquer ! En matière de produits céréaliers à visée humaine, il faudrait résolument s'orienter vers l'amélioration de la qualité nutritionnelle, avec le même effort que celui qui a été fourni pour la productivité. Il a fallu quarante ans pour doubler les rendements à l'hectare, avec parfois des dérives de qualité. Il y a lieu de penser que des objectifs raisonnables d'optimisation nutritionnelle pourront être atteints dans une dizaine d'années, et il est notable que les laboratoires publics et les semenciers sont maintenant plus actifs dans ce domaine.

Finalement, la production de blé a évolué en France comme au niveau mondial vers un produit standard de très faible valeur marchande avec des prix insuffisants pour rémunérer l'agriculteur. Au lieu d'acheter des blés de qualité suffisante et à leur juste prix afin d'obtenir ainsi directement des farines d'excellente qualité nutritionnelle, les transformateurs ont recours à divers artifices qui renchérissent le prix des farines, ce qui exclut ainsi l'agriculteur de la plus-value inhérente à la qualité. Il est compréhensible que cette situation doive évoluer vers la recherche d'une meilleure approche des filières de production avec le soutien des consommateurs et en vue d'atteindre des objectifs nutritionnels satisfaisants.

METTRE EN VALEUR LA QUALITÉ NUTRITIONNELLE

La maîtrise de la qualité nutritionnelle des produits ne peut s'organiser que si une information suffisante, un cahier des charges pertinent et un soutien économique efficace sont mis en place. Cela peut paraître surprenant, mais le monde agricole n'est pas particulièrement informé des relations entre alimentation et santé alors que la prise en compte de cette dimension modifierait profondément son activité en lui fournissant des repères pour l'élaboration de la qualité nutritionnelle de ses productions.

Évidemment, il est important que l'agriculteur comprenne le sens de son travail et connaisse les facteurs impliqués dans la qualité nutritionnelle pour qu'il participe, à son niveau, à la nutrition préventive. Une exigence dans la recherche de la meilleure qualité possible apparaît naturelle pour les vignerons lorsque le produit est particulièrement valorisé. La valeur de bien des produits alimentaires mérite autant d'attention que le vin. Pourquoi les céréaliers ne se passionneraient-ils pas pour la qualité du pain qu'ils produisent à partir de leur récolte de blé ? Déjà des boulangers-paysans produisent du pain bis au levain d'excellente qualité nutritionnelle et valorisent ainsi au mieux leur culture de céréales. Pourquoi les producteurs de fruits et légumes ne chercheraient-ils pas à mettre en valeur le potentiel santé particulier de leurs fruits et légumes ? Pourquoi les agriculteurs ne prendraient-ils pas en charge la production d'huiles vierges de composition optimale en acides gras par un choix judicieux de plantes oléagineuses ?

Pour aller dans cette direction, plusieurs étapes pourraient être envisagées :

La mise en place d'une information sur les relations « alimentation-santé » pour tous ceux qui travaillent dans le domaine agricole et alimentaire serait un préalable pour faire évoluer durablement et en profondeur notre paysage alimentaire. Ensuite, il conviendrait d'expliquer les itinéraires techniques à suivre et de rendre compte de la qualité nutritionnelle obtenue au final. Expliquer l'origine des facteurs de variation. Développer des technologies douces adaptées au secteur agroalimentaire mais aussi au secteur agricole. S'appuyer sur une politique de prix incitative.

Le développement d'une agriculture de qualité nécessite donc un suivi complexe et un cahier des charges discuté par tous les acteurs. Peut-être faudrait-il encourager les efforts des agriculteurs par une politique de contrats de production d'aliments de qualité avec un financement multipartenarial. On pourrait en effet imaginer qu'un ensemble de structures socioéconomiques participe à l'encouragement financier en faveur d'une politique agricole qui s'intègre dans une stratégie de santé publique. Cette orientation serait tout à fait complémentaire de l'effort demandé aux agriculteurs pour adapter leurs méthodes de production afin qu'elles créent le moins possible de pollutions ou de déséquilibres écologiques.

La manière de gérer l'agriculture et les approvisionnements de proximité devrait faire l'objet de débats citoyens, de conseils de gestion alimentaire par des groupements de consommateurs et de professionnels de l'agriculture et de l'alimentation. Le principe d'une certaine souveraineté alimentaire à l'échelon régional pourrait être mieux défini et mis en application par une organisation des productions à cet échelon.

DÉVELOPPER DES MODÈLES D'AGRICULTURE DURABLE

Dans l'idéal, l'exploitation agricole à développer serait celle qui serait génératrice d'écosystèmes équilibrés, et bien efficace pour nourrir les hommes sur un plan qualitatif et quantitatif. Il n'est pas nécessaire pour cela de revenir à l'élevage et à la polyculture de jadis, mais par contre il est sûrement important d'introduire une diversité de production suffisante, de demander à l'agriculteur de s'intéresser au devenir et à la performance nutritionnelle de ses productions. Dans cet esprit, il est regrettable que beaucoup d'exploitations d'élevage aient abandonné toute production végétale à visée humaine. Bien conduite, une agriculture appuyée sur l'élevage permet d'améliorer la disponibilité en matières organiques des sols, ce qui est essentiel pour entretenir la vie microbienne du sol et assurer sa fertilité. Ces conditions aident évidemment à la production de céréales et de légumes de qualité, et cet aspect est fondamental pour l'agriculture en général.

Dans les exploitations sans élevage, la diversification des productions végétales est souvent insuffisante pour exploiter au mieux les potentiels du sol, bénéficier de bons assolements avec des rotations plus lentes des cultures.

La transformation, la vente directe, la valorisation maximale d'une partie des productions constituent des orientations de bon sens à la fois au niveau économique et pour favoriser les liens avec les consommateurs.

Finalement, à l'ère de la division du travail, le modèle de l'exploitation familiale de polyculture et d'élevage est certes dépassé à l'échelon individuel, mais il peut être repensé à l'échelon de territoires ruraux par le biais de regroupements complémentaires des exploitations, par la mise en commun d'ateliers de transformation et de distribution. L'idée directrice serait que chaque projet d'exploitation agricole puisse être intégré dans un ensemble harmonieux, à la fois sur le plan du paysage agricole et en fonction de débouchés alimentaires possibles, avec pour priorité la satisfaction des marchés de proximité, de la cantine scolaire jusqu'à la grande surface locale.

Du champ à l'assiette, des circuits plus courts

Lorsque l'activité agricole se limite à la production des matières premières, elle n'est viable que grâce aux subventions étatiques, ce qui équivaut à faire payer de façon indirecte le prix de la nourriture aux citoyens. La dévalorisation des matières premières est devenue excessive, si bien que celles-ci représentent un très faible pourcentage de la valeur des produits alimentaires finis, par exemple environ 5 % du prix du pain. Même pour les fruits et légumes non transformés, souvent moins de 30 % du prix de vente sont destinés à la rémunération des agriculteurs. La préservation du revenu des agriculteurs peut passer ainsi par une meilleure valorisation de la production agricole, d'où la nécessité de promouvoir des nouvelles techniques de transformation et de distribution, et de mettre en exergue la qualité des aliments produits par ce créneau. Cette évolution de l'activité agricole vers la fourniture d'aliments serait une très bonne solution pour vivifier la ruralité, mais aussi pour garantir la qualité gastronomique et nutritionnelle des produits.

En fait, ce qui a limité la participation des agriculteurs au processus de production et de distribution alimentaire est leur inclination à s'occuper préférentiellement des affaires de la terre et leur manque d'enthousiasme pour acquérir des compétences nouvelles dans le domaine alimentaire.

Ces verrous peuvent très bien sauter : le savoir-faire technologique en matière de transformation peut être diffusé au niveau du terrain, à l'échelon notamment de nouvelles coopératives à finalité nutritionnelle ou grâce à des initiatives particulières. Beaucoup de produits (pains, yaourts, charcuteries, huiles vierges, etc.) sont moins difficiles à élaborer que le vin et très peu pris en charge par le secteur agricole.

Néanmoins pour retrouver sa vocation nourricière directe, le secteur agricole a souvent été gêné par une absence complète de maîtrise de la distribution alimentaire. Il serait salutaire de concevoir, pour combler le temps perdu, un nouveau système de distribution adapté à la fois à la dispersion des lieux de productions agricoles et alimentaires et aux conditions de vie de nombreux citadins.

Ces problèmes de distribution pourraient être résolus par la mise en place d'un réseau d'agromarchés. Il s'agirait d'un nouveau type de magasins, gérés par des contrats entre consommateurs et agriculteurs, regroupant tous les aliments de base en provenance des exploitations agricoles (viandes, laits, yaourts, fromages, pains, fruits et légumes, vins, huiles, produits de erroir). Les nouvelles techniques de gestion informatisées faciliteraient la mise en réseau des régions de production, les relations avec les consommateurs, la sûreté des approvisionnements. Les progrès technologiques permettraient la prise en charge de produits très instables ou fragiles. Le consommateur aurait la même facilité à faire ses courses dans ce type de magasins que dans d'autres surfaces commerciales habituelles ; même les commandes par Internet et les livraisons à domicile pourraient se développer.

Le modèle actuel de séparation quasi complète entre secteur agricole et secteur agroalimentaire sera sans doute appelé à évoluer vers une meilleure répartition des tâches et des revenus entre ces deux secteurs. Les activités agricoles et artisanales peuvent retrouver un rôle satisfaisant dans la production et la distribution directe des aliments. Le succès d'une telle évolution dépendra de la capacité de ce nouveau secteur à proposer des aliments de meilleure qualité et donc à maîtriser leur valeur nutritionnelle. Même issus du terroir, un fromage ou une charcuterie trop salés ou trop gras demeurent imparfaits du point de vue nutritionnel !

Même si les consommateurs ont enfin accès avec une très grande facilité aux produits issus des terroirs, ils n'ont pas nécessairement le goût, le temps ou le savoir-faire pour cuisiner et prendre en charge leurs repas. En dehors des sentiers battus des pizzas et des kebabs, un développement nouveau de petits opérateurs (épiciers, traiteurs de proximité) possédant un bagage suffisant en diététique rendrait un service précieux à la population et contribuerait à la création de nombreux emplois, tout en facilitant l'utilisation des produits frais en provenance des agromarchés. Ces artisans de l'alimentation pourraient être soutenus par les communes, les quartiers pour décliner diverses spécialités culinaires du monde qui rendraient notre paysage alimentaire particulièrement agréable et riche. En remplacement des distributeurs automatiques, il serait bien judicieux d'implanter des boutiques alimentaires dans les lycées afin de prévenir un grignotage de produits sucrés.

Le développement des agromarchés devrait s'appuyer aussi sur des liens étroits et contractuels avec les restaurants, les entreprises de restauration ou les cantines. En retour, la bonne valeur nutritionnelle des produits proposés jouerait un rôle important pour améliorer la qualité des repas.

Ces circuits d'approvisionnement modernisés, que nous avons qualifiés d'agromarchés, pourraient se développer et compléter les circuits traditionnels de marchés des villages ou des quartiers. Dans un but d'intérêt général, il est vraiment souhaitable de disposer d'un meilleur équilibre entre deux types de circuits alimentaires : un secteur agricole et artisanal pour rapprocher le parcours des aliments de la ferme à l'assiette et un secteur industriel davantage centré sur des technologies de transformation sophistiquées. Il s'agit de favoriser des échanges économiques de solidarité et de complémentarité plutôt que de laisser se développer une économie de pure concurrence, génératrice de désordres écologiques et nutritionnels.

La nécessité de pratiquer un commerce plus équitable s'est imposée à une frange de consommateurs, préoccupés par l'inégalité des échanges Nord-Sud. Curieusement, la même réflexion n'a pas été appliquée à la nature des relations économiques entre les agriculteurs et les autres citoyens. Il est pourtant nécessaire de sensibiliser la population au juste prix des aliments qui permettrait à tous ceux qui les produisent d'en vivre normalement. Dans une société moderne, nous pourrions avoir des boulangeries équitables où la culture du blé, la production de farine et la fabrication du pain auraient rémunéré correctement tous ces professionnels. Il est grotesque de maintenir une pression sur le prix du blé, alors que les 60 à 80 kg par an dont nous avons besoin pour la production de pain ne coûtent que 9 à 12 euros, ce qui représente pour beaucoup moins d'une heure de travail ! On pourrait multiplier des exemples similaires, et il est nécessaire d'assainir cette situation.

LES ALLERS-RETOURS ENTRE VILLE ET CAMPAGNE

Les liens entre l'agriculture et la société finissent par être fort distendus. La recherche d'un meilleur environnement et le désir légitime d'être mieux nourris peuvent contribuer à rapprocher les citadins des ruraux. Le manque de culture nutritionnelle, la perte du sens de la naturalité dans une frange de plus en plus large de la population, y compris dans le monde rural, sont devenus malheureusement un constat banal. Mauvaise transmission du savoir-faire parental, déstructuration des repas familiaux, influences publicitaires diverses ont entraîné des dérives en tout genre. L'acte de bien se nourrir est un savoir-faire complexe. Il n'est pas étonnant qu'en déresponsabilisant les consommateurs, en laissant supposer qu'il suffit de remplir son Caddie dans un supermarché pour aboutir à un équilibre alimentaire, il en résulte des déviations nutritionnelles maintes fois observées par les diverses enquêtes épidémiologiques.

En fait, le mode d'approvisionnement dans les super- ou hypermarchés crée un écran, une atmosphère aseptisée entre le consommateur et le monde rural. Un produit devient intéressant parce qu'il a une étiquette qui d'ailleurs n'est pas si lisible que cela. Le sang des produits animaux doit être caché, les légumes dépourvus de terre. Il y a une perte évidente de la naturalité des aliments, présence d'un fossé profond entre deux univers, celui de la ville et celui de la campagne qui, en matière d'alimentation, ne se côtoient plus principalement qu'à travers la ressemblance de tous les supermarchés de France, de Navarre, voire d'Europe. De ce point de vue, une autre présentation des aliments, telle qu'elle pourrait être développée dans les agromarchés, plus naturelle, moins emprisonnée dans des emballages polluants, constituerait une évolution favorable.

La nécessité de développer une politique nutritionnelle de santé publique est maintenant perçue de façon consensuelle. Les recommandations habituelles portent sur l'équilibre des apports alimentaires, la maîtrise du statut en minéraux et micronutriments. Cependant, les liens sont de moins en moins établis avec l'activité agricole, comme si le monde de la santé et celui de l'agriculture étaient condamnés à s'ignorer, comme si les aliments provenaient entièrement des manufactures au même titre que les médicaments, comme si leur origine et leur qualité n'avaient pas une influence fondamentale sur le plan de la santé.

Il est évidemment souhaitable d'inverser ces tendances lourdes, de combler le fossé culturel entre les acteurs de la chaîne alimentaire et de la santé, l'ignorance du citadin sur l'origine et le parcours de ses aliments. Une meilleure façon pour le secteur agricole de reprendre pied dans la distribution alimentaire serait de contribuer à rompre l'uniformité actuelle de notre paysage alimentaire. Il existe en effet de nombreuses façons de présenter, préparer, semi-préparer les aliments et une diversité alimentaire étonnante pour bien se nourrir, que nous sommes loin d'avoir explorées et exploitées. Les possibilités de diversifier et d'accroître la consommation de fruits et légumes sont notamment considérables dans une société moderne, et un plus grand nombre d'exploitations devraient s'intéresser à ce créneau économique et sociétal pour changer fortement la nature de l'offre, la qualité des produits et les possibilités d'utilisation. Pourquoi les agriculteurs n'auraient-ils pas la responsabilité de la distribution de fruits dans les établissements scolaires ?

Le monde agricole a trop longtemps mis son énergie à produire les mêmes matières premières uniformes, sans se préoccuper de l'utilité nutritionnelle de cet objectif, pourtant pas toujours rentable sur le plan économique. D'un autre côté, les consommateurs doivent également changer d'état d'esprit et acquérir une nouvelle façon d'appréhender la chaîne alimentaire et de bien se nourrir en harmonie avec le monde rural, avec les saisons, et ne pas être seulement fidélisés aux mêmes types de produits transformés. Réussirons-nous notre révolution alimentaire dès le début du XXIe siècle, où devrons-nous attendre que la situation nutritionnelle se complique, voire se dégrade pour faire les choix durables les plus sûrs ? Nous avons toutes les cartes pour réussir (en particulier l'information sur la santé), ce qui n'était pas le cas dans le passé. En matière d'alimentation, les évolutions sont lentes, c'est pourquoi le secteur agroalimentaire conventionnel devrait garder longtemps un large monopole dans la gestion alimentaire. Dans ces conditions, il est souhaitable que les procédés de transformation évoluent pour améliorer la densité nutritionnelle des aliments transformés afin de préserver le bien-être et la santé des consommateurs les plus passifs.

LA QUALITÉ NUTRITIONNELLE
AU-DELÀ DES APPARENCES ET DES LABELS

Parmi la diversité des notions de qualité, il convient de mettre l'accent à l'avenir sur la qualité nutritionnelle des produits, ce qui suppose qu'elle soit bien connue, bien expliquée et contrôlable.

Certes, la qualité générique de nombreux produits est bien identifiée, mais celle-ci est souvent trop imprécise pour renseigner les consommateurs. De plus, le marché abonde d'un très grand nombre d'aliments transformés dont l'identité n'est pas évidente ou d'aliments produits par des techniques nouvelles d'agriculture ou d'élevage. Aussi est-il normal qu'une interrogation récurrente des consommateurs se manifeste concernant le caractère bénéfique de ces types d'aliments.

Le moment est donc venu d'essayer d'exprimer la qualité nutritionnelle de tous les aliments. On doit pouvoir à l'avenir indiquer qu'un produit constitué d'ingrédients purifiés est de trop faible densité nutritionnelle, expliquer les différences de composition entre huiles vierges et huiles raffinées, percevoir plus facilement la différence entre un nectar, un jus de fruits clarifié, un jus de fruits presque intégral, une farine de type 55 ou de type 110, connaître clairement les teneurs de sucre ou de composés équivalents, de sel, d'acides gras, être informé que l'essentiel du goût provient d'un ajout artificiel d'arômes.

Le profil nutritionnel des aliments pourrait donc être clairement représenté par trois types de descriptifs, celui du contenu énergétique, celui de la densité nutritionnelle et celui des impacts physiopathologiques.

La description des apports énergétiques semble très simple à décrire, exprimée en fonction de la portion, par 100 g ou par une autre unité, avec une représentation du pourcentage de glucides, lipides, protéines sous forme graphique simple.

Le deuxième descriptif, qui impliquerait une nouvelle réglementation, serait celui de la densité nutritionnelle : il concernerait l'ensemble des composés de la fraction non énergétique dont la teneur serait ramenée à l'apport calorique. Quelques exemples caractéristiques parmi des produits de base (sucre, farine, biscuits) permettraient d'initier le public à cette notion de densité nutritionnelle. Ce paramètre pourrait évidemment être complété par d'autres indicateurs tels que le pourcentage de couverture des apports journaliers recommandés. Puisqu'il est très difficile de faire une description exhaustive des aliments, celle de la densité nutritionnelle concernerait les éléments les plus importants de la fraction non énergétique et éventuellement d'autres composés tels que des acides gras essentiels, des acides aminés peu abondants. Selon les types de produits et pour ne pas aboutir à une information confuse, l'accent pourrait être mis sur quelques éléments caractéristiques, par exemple la teneur en : fibres et magnésium dans les produits céréaliers ; en matières grasses, fer et vitamines B dans les viandes ; en sucres, acides organiques et antioxydants dans les fruits ; en fibres et minéraux dans les légumes ; en polyphénols dans les vins.

Le troisième descriptif pourrait concerner la présentation des propriétés physiologiques, des effets santé ou des risques nutritionnels. Faute de connaissances et de recul suffisants, il n'est sans doute pas nécessaire de présenter systématiquement ce type d'informations. Les diverses allégations nutritionnelles ont un intérêt capital pour les nombreuses filières et elles ne sont parfois ni suffisamment sûres ni bien éclairantes. Dans certains cas, l'intérêt des descriptifs nutritionnels serait de lever les appréhensions du genre « le pain fait grossir », ce qui constitue également un enjeu important. L'idéal serait que chaque type d'aliments bénéficie à l'avenir d'un discours nutritionnel suffisamment clair et étayé, sachant aussi qu'il faut relativiser ce type d'informations pour raisonner en termes d'associations et de régimes alimentaires. À l'inverse, le risque serait de disposer d'allégations seulement pour quelques aliments qui auraient bénéficié d'un fort investissement industriel, ce qui laisserait supposer, par omission, que les autres produits n'ont pas le même intérêt nutritionnel.

Bien que l'accent doive être mis sur la qualité intrinsèque des produits, pour informer et éduquer les consommateurs, d'autres signes de qualité méritent d'être développés en particulier sur les modes de productions agricoles. Actuellement, seul le label agriculture biologique a une signification très forte pour le consommateur. Si l'agriculture durable se développe avec un cahier des charges précis qui fixe les conditions de culture et d'élevage, nécessaires à l'obtention d'une qualité nutritionnelle satisfaisante, il serait intéressant qu'elle bénéficie d'un signe de qualité attestant l'intérêt global de ses productions. En France il existe de nombreux signes officiels de qualité qui permettent de garantir l'origine et les procédés de fabrication des produits. Il semble souhaitable de pouvoir attribuer une qualité nutritionnelle à ces produits également pour ne pas créer de confusion dans l'esprit du public.

CRÉER UNE DYNAMIQUE AUTOUR DU « SAVOIR BIEN SE NOURRIR »

En matière d'alimentation, l'essentiel des efforts de recherches a porté sur le développement des productions agricoles et des transformations alimentaires et sur une approche plutôt théorique de la nutrition qui est une discipline très large. La nutrition animale pour son intérêt économique, ou comme modèle physiologique, a été extrêmement approfondie. Par exemple, la digestion des produits végétaux, leurs effets métaboliques ont été beaucoup plus étudiés chez l'animal que chez l'homme. Il est bien sûr plus difficile de travailler sur l'homme. C'est pourquoi l'étude de l'alimentation humaine demeure un champ de recherches très ouvert, surtout si on désire prendre en considération toutes ses dimensions.

Jusqu'à présent, les chercheurs ont réalisé principalement des études épidémiologiques pour comprendre l'impact des facteurs alimentaires sur la santé, avec tous les problèmes d'imprécisions liés aux études de terrain. Finalement bien peu d'expérimentations ont été effectuées chez l'homme avec des types d'alimentations bien définis qui sont loin de reproduire la complexité des situations alimentaires. Malgré ces limites, la problématique nutritionnelle s'est beaucoup éclaircie, et il est possible de progresser rapidement vers un « savoir bien se nourrir » adapté à un très grand nombre de situations alimentaires ou physiologiques.

Néanmoins, l'alimentation humaine n'est pas seulement une affaire de fourniture équilibrée d'énergie et de micronutriments, elle doit être comprise et explorée dans la pratique quotidienne, notamment au niveau de la conduite culinaire. La cuisine est à la fois le fruit d'une longue histoire alimentaire, une sphère complexe d'interactions économiques, culturelles, psychologiques et l'aboutissement d'une chaîne alimentaire particulière. Dans ce sens, il est grand temps de réaliser un inventaire des cuisines du monde pour les bonifier en tenant compte des acquis de la nutrition préventive. Les solutions pour bien s'alimenter doivent être étudiées en fonction de ce patrimoine extraordinaire. De nombreux explorateurs, ou des populations migrantes, ont amené avec eux des produits et des savoir-faire et cet état d'esprit semble avoir un peu disparu, ou plutôt, l'essentiel de la migration culinaire est l'exportation par le pays le plus riche, l'Amérique, d'un modèle agroalimentaire dominant que même la France a adopté largement tout en pensant conserver ses spécificités culturelles, ce qui est bien illusoire. Il existe cependant une certaine propension à l'exotisme culinaire, mais cela n'a pas réellement contribué à fournir des solutions de rechange aux modèles alimentaires courants induits par l'offre d'un certain type de produits transformés prêts à l'emploi.

Il serait donc souhaitable d'explorer au niveau scientifique toutes les facettes des cuisines du monde, pour vulgariser tant de procédés remarquables, pour proposer des modifications utiles, pour apprendre à diversifier l'usage de nouveaux ingrédients, pour traiter, combiner, préparer différemment, pour faire des cuisines goûteuses moins tributaires de la disponibilité en produits animaux, pour mieux utiliser des ressources alimentaires peu onéreuses et intéressantes sur le plan nutritionnel. À l'heure de notre extrême richesse scientifique et technologique, nous avons tout simplement ignoré le potentiel et le savoir-faire humain pour résoudre la problématique alimentaire autrement que par l'approche actuelle industrielle bien monolithique. À l'échelon individuel, de nombreuses personnes ont su réaliser, dans leur pratique quotidienne, une synthèse remarquable de ces diverses cultures culinaires sans tomber dans les pièges d'une gastronomie compliquée, élitiste sur le plan du prix de revient et souvent peu diététique.

La restauration collective revêt une importance de plus en plus grande ; en utilisant nos cantines ou d'autres structures de proximité, nous avons la possibilité d'en faire des lieux de synthèse de toute la chaîne alimentaire, d'être exemplaires sur l'origine des produits, les pratiques culinaires, la composition des repas, les prix de revient, les menus types. Dans des restaurants expérimentaux, nous avons l'opportunité de tester de nouveaux aliments, des procédés technologiques innovants. Avec des moyens de recherches fort modestes, on peut espérer des retombées sociétales très positives d'une telle approche.

L'évolution des modes alimentaires et des pratiques culinaires dans les foyers est également un sujet essentiel à étudier si on veut résoudre les problèmes nutritionnels. Beaucoup d'observateurs prévoient une diminution très forte du temps consacré aux préparations culinaires au foyer. Cette tendance est accentuée par une pression importante de l'offre agroalimentaire pour inciter les consommateurs à utiliser le maximum de produits prêts à l'emploi. Les conséquences à long terme de ces nouvelles façons de se nourrir sur le comportement et l'état nutritionnel des consommateurs sont mal connues, mais on a déjà un aperçu plutôt inquiétant des problèmes de santé que cela engendre, en particulier chez ceux qui disposent des moyens financiers les plus faibles pour se nourrir.

Faire la cuisine présente un très grand nombre d'avantages en termes d'économie, de convivialité, de dépenses physiques, de gastronomie, de culture. Créer un environnement alimentaire et sociétal qui incite à se détourner de cette activité n'est pas une action insignifiante. L'abandon de pratiques ancestrales, la perte des liens sociaux tissés autour de l'acte culinaire, la non-prise en charge de soi ou du groupe pour accomplir un acte vital, tisser un lien convivial et affectif, la perte d'autonomie, souvent le recours au grignotage sont autant d'éléments qui doivent nous pousser à être circonspects sur une évolution de l'alimentation qui irait toujours vers la facilité.

Pour montrer que la collectivité prend au sérieux les liens entre qualité alimentaire, art culinaire et nutrition préventive, la création de restaurants pilotes pourrait être une initiative marquante. Ces établissements pourraient être ouverts à un public qui recherche de l'information nutritionnelle et des renseignements pratiques. Les possibilités de communication sur le parcours des aliments de la terre à l'assiette, sur l'impact des facteurs nutritionnels, sur l'intérêt d'utiliser la diversité alimentaire sont très intéressantes, et quel atout de pouvoir le faire dans un cadre chaleureux. Le succès d'une telle initiative d'intérêt général serait assuré avec de faibles moyens.

DU FAST-FOOD AU SLOW-FOOD

La cuisine peut aussi quitter le champ clos des appartements, des maisons ou des restaurants. Jusqu'à très récemment, le climat aidant, les Français et leurs voisins européens ignoraient la tradition du déjeuner dans la rue, et, même lorsqu'il fait beau, les Européens du Sud préfèrent s'installer dans des restaurants, des bistrots, des trattorias ou des comedores plutôt que d'acheter de la nourriture à des vendeurs de rue. À l'époque où les trains et les voitures n'existaient pas, les voyageurs avaient besoin de s'arrêter dans les auberges pour s'y restaurer confortablement. Cependant, avec l'avènement d'un nouveau rythme de vie, la nécessité de gagner du temps est à l'origine de la prolifération de nombreuses formules express dans des bars, des bistrots ou dans des boutiques de rue.

Dans beaucoup de régions du monde, depuis le tout début de l'Histoire, les cuisines de rue se sont imposées comme la principale forme de restauration. Ce type de consommation est né avec les marchés et les foires qui obligeaient paysans et artisans à s'éloigner de leur domicile.

Au contraire de l'Europe, les pays du Maghreb et du Moyen-Orient, traditionnellement plus nomades, sont adeptes de la cuisine de rue. Dans les places publiques, autour des gares, des marchés, on rencontre beaucoup d'échoppes et de chariots en tout genre qui proposent différents types de sandwichs ou de plats. Plus la ville grouille de vie, plus sont nombreux les étalages, les boutiques ambulantes garnies de tajines, de pommes de terre cuites au four, de plats de légumes, de salades composées, de kebabs, de poissons ou de viandes grillées. En Asie, les étals de nourriture font partie intégrante du paysage oriental. Dans tous ces pays (Thaïlande, Philippines, Inde, Indonésie, Chine) et dans tous les endroits grouillant de foule, les ruelles, les marchés, les bords de route, les gares et les rives, une multitude de vendeurs de rue, à l'aide d'étals improvisés, de chariots et d'autres tricycles, s'ingénient à proposer des formules pratiques, économiques de prêt à manger à base de riz ou de délicieux fruits et légumes. Les restaurants de rue sont aussi très présents en Afrique, en Amérique latine et même dans certains pays industrialisés tels que le Japon.

L'origine du fast-food américain s'est fortement développée à partir des années 1970, mais ce mode de restauration rapide trouve son origine dans les quartiers d'affaires, pour faire manger rapidement les businessmen particulièrement pressés. C'est ainsi que le hamburger et les enseignes associées devinrent parmi les symboles les plus forts des États-Unis et envahirent progressivement le monde entier.

Il y a donc à l'évidence une place pour la restauration rapide, pour toutes sortes de restaurations de rue ou de quartier qui permettent de manger près des divers lieux de vie, mais cette nourriture doit être également de qualité, préparée avec des produits frais, et d'une autre nature que ces sandwichs au pain de mie imprégnés de gras et de conservateurs, ou d'autres exemples de « malbouffe ».

Pour signifier leur indignation par rapport aux formules les plus caricaturales de fast-food, un mouvement de protestation est né en Italie sous le nom de « slow-food » afin de souligner l'importance du bien manger et de mettre en valeur un certain hédonisme. Ce plaisir de bien manger ne doit pas rester l'apanage des grands restaurants, il doit aussi envahir les rues où il peut être si bon de consommer des préparations simples, mais de qualité. À cette fin, un meilleur usage des fruits et légumes est indispensable pour que la restauration de rue se démarque à la fois des types de restauration classique et des formules industrielles de fast-food.

Les multinationales de la restauration et de l'agroalimentaire, qu'elles soient étrangères ou même françaises, ont réussi à détruire en l'espace de quelques décennies tout un pan de patrimoine culturel et culinaire français. Par le développement et la mise en valeur de produits industriels tout prêts, emballés, préparés et très bien commercialisés, les grandes marques de l'agroalimentaire sont parvenues à détourner les Français et les Françaises du plaisir de cuisiner et du plaisir de bien manger. Elles ont dépensé des milliards d'euros vantant les mérites de la femme libérée, affranchie des tâches ménagères et surtout de la cuisine, présentée comme une contrainte et une corvée. Pire encore, les chefs de la restauration ont suivi la même tendance. De nombreux restaurants sont ainsi devenus des ateliers économiques où règne désormais la culture de la cuisine d'assemblage. Les plats préparés, surgelés, les conserves, les sauces et les autres produits alimentaires intermédiaires ont remplacé les produits naturels de nos terroirs que l'on mariait avec passion. Ainsi, de nombreux cuisiniers ne sont plus des artistes au fourneau mais des experts en assemblage de produits industriels semi-préparés, précuits ou prêts à réchauffer.

Dans ces conditions, on ne peut que souhaiter un retour à plus de simplicité, d'authenticité dans les pratiques culinaires, celles des foyers, celles de divers types de restauration pour mettre en valeur une très grande diversité de produits alimentaires de qualité. Sachant que le temps consacré à la cuisine n'est pas plus perdu que bien d'autres temps.

Quelle alimentation pour demain ?

Certaines préoccupations alimentaires peuvent sembler bien superflues par rapport aux problèmes de la faim dans le monde qui touchent plusieurs centaines de millions d'habitants. Au niveau planétaire, les ressources alimentaires pourraient être théoriquement suffisantes, mais de nombreux facteurs contribuent à réduire leur disponibilité : mauvaise gestion de l'agriculture et de l'élevage ou de l'équilibre entre ressources végétales et animales, diversification végétale et production de cultures vivrières insuffisantes, érosion des sols, manque d'eau et désertification, démographie trop élevée, nouvelles maladies et problèmes climatiques. À cela, il faut rajouter quelques mauvaises pratiques alimentaires traditionnelles et maintenant les conséquences négatives de la « transition nutritionnelle ».

En fait, l'importance de la gestion de la chaîne alimentaire et de ses potentialités est universelle et doit être mise en avant plutôt que de déplorer seulement la situation des pays pauvres. Les modalités du développement d'une agriculture durable sur les bases que nous avons décrites concernent autant les pays riches que les pays en voie de développement, ceux qui ont une agriculture excédentaire comme ceux qui ont des ressources alimentaires insuffisantes.

Il est clair que la concurrence très vive, entretenue par les grandes puissances agricoles, sur le commerce des matières premières est en contradiction avec la mise en place d'une agriculture durable. En effet, pour gagner les marchés, il faut adopter une logique productiviste avec des exploitations de très grande taille et recourir à des pratiques souvent agressives pour l'environnement. Si la logique de la performance économique et du meilleur prix est plutôt bien acceptée pour les objets manufacturés (bien que parfois discutable), elle est moins évidente en matière d'aspiration alimentaire. En effet, il existe un large consensus social en faveur du suivi de l'alimentation dans un environnement et un tissu rural auxquels le consommateur puisse se référer.

Les systèmes d'agriculture durable constituent, pour tous les pays, un cadre valable à la fois pour assurer la meilleure nourriture possible aux populations et aussi pour servir de guide aux échanges alimentaires. Si chaque pays convenait de respecter des règles universelles : le droit des peuples à se nourrir eux-mêmes, l'obligation de pratiquer des modes de culture et d'élevage les plus adaptés à l'environnement et à l'obtention d'une bonne qualité nutritionnelle, cela permettrait de codifier les échanges et pourrait être source d'équilibre au niveau mondial. La souveraineté alimentaire peut se concevoir aussi à l'échelon des régions, et les citoyens devraient pouvoir s'exprimer et s'engager sur cette question, sur leur droit à s'alimenter à partir de ressources de proximité.

Accepter de justes échanges en évitant les travers d'un protectionnisme partisan et refuser les concurrences effrénées. Éviter les erreurs du productivisme agricole de la seconde moitié du XXᵉ siècle pour ne garder que les progrès les plus positifs. Reconnaître à chaque peuple une indépendance alimentaire et les possibilités de le faire dans des conditions qui préservent les potentialités agricoles, l'environnement et le tissu rural.

Toutes ces considérations ne sont pas utopiques et sont en fait les seules recevables pour codifier nos échanges économiques, dans le domaine de l'agriculture mais aussi de l'agroalimentaire. Le seul objectif qui compte est d'essayer de faire adopter dans tous les pays les modes alimentaires les plus protecteurs pour leur population et les plus adaptés à l'environnement agricole de chaque région du monde.

En vue d'optimiser la nutrition humaine, il y a des possibilités très importantes d'échange de matières premières mais aussi de savoir nutritionnel. Beaucoup de pays auraient ainsi intérêt à emprunter à d'autres cultures populaires des manières originales et efficaces de bien s'alimenter. Cela pourrait contribuer à résoudre de nombreux problèmes nutritionnels. Les Mexicains pourraient nous apprendre à mieux consommer le maïs, et les Chinois à diversifier l'apport de légumes dans nos repas. Chaque pays gagne à enrichir sa diversité alimentaire, culinaire et culturelle. C'est l'inverse de la mondialisation par l'uniformisation, par la « macdonalisation », par la généralisation du fast-food et du Coca-Cola.

Dans ce contexte, il faut bien reconnaître que la France a des atouts exemplaires par la richesse de son potentiel agricole, par sa tradition culinaire, son activité agroalimentaire puissante, l'importance de sa recherche agronomique. Cependant il semble que nos objectifs soient trop restés dans le domaine de l'efficacité de la production alimentaire. Nous n'avons pas eu la volonté de mettre en valeur le potentiel d'équilibre et de santé que l'on peut trouver dans une chaîne alimentaire de qualité.

C'est à travers l'amélioration de notre façon de bien nous nourrir et de bien cultiver que nous pourrons non seulement défendre notre situation agricole, mais aussi apporter du développement durable aux autres pays. C'est la seule politique de recherche possible et elle est particulièrement enthousiasmante.

Les difficultés de la politique agricole viennent de l'insuffisance d'objectifs clairs sur la gestion de l'agriculture et de la santé. Seule la prise de conscience de l'efficacité d'une approche globale de la problématique agriculture-alimentation-santé sera susceptible de nous faire sortir des pièges de la productivité agricole et de l'industrialisation alimentaire dans lesquels nous nous sommes laissé entraîner.

La reconnaissance à l'échelon international des bases de l'agriculture durable et de la nutrition préventive, bien peu amorcée, est la seule voie pour guider les politiques agricoles nationales et les échanges internationaux. La manière de conduire la chaîne alimentaire, du champ jusqu'à l'assiette, n'est pas seulement une affaire d'économie et de culture, mais aussi de responsabilité citoyenne bien plus large puisque cela peut avoir des répercussions considérables sur l'avenir de l'homme et de la planète. Le public commence à s'en rendre compte et semble fortement sensibilisé à ces questions.

Certes, nous avons déjà du mal à obtenir un consensus sur la maîtrise des ressources énergétiques, et il risque d'en être de même en matière d'agriculture et de nutrition humaine. Quelles que soient les difficultés, on ne pourra ni construire l'Europe ni harmoniser nos échanges avec l'Amérique ou les pays du Sud sans un consensus suffisant sur une nouvelle éthique alimentaire. Vouloir régler ces questions en termes économiques dans le cadre des échanges internationaux (avec l'actuel OMC) est quasiment impossible.

Il est temps d'établir une charte des droits et des devoirs de l'homme en matière d'agriculture, d'alimentation et de santé. L'expérience a montré que ce type de déclaration ne suffisait pas à résoudre tous les problèmes, mais il est bien utile de pouvoir s'y référer. L'enjeu est de lutter contre la survenue d'une humanité à deux vitesses sur le plan de l'alimentation, comme pour la répartition des richesses où un cinquième de l'humanité possède les 4/5 des richesses.

LES SCÉNARIOS POSSIBLES POUR L'AGRICULTURE ET L'ALIMENTATION DE DEMAIN

Il est particulièrement difficile de répondre à la question : comment l'homme s'alimentera-t-il demain, et avec quels types d'agriculture et d'activités agroalimentaires ? La complexité des facteurs mis en jeu concernant la demande des consommateurs et l'organisation de la chaîne alimentaire ne permet pas, même en réunissant les compétences des spécialistes les plus avisés, d'émettre des prévisions sûres pour l'avenir. Cependant, il faut aussi considérer que le futur nous appartient, que chacun a son mot à dire, que des prises de conscience collectives peuvent modifier le cours des choses. La problématique alimentaire touche particulièrement l'homme, dans un domaine vital qui le ressource quotidiennement, mais ce sujet ne peut être isolé des autres grandes questions, notamment le réchauffement climatique ou la fourniture d'énergie. D'ailleurs, selon la manière dont il est conduit, le bilan de l'agriculture sur l'équilibre de la planète terre et l'effet de serre peut être extrêmement variable.

Si aucun événement fort n'influence le paysage alimentaire, l'évolution de l'alimentation humaine devrait être dépendante tant de la nature de l'offre alimentaire que des réactions du consommateur. Bien que souvent l'accent soit mis sur le rôle central du choix du consommateur, il ne faut pas oublier que ce dernier est bien obligé de s'adapter au système alimentaire qui lui est proposé. Ce jeu d'interactions entre chaîne alimentaire et consommateurs peut se pratiquer longtemps avec les mêmes règles jusqu'à ce qu'un événement ou un mouvement d'idées finissent par modifier profondément le cours des choses. Pour l'instant, ni les conditions de vie actuelles ni la prise de conscience sociétale ne suffisent à changer le sens des évolutions que nous avons connues depuis quelques dizaines d'années. La question est donc de savoir jusqu'où le type de chaîne alimentaire actuelle pourrait évoluer dans le long terme et quelles sont les chances d'un modèle alternatif. Avant l'essor de l'agroalimentaire, l'activité de ce secteur était plutôt insuffisante pour nourrir des villes en pleine expansion. On sait à quel point ce secteur s'est maintenant hypertrophié jusqu'à nuire à la consommation d'aliments naturels, pourtant indispensables à l'équilibre nutritionnel. Trouverons-nous un juste équilibre ?

Dans un premier scénario d'évolution possible, les activités agricoles et agroalimentaires trouvent principalement leur place dans la sphère économique, avec la logique qui s'y rattache : satisfaire (en les modulant à sa convenance) les besoins du consommateur à un moindre coût pour gagner le maximum de marchés. La logique mercantile de cette approche exclut de son champ de préoccupation une vision globale. Elle ne cherche pas à prendre en compte les conséquences socioéconomiques provoquées par cette apparente rationalisation de la chaîne alimentaire, ni les répercussions écologiques et environnementales d'une agriculture productiviste, ni la problématique des relations entre alimentation et santé.

Dans ce type de scénario, l'influence principale vient de l'industrie agroalimentaire qui cherche à s'approvisionner en matières premières de qualité standard au meilleur prix et donc au cours mondial. La pression compétitive incite ainsi les industriels à demander à l'agriculture européenne de rejoindre les standards de production les plus bas. Les lobbies agroalimentaires encouragent progressivement l'abandon de tout soutien aux prix et de toutes protections aux frontières. L'Europe continue cependant, comme les Américains, à soutenir de façon indirecte les agriculteurs dans le cadre d'une politique agricole rénovée, mais le montant des aides diminue nettement, et les contours les plus incohérents de la politique actuelle de subventions sont gommés.

Surtout on ne change pas des systèmes de production qui ont fait la preuve de leur efficacité. On assiste donc : au développement d'une agriculture le plus compétitive possible ; à l'augmentation toujours sensible des rendements jusqu'au plus fort plafonnement possible (en France une production laitière annuelle de 10 000 litres de lait par vache, un rendement de 100 quintaux de blé à l'hectare et bien d'autres performances de par le monde) ; à un fort accroissement de la taille des exploitations de grande culture ; à la diminution de la diversité des productions agricoles à l'échelon d'un pays en fonction d'une répartition et d'une compétition mondiales ; à l'accentuation de l'industrialisation des élevages ; à la standardisation des cultures de fruits et légumes ; au maintien des modèles actuels d'offres très élevées en produits animaux.

L'évolution du secteur agroalimentaire est tout aussi remarquable, et l'importance des transformations alimentaires opérées s'accentue au rythme des progrès technologiques. Il en résulte une offre d'aliments faciles à préparer toujours plus abondante et on assiste à l'industrialisation des derniers secteurs artisanaux (boulangeries, cantines, etc.). On observe cependant une certaine amélioration de la densité nutritionnelle des aliments, à la suite de la prise en compte des critiques des nutritionnistes concernant les calories vides.

Pour les consommateurs, ces changements aboutissent : à une baisse très nette du budget consacré à l'alimentation ; à une diminution encore plus forte du temps passé à la préparation des repas ; à une gestion plus fluide des approvisionnements avec un renouvellement sans à-coups du contenu des frigos et des réserves alimentaires.

Diverses tendances méritent aussi d'être soulignées : la recherche d'un exotisme alimentaire dans des restaurants ou des régions spécialisés ; la perte notable du patrimoine culinaire ; le développement des fast-foods et d'une alimentation à deux vitesses ; l'augmentation très forte des troubles du comportement nutritionnel et des maladies métaboliques (diabète, obésité).

Ce scénario, à peine accentué, n'a rien de futuriste puisqu'il correspond déjà à la situation d'une large partie de l'Amérique du Nord, voire de l'Europe, et qu'il exprime les tendances lourdes d'un certain type d'agriculture qualifiée de performante et d'une industrie agroalimentaire toujours en quête de compétitivité et de rentabilité.

Faute de régulations efficaces des marchés et par le jeu concurrentiel d'une multitude de producteurs, les agriculteurs voient leur revenu diminuer malgré des efforts considérables de rentabilité, et il en est de même de certaines activités agroalimentaires. Finalement, la baisse du budget consacré à l'alimentation profite surtout à quelques multinationales.

Si l'analyse des économistes est fiable, l'augmentation du niveau de vie se traduit par l'érosion des dépenses d'alimentation, et cette évolution pourrait être accentuée par l'industrialisation toujours plus poussée de la chaîne alimentaire.

À l'échelon français, il est inutile de rappeler à quel point il est intéressant de maintenir une population rurale même si une partie des campagnes est maintenant occupée par des non-agriculteurs. Au moins dans les pays riches, il n'y a plus de bénéfices socioéconomiques à diminuer le budget consacré à l'alimentation par l'accroissement de la productivité générale du secteur alimentaire. On ne voit guère l'utilité de réduire le poids économique de l'alimentation humaine au risque d'une dévalorisation de la qualité nutritionnelle, de retombées socioéconomiques ou écologiques négatives et surtout si cela entraîne une augmentation des dépenses de santé. Il y a aussi de nombreux risques de sécurité alimentaire à concentrer les productions agricoles et les

transformations alimentaires ; sachant qu'une crise alimentaire
sera toujours plus grave que dans d'autres domaines. Les risques
écologiques, dus au productivisme qui induit des systèmes de
culture et d'élevage mal adaptés à l'environnement, sont maintenant bien connus mais si peu pris en compte.

Dans le scénario que nous venons de développer, la dégradation géopolitique de l'alimentation par une approche productiviste réductrice de cette activité est le constat le plus alarmant.
La production de matières premières à bas prix n'aide pas à
résoudre les problèmes de la faim dans le monde puisque cela
gêne considérablement le développement de l'agriculture des
pays pauvres. Enfin, le recours, dans les pays peu développés
économiquement, à une agriculture productiviste mal maîtrisée
peut se traduire par des désastres écologiques au même titre que
les anciennes mauvaises pratiques.

La conclusion de cette analyse partagée par de nombreux
experts est qu'il convient de rechercher une autre voie, celle du
développement d'une agriculture durable adaptée aux exigences
de la nutrition préventive. Dans cette perspective, un effort
considérable devrait être accompli pour rééquilibrer les poids
respectifs du secteur agroalimentaire et de l'agriculture dans le
marché alimentaire.

L'originalité de l'approche, défendue tout au long de ce livre,
est d'établir des liens étroits entre la conduite de l'agriculture, la
nature des transformations alimentaires, les choix alimentaires
et la nutrition préventive. Grâce à son impact inestimable sur la
santé, l'alimentation acquiert ainsi une valeur ajoutée considérable qui la libère enfin du joug trop pesant de la concurrence
économique aveugle. Cependant, en plus de l'optimisation de son
rôle nourricier, ce type de scénario investit l'agriculture d'une
mission d'équilibre écologique, sociétale et géopolitique.

Dans cette vision, le caractère bienfaiteur et incontournable
de l'agriculture durable en vue d'une alimentation préventive est
affirmé *a priori* ; ce qui suppose évidemment d'adopter les systèmes de culture et les modes d'alimentation adéquats pour obtenir les résultats le plus satisfaisants possible. De plus, le bénéfice
d'une bonne conduite de la chaîne alimentaire ne peut se concevoir seulement à l'échelon de pays privilégiés et doit être élargi

au maximum de nations. À partir d'expériences alimentaires réussies dans diverses régions du monde, il deviendrait plus facile de faire adhérer à cette démarche beaucoup de pays trop démunis ou trop éloignés des bonnes pratiques en termes d'agriculture et d'alimentation. Les mêmes problèmes d'obtention de consensus sont rencontrés pour la question du réchauffement de la planète sans que cela remette en question la nécessité d'une approche collective.

Sans sous-estimer les difficultés à engager les acteurs de la chaîne alimentaire dans une nouvelle voie plus exigeante, mais plus sûre et plus valorisée, les bénéfices de cette orientation semblent considérables à tous les niveaux. En fait, tout le fonctionnement de la chaîne alimentaire pourrait être amélioré dans la mesure où elle serait revalorisée économiquement. La contribution à l'amélioration de l'environnement et la qualité des services alimentaires rendus devraient être bien explicitées pour faire accepter, par le public, l'apparent surenchérissement de l'alimentation. Actuellement, le vrai coût de la nourriture est très sousestimé puisque le soutien des États au financement de l'agriculture n'est pas visible dans l'acte d'achat, ni les conséquences négatives sur l'environnement ou le tissu social d'une agriculture productiviste.

Pour les agriculteurs, l'adoption de l'agriculture durable, c'est l'assurance de redonner du sens à un métier très dévalorisé, de ne plus être des conducteurs d'engins et des chasseurs de primes mais des pilotes de systèmes vivants et complexes.

Les points forts de ce scénario sont : l'optimisation des systèmes d'exploitation pour l'amélioration de la fertilité des sols et la préservation de l'environnement ; le choix de cultures et d'élevages adaptés au milieu et en fonction des critères écologiques ou nutritionnels recherchés ; l'adoption de systèmes d'exploitation complexes éloignés des monoproductions ; le contrôle de la qualité des produits avec une obligation de moyens et de résultats ; l'adaptation de la nature et du volume des productions aux besoins alimentaires de l'homme et donc en relation avec des structures de régulation ; une revalorisation nette des prix agricoles avec une harmonisation des productions ; le maintien d'un tissu rural vivant.

L'effort de qualité entrepris sur le terrain serait poursuivi par l'adoption de technologies douces, préservant la complexité des aliments. Un très gros effort serait mené pour différencier l'origine des aliments avec des labels de qualité nutritionnelle. Grâce aux outils de gestion modernes, les circuits de distribution courts seraient développés pour permettre aux consommateurs de bénéficier au maximum des produits de la ferme.

Nul doute qu'une chaîne alimentaire bien construite aurait des retombées positives sur le comportement alimentaire de la population, sur sa confiance ; sur son acceptation à dépenser plus (un changement d'attitude est déjà notable en faveur des produits bio). Tout en ne bradant pas ses produits, une chaîne alimentaire de qualité devrait aussi proposer des solutions pour disposer d'une nourriture simple et équilibrée avec un faible prix de revient.

Le passage d'une chaîne conventionnelle, proche du premier scénario, à un autre type de production alimentaire n'est pas encore certain ; surtout, l'évolution pourrait n'être que très partielle et se révéler très longue dans le temps. Pour aller dans le bon sens, il faudrait une mutation profonde du monde agricole, mais surtout des consommateurs. Ces derniers ne sont pas toujours faciles à cerner, souvent proches de leur porte-monnaie et pourtant désireux de consommer des produits de la campagne les plus purs.

LA RESPONSABILITÉ OU LA PASSIVITÉ DES CONSOMMATEURS

Il est clair que les déterminants de la consommation sont complexes et plus ou moins dominés par des motivations de nature diverse : la recherche de la santé à travers une bonne nutrition, le goût associé au plaisir, le prix et la commodité, les conditions de production, la sécurité, la dimension symbolique des aliments, l'information concernant les produits. *A priori,* tous ces déterminants existent et rendent l'interprétation de l'acte d'achat complexe. Cependant certaines tendances fortes pourraient avoir une influence déterminante sur l'évolution de la chaîne alimentaire.

Le scénario le plus favorable serait que, grâce à une information efficace et convaincante, la majorité des consommateurs adoptent un comportement actif pour prendre en charge leur alimentation dans le sens des recommandations les plus utiles.

Dans ce cas, une demande importante pour des produits de bonne qualité organoleptique et nutritionnelle serait extrêmement favorable pour le développement d'une agriculture durable et une amélioration des transformations alimentaires. Dans cette hypothèse, les consommateurs sont prêts à passer plus de temps à cuisiner et ils sont relayés par de nombreuses offres de restauration de bonne qualité diététique. Dans la population, l'incidence des pathologies diminue très sensiblement, ce qui renforce dans la durée l'intérêt et l'adhésion des consommateurs pour des modes alimentaires réfléchis et sources de bien-être. Des comportements sociaux de gestion du plaisir moins primaires se développent et rendent les mangeurs moins sensibles à des leurres organoleptiques tels que les arômes ou le goût sucré et salé.

Le scénario opposé verrait les consommateurs devenir de plus en plus passifs et accepter de s'en remettre principalement à l'industrie alimentaire pour satisfaire leur besoin. Dans l'état actuel de l'offre en produits transformés, de leur trop grande richesse en calories vides, cette évolution serait particulièrement grave en termes de santé publique et sans doute en amont pour l'agriculture toujours plus soumise à une pression compétitive et donc contrainte à une démarche productiviste. Il est peu imaginable que l'industrie lève sa pression sur l'agriculture, par contre, sous l'influence de recommandations claires ou de nouvelles réglementations, on peut espérer une nette amélioration de la densité nutritionnelle des produits et donc un progrès réel par rapport à la situation actuelle. Il est peu probable que cela soit suffisant pour prévenir l'ensemble des troubles métaboliques provoqués par une forte disponibilité en produits prêts à consommer et une déstructuration des repas. Si la passivité alimentaire des consommateurs s'accompagne d'un degré plutôt élevé de sédentarité, la tendance aux trop fortes surcharges pondérales ne pourra que s'accentuer. Après les États-Unis, l'Europe et d'autres régions du monde en plein développement subiront de plein fouet l'épidémie mondiale d'obésité. La prévention de ce risque, comme d'autres dangers, mérite que le « consommacteur » se mobilise.

DES INCITATIONS FORTES AU CHANGEMENT

C'est peut-être l'incapacité de nombreuses sociétés à maîtriser l'épidémie d'obésité qui pourrait constituer l'élément de rupture, provoquer une forte prise de conscience concernant la nécessité d'un changement en profondeur de notre chaîne alimentaire et induire des modifications durables des comportements des consommateurs. À l'instar de la sécurité routière, les changements finiraient par s'imposer à tous, et cela serait une bonne nouvelle qui devrait nous inciter très fortement à espérer un meilleur avenir alimentaire.

Forts d'un consensus social suffisant et du soutien éclairé et déterminé d'une nouvelle génération de nutritionnistes, les pouvoirs publics, en France et dans d'autres pays précurseurs, prendraient la responsabilité d'encadrer plus fortement les géants de l'agroalimentaire, en fixant des exigences claires de densité nutritionnelle à atteindre, en réglementant plus sévèrement la publicité alimentaire sur les sources de calories vides, à l'instar de l'alcool. Un mode astucieux de taxation des aliments en fonction de leur densité nutritionnelle pourrait favoriser le recours aux aliments naturels tels les fruits et légumes. Les régions, à leurs divers échelons, pourraient être investies du soin d'organiser et de soutenir les circuits alimentaires de proximité. De plus, les responsables de la distribution alimentaire pourraient gagner à afficher leur adhésion à des objectifs nutritionnels de santé publique ; ils concevraient à cette fin leur offre alimentaire pour faciliter l'adoption de régimes équilibrés par les consommateurs. Il serait facile d'objecter qu'on veut protéger les consommateurs contre leur plein gré ; en réponse à cet argument, il est inutile de rappeler à quel point le type de consommation actuelle a été conditionné par une offre nouvelle de produits transformés, soutenue par une forte pression publicitaire. De toute façon, aucune évolution durable ne pourra se réaliser sans une large adhésion des citoyens aux changements proposés. Cependant, une impulsion politique est sans doute indispensable pour modifier en profondeur le fonctionnement de la chaîne alimentaire.

Enfin, d'autres facteurs de rupture par rapport à une chaîne alimentaire industrialisée et très exigeante en matières premières de très faible prix de revient pourraient provenir de contraintes nouvelles, en particulier de problèmes climatiques et écologiques engendrés par les activités humaines et notamment l'agriculture intensive. Rappelons que l'agriculture est un des secteurs qui consomment beaucoup d'énergie et surtout qui emploient une grande quantité de pesticides ou d'engrais chimiques. Les exemples de gâchis énergétiques sont multiples, en particulier dans le transport des denrées alimentaires, le travail du sol, le chauffage des serres, la déshydratation de certains aliments, la synthèse d'ammoniac à partir de l'azote de l'air, la production d'amidon à partir des céréales. Il pourrait être prouvé que l'utilisation toujours aussi importante de pesticides se traduit, sur du très long terme, par une incidence accrue de pathologies, notamment en matière de cancer, alors qu'apparemment les risques de toxicité avec une imprégnation à court terme paraissent très faibles.

La vérité des coûts de l'agro-industrie est loin d'avoir été établie. Comment chiffrer la contamination des nappes phréatiques par les pesticides, la réduction de la biodiversité, les atteintes à la flore et à la faune, les contaminations subies par les agriculteurs les plus directement exposés aux produits phytosanitaires, les transformations phénotypiques des générations à venir, l'accroissement des maladies métaboliques et des cancers des consommateurs, les pertes de repères culturels, l'état de dépendance imposé aux consommateurs devenus si peu maîtres de leur environnement ? La prise de conscience des risques écologiques et sanitaires courus, même par la pratique d'une agriculture raisonnée, deviendrait ainsi tellement forte que les citoyens consommateurs exigeraient des changements en profondeur et répercuteraient leur vigilance au niveau de leurs actes d'achat, en supportant le renchérissement d'aliments produits dans des conditions optimales, par exemple en provenance de l'agriculture biologique ou d'un autre mode d'agriculture durable.

Conclusion

Au vu de sa longue histoire, il est raisonnable de parier sur la capacité de l'homme à prendre les bons virages, mais que de risques courus et peut-être aussi que de transformations phéno-typiques irréversibles, que de pertes de vitalité, de rusticité, de faculté d'adaptation à un environnement nutritionnel naturel (à l'instar de nos animaux de compagnie, devenus bien passifs pour se nourrir et qui ne sont pas toujours en bonne santé).

Il existe donc un paradoxe extraordinaire dans notre moder-nité alimentaire, celui d'une situation où tant de problèmes ont été résolus, tant de connaissances accumulées, tant de progrès technologiques mis à notre disposition, tant d'améliorations de races d'élevage, de variétés végétales, de techniques de transfor-mations alimentaires, tant de facilités de production, d'analyses, de contrôles générés... et pourtant, quelle situation inquiétante pour la survie des paysans, que de problèmes environnementaux, que de déviations métaboliques, que de pathologies de surcharge, que de questionnements chez les consommateurs, que de peurs sécuritaires, que d'états de malnutrition, que de déviations du comportement alimentaire, que de convivialité mise à mal, que d'alimentation à deux vitesses ! Certes, les paradoxes font partie de l'essence même de l'homme ou de la nature, mais, dans la sphère alimentaire comme sans doute dans d'autres domaines, il semblerait que l'homme ait poussé la situation jusqu'à des extrê-mes peu supportables, qu'il est en train de payer de sa personne par des transformations phénotypiques provoquées par des facteurs environnementaux auxquels il n'était pas adapté.

Les moins humanistes d'entre nous trouveront qu'il n'est que justice que l'humanité paie dans sa chair ce qu'elle a fait subir à la nature elle-même. La pire des choses serait, en la matière, de prendre un recul désabusé, de refuser de lutter, de céder au découragement face à la complexité de la situation, à la pesanteur extraordinaire d'une chaîne alimentaire et à la rigidité du comportement des consommateurs. Pour le chercheur en nutrition que je suis, cela sonnerait comme un constat d'échec bien triste.

Je pense au contraire que rien n'est définitivement écrit, qu'il est possible de se mobiliser pour améliorer le fonctionnement de la chaîne alimentaire, que beaucoup de problèmes nutritionnels ont trouvé des solutions satisfaisantes, que nous avons accumulé un bagage exceptionnel de connaissances, mais que nous avons une difficulté extraordinaire à les mettre à profit, à harmoniser l'ensemble des étapes de l'élaboration alimentaire, à adopter des modes alimentaires équilibrés en fonction de notre environnement et surtout que le culte de la rentabilité économique nous a fait perdre beaucoup de repères.

Cependant, quels que soient nos travers, je n'arrive pas à croire que l'homme s'ingénierait à cultiver la terre, produire des aliments, se nourrir sans tenir compte des connaissances qui ne manqueront pas de s'accumuler concernant l'origine des nombreux problèmes rencontrés. Ainsi, il n'y a aucune raison pour que les agriculteurs n'adoptent pas à la longue les méthodes requises pour une agriculture durable, qu'un dialogue constructeur ne s'établisse pas entre consommateurs et agriculteurs, que les industriels, un peu contraints sans doute, ne respectent pas la complexité des aliments et que les consommateurs ne finissent pas par apprendre l'art de bien se nourrir. Finalement la situation actuelle est la résultante de trois dérives toutes marquées au sceau de l'imprécision scientifique et de la recherche de la facilité : celle de l'analyse et du discours scientifiques longtemps trop réducteurs délivrant des préconisations peu valables, celle des professionnels de l'alimentation peu enclins à vérifier l'efficacité nutritionnelle de leurs méthodes et celle des consommateurs séduits par les apparences et la facilité. Ainsi, alors qu'un savoir de qualité est générateur de progrès durable, le discours scientifique en nutrition n'a pas facilité une structuration efficace de la chaîne alimentaire autour d'objectifs à atteindre pour développer de front l'agriculture durable et la nutrition préventive.

Il faut donc s'appuyer sur de nouvelles bases scientifiques et réformer notre système alimentaire. Cependant, il y a un réel danger à ce que ces évolutions soient beaucoup trop lentes. C'est personnellement que je trouve cette incertitude fort dangereux et ce risque qu'il est inadmissible de faire courir à nos enfants. Il est significatif que le débat sur l'alimentation soit souvent centré sur les OGM et leurs risques pour la santé humaine, alors que ce sont la démarche productiviste et les risques écologiques courus qui devraient concentrer notre attention. En fait, la préservation des ressources naturelles par l'agriculture est le premier maillon d'une chaîne de protection, allant jusqu'à la santé humaine, qu'il faut respecter. Les possibilités de bienfaits alimentaires à notre disposition sont extraordinaires et bien mal exploités. Parfois les bienfaits potentiels sont détournés vers des compléments nutritionnels simplistes. Certes, la crédulité du consommateur et sa recherche de la facilité ont joué un rôle dans cette évolution ; mais, à l'instar d'une certaine approche de la santé, le manque de vision actuel, par les acteurs de la chaîne alimentaire et nos dirigeants politiques, d'une cohérence globale dans les relations environnement, alimentation, santé nous conduirait dans une impasse en l'absence d'un sursaut salutaire.

À l'évidence, un des points clés pour assurer un avenir plus serein serait de rééquilibrer au maximum les missions nourricières confiées à l'agriculture ou au secteur agroalimentaire. Il n'y a aucune raison que le développement du secteur industriel alimentaire et de la grande distribution devienne une fin en soi, asservissant à leurs appétits financiers une grande part de l'agriculture et rendant les consommateurs toujours plus dépendants de leurs produits.

Il devient urgent d'abandonner le système monolithique actuel, sachant que l'homme pourra difficilement s'adapter à une nourriture devenue trop artificielle et que seule l'agriculture est apte à délivrer les produits frais et naturels dont nous avons besoin au quotidien. En quelque sorte, après avoir développé une agriculture au service de l'industrie agroalimentaire, il conviendrait de procéder à une démarche inverse, celle de la mise en place d'une chaîne alimentaire au service de l'homme et de l'agriculture. Le secteur agroalimentaire aurait pour mission d'être le meilleur relais possible entre le champ et l'assiette, et son rôle devrait être d'assurer au mieux un ensemble de services : en direction de l'agriculture pour la mise en valeur de ses productions très diversifiées (et non dans le sens de la standardisation toujours plus grande selon les exigences actuelles) et pour aider les consommateurs à disposer d'une excellente alimentation. Quel dommage de ne pas avoir tout fait pour développer cet état d'esprit !

On peut s'interroger sur la capacité actuelle de l'homme à résoudre les problèmes alimentaires au fur et à mesure que la population urbanisée s'est coupée des campagnes et s'est éloignée de la nature. Comme les autres formes de précarité, la malnutrition dans les pays pauvres comme dans les pays riches procède du même scandale, celui de l'ignorance, de l'égocentrisme humain ou du profit financier. La peur du changement, la crainte de perdre les acquis actuels sont aussi à l'origine de bien des conservatismes. Pourtant les marchés alimentaires de demain seraient tout aussi attrayants et même mieux adaptés aux besoins humains si l'élaboration de la qualité des aliments était réalisée dans une approche globale de relations équilibrées de l'homme avec la nature. Déjà une frange toujours plus grande d'« alter-consommateurs » est devenue totalement insensible aux sirènes publicitaires ou aux offres commerciales, consciente de leur rôle dans la gestion d'une chaîne alimentaire respectueuse de l'intérêt général. De même la mise en place de systèmes alternatifs de distribution alimentaire permettant de rapprocher agriculteurs et citadins montre que la situation actuelle est loin d'être figée.

Puisse la lecture de cet ouvrage contribuer à la mobilisation des lecteurs et des acteurs pour l'avènement d'une nouvelle ère alimentaire le plus équilibrée possible.

Lorsqu'un homme émet ce vœu, ce n'est qu'un rêve, lorsque beaucoup d'hommes le partagent, le changement est déjà amorcé.

Glossaire

Agriculture durable : pour les organisations agricoles, ce terme fait référence à la permanence des modes d'agriculture bien conduits, efficaces sur le plan de la production et de la préservation du tissu rural et de l'environnement. D'un point de vue nutritionnel, les caractéristiques et les missions d'une agriculture durable sont encore mal définies. Dans une chaîne alimentaire bien conçue, l'agriculture devrait être clairement investie d'une mision nourricière et de gestion de la santé par la qualité de ses produits alimentaires et l'équilibre général de ses productions.

Agriculture raisonnée : mode d'agriculture dans lequel l'utilisation des divers engrais ou produits phytosanitaires et le choix des modes de culture ou d'élevage sont optimisés et définis par un cahier des charges précis.

ANC (apports nutritionnels conseillés) : ils sont censés définir les apports optimaux des divers types de nutriments et de micronutriments pour les différents types de populations (enfants, adolescents, adultes, femmes enceintes...) que doit apporter une alimentation équilibrée. Ils peuvent être variables selon les pays en fonction des commissions d'experts.

Antioxydants : micronutriments susceptibles de neutraliser, au sein de l'organisme, les espèces oxygénées réactives et les radicaux libres.

AJR : apports journaliers recommandés. À la différence des ANC, ils font référence à la consommation moyenne d'une population, si bien qu'ils ne correspondent pas nécessairement aux ANC.

Calories vides : ce terme signifie qu'un aliment ou un ingrédient apporte de l'énergie avec un accompagnement très faible en composés non énergétiques tels que les fibres, les minéraux et les micronutriments. Les biscuits confectionnés avec de la farine blanche, du sucre et des lipides, les sodas, l'amidon purifié, le sucre, de nombreuses matières grasses pauvres en acides gras essentiels, les produits de snacking, les barres chocolatées, l'alcool sont parmi les exemples les plus classiques de calories vides que l'on retrouve en abondance dans beaucoup de produits transformés.

Densité nutritionnelle : elle définit la teneur en éléments nutritionnels intéressants (acides gras ou acides aminés essentiels, minéraux, micronutriments) pour un apport calorique donné. On peut calculer ainsi que la densité nutritionnelle en vitamines et minéraux d'un pain complet est trois fois plus élevée que celle d'un pain blanc, qu'il existe de très grandes pertes de densité entre un fruit, son jus ou le nectar correspondants.

Densité énergétique : elle définit la valeur calorique d'un aliment pour un grammage donné.

Fraction non énergétique : ensemble de composés : fibres, minéraux et micronutriments qui n'ont pas de valeur énergétique, mais un intérêt nutritionnel important.

Micronutriments : ensemble de composés qui jouent un rôle indispensable dans le fonctionnement cellulaire et la protection de l'organisme. On regroupe sous ce terme : vitamines, oligo-éléments, antioxydants ou divers microconstituants (principalement d'origine végétale).

Nutrition préventive : concept qui définit des modes alimentaires pour assurer un fonctionnement optimal de l'organisme, réduire les processus de vieillissement et prévenir l'apparition de diverses pathologies.

Oméga-3 : famille d'acides gras à laquelle appartiennent l'acide alpha-linolénique, l'EPA et le DHA (synonymes de la série n-3). Ces trois types d'oméga-3 ont des origines très différentes ; l'acide alpha-linolénique est apporté par quelques huiles végétales (colza, soja, noix) alors que l'EPA et le DHA sont en abondance dans les poissons gras. Cette famille d'acides gras présente un intérêt nutritionnel remarquable, or l'alimentation actuelle est plutôt pauvre en oméga-3 malgré les nombreux enrichissements de produits alimentaires.

Oméga-6 : famille d'acides gras indispensables à laquelle appartiennent les acides linoléique et arachidonique (synonymes de la série n-6). L'acide linoléique est très abondant dans beaucoup d'huiles végétales (tournesol, maïs...) alors que l'acide arachidonique est surtout présent (en petite quantité) dans les produits animaux.

Péroxydation lipidique : processus d'oxydation des acides gras dans l'organisme analogue au rancissement des graisses.

Phytomicronutriment : ce terme fait référence aux micronutriments d'origine végétale.

Produits transformés : de nombreux aliments nécessitent de subir des transformations pour être consommés. Les industries de première transformation produisent des ingrédients de base (sucre, farine, huile, beurre) ou fractionnent la matière première en de nombreux composés (amidon et gluten, lécithine et protéines de soja, lait écrémé et poudre de lactosérum...). Les produits transformés de consommation courante sont ainsi confectionnés par l'assemblage de nombreux constituants raffinés ou purifiés, ce qui contribue à réduire leur densité nutritionnelle.

Radicaux libres : atomes ou molécules très réactifs du fait de la présence d'un électron libre non apparié.

Statut nutritionnel : disponibilité d'un ensemble de nutriments et micronutriments plus ou moins adapté au fonctionnement optimal et à la protection de l'organisme.

Stress oxydant : déséquilibre entre la production d'espèces oxygénées réactives et de radicaux libres et les systèmes de protection antioxydante, conduisant à des risques d'altération cellulaire.

Table

CHAPITRE PREMIER
Affronter les bouleversements
alimentaires actuels

Table • 301

CHAPITRE III
Adapter l'alimentation
aux besoins de l'homme

Du même auteur

Alimentation et Santé, Flammarion, collection « Dominos », 1994.

Les Bonnes Calories, Flammarion, collection « Dominos », 1996.

Ouvrage proposé par Jacques Fricker

Cet ouvrage a été transcodé et mis en pages
chez Nord Compo (Villeneuve-d'Ascq)
et achevé d'imprimer sur Roto-Page
par l'Imprimerie Floch à Mayenne
en janvier 2005.

N° d'impression : 61894.
N° d'édition : 7381-1577-X.
Dépôt légal : janvier 2005.

Imprimé en France